PSYCHOLOGIE D'AUJOURD'HUI

COLLECTION DIRIGÉE PAR PAUL FRAISSE

LE VIEILLISSEMENT

BRIAN L. MISHARA

*Professeur au Département de Psychologie
de l'Université du Québec à Montréal*

ROBERT G. RIEDEL

*Professeur au Département de Psychologie
de Southwest State University (Minnesota)*

TROISIÈME ÉDITION RÉVISÉE

PRESSES UNIVERSITAIRES DE FRANCE

ISBN 2 13 046375 4

Dépôt légal — 1ʳᵉ édition : 1984
3ᵉ édition révisée : 1994, juin

Sommaire

Avant-propos
de la troisième édition révisée

On raconte l'histoire de cinq aveugles à qui l'on avait demandé de décrire un éléphant. Le premier toucha ses défenses, le second son oreille, le troisième ses flancs, le quatrième ses pieds et le cinquième sa queue. Les cinq hommes donnèrent ensuite cinq descriptions fort différentes de l'animal parce que chacun d'eux en avait « vu » une partie différente. Les études de gérontologie rappellent un peu cette histoire. Psychologues, biologistes, sociologues et anthropologues n'aperçoivent qu'un des aspects du vieillissement, et, comme s'ils étaient myopes, ne voient pas ce que font les autres, de sorte qu'ils ignorent souvent une grande partie des phénomènes qui se produisent pourtant en même temps.

Le manque d'intégration des recherches en gérontologie est parfois décevant. Il est en effet évident que si la biologie a des incidences sur la psychologie, et inversement, l'une et l'autre agissent dans un contexte socio-culturel qui les englobe toutes les deux. Pourtant la plupart des auteurs ne s'intéressent qu'à ce qui est accessible à leur discipline propre, que ce soit la psychologie, la biologie, la démographie ou la sociologie. La lecture des rapports de recherche laisse donc l'impression d'un certain vide.

Dans les dix ans qui ont suivi la première édition de ce livre, les revues scientifiques ont publié autant de recherches en gérontologie que dans les cinquante années qui ont précédé la publication de notre ouvrage. Pour relever le défi d'effectuer une mise à jour du livre, il fallait adopter certains principes de base. C'est ainsi que, tout d'abord, nous avons décidé de ne pas modifier le contenu

*à seule fin de citer des auteurs plus récents qui ne font que rap-
porter les mêmes choses qu'un auteur cité dans la deuxième édition du livre. Deuxièmement, nous avons mis l'accent sur les
découvertes récentes et les nouvelles recherches en gérontologie.
Certains chapitres contiennent peu de modifications. Par exemple,
si les articles sur la sexualité des aînés se multiplient, peu de découvertes importantes ont été faites récemment. Dans certains autres
cas, il fallait corriger certaines conclusions du livre à la lumière de
recherches récentes plus approfondies. Par exemple, la conclusion
du chapitre II de la deuxième édition, qui avançait l'idée d'un
déclin généralisé du goût et de l'odorat avec le vieillissement, n'est
pas fondée ; il y a bel et bien diminution de l'odorat avec l'âge,
mais il n'existe pas de preuves que le vieillissement entraîne une
diminution du goût. En plus de modifier des chapitres, nous avons
inclus dans cette édition certains thèmes qui n'étaient pas abordés
dans les éditions précédentes mais qui ont pris plus de place dans
les recherches contemporaines. Par exemple, aujourd'hui, on effectue des recherches sur la mémoire prospective (se rappeler quoi faire
dans l'avenir) (voir chapitre IV). Nous avons ajouté plusieurs
détails à propos des tentatives de renversement du processus du
vieillissement (chapitre II), et sur les méthodes à privilégier pour
effectuer des sondages auprès des personnes âgées (appendice) ;
nous avons même consacré un nouveau chapitre à un thème important en gérontologie, les drogues et les médicaments (chapitre VII).*

*Dans le présent ouvrage, nous présentons, sous forme de résumé
critique, chacun des principaux courants de la recherche et de la
théorie en gérontologie. Précisons que dans un ouvrage aussi court
le choix des aspects étudiés reflète nécessairement les préférences
de l'auteur. Après un bref chapitre d'introduction, nous exposons
les principales théories et découvertes qui caractérisent la recherche dans les domaines biologique et médical (chapitre II),
sociologique (chapitre III) et psychologique (chapitre IV) dans leurs
applications à la gérontologie. Autant que possible, nous avons
tenté de faire ressortir les rapports qu'entretiennent les faits étudiés par chacune de ces disciplines. Dans les chapitres suivants,
nous présentons les découvertes concernant certains aspects de la
vieillesse qui ont retenu l'attention des chercheurs. Les relations
entre les diverses perspectives qui se dégagent dans la première partie devraient apparaître plus clairement à mesure que nous abor-
dons des questions comme la sexualité, la santé mentale, les dro-*

gues et les médicaments, la mort et le deuil, qui permettent d'entrevoir la multiplicité des facteurs concourant à expliquer l'expérience du vieillissement dans notre culture.

On trouvera en appendice un chapitre sur la méthodologie de la recherche et ses applications à la gérontologie. Certains lecteurs estimeront que c'est là un chapitre essentiel, d'autres le trouveront secondaire ; quoi qu'il en soit, ce chapitre, comme tous les autres du reste, peut se lire dans l'ordre que l'on préfère. Certains passages pourront certes sembler moins pertinents que d'autres, nous espérons cependant que le lecteur désireux de mieux comprendre le processus du vieillissement tel qu'il se déroule dans notre société voudra bien considérer chacune des perspectives et chacun des thèmes abordés dans cet ouvrage.

Les auteurs tiennent à exprimer leur gratitude aux nombreuses personnes qui ont collaboré à l'élaboration de la première édition du présent ouvrage, François Labelle qui a dessiné les tableaux, Jacques Desaulniers et Vania Marion qui ont travaillé à la préparation du manuscrit, Françoys Gagné qui a collaboré à la correction des épreuves, et tout particulièrement Irène Spilka qui a relu la version définitive et nous a aidé de ses commentaires éclairés. Nous remercions Jean-Yves Boucher qui a travaillé à la préparation de la troisième édition du manuscrit et Jacqueline Vandycke qui a relu le texte révisé.

CHAPITRE PREMIER

Introduction au processus du vieillissement

Le présent ouvrage traite de ce qui se produit au moment de notre entrée dans la dernière partie de notre vie, puis au cours de la vieillesse.

Notre corps se modifie. Nous percevons les changements physiques qui se produisent en nous ainsi que chez ceux qui nous entourent, et nous réagissons en conséquence.

Des changements psychologiques surviennent également. Ils influent sur nos pensées, nos sentiments, nos croyances, nos valeurs, nos attitudes, notre comportement, notre personnalité et notre façon d'agir envers autrui.

Avec le temps, le monde qui nous entoure change aussi. Les anciens quartiers se transforment. La mode et les coutumes évoluent. Les héros du monde sportif et les étoiles de cinéma atteignent leur apogée puis déclinent, remplacés par de nouveaux venus. Nous avons beau chercher à retrouver les choses familières auxquelles nous étions attachés, nous ne rencontrons à leur place que le « progrès ».

A mesure que nous mûrissons et que nous nous transformons intérieurement, ce que nous devenons est inexorablement lié à la nature de notre monde extérieur. Nous réagissons en effet aux influences culturelles et sociales, par exemple au mode de vie lié à un endroit particulier, à une époque donnée, dans une société particulière, avec ses attitudes, ses croyances, ses lois et ses règlements. Nous subissons aussi l'influence de l'environnement, comme le régime alimentaire, le logement, l'hygiène, les occasions qui nous sont offertes de nous divertir, de nous instruire, de nous occuper, et le reste.

Dans ce livre, nous étudierons le jeu complexe des influences physiques, psychologiques, sociales, culturelles et matérielles, dans la mesure où elles concernent le vieillissement et nous examinerons diverses théories portant sur l'influence des facteurs sociaux ainsi que de l'environnement sur la maturation physique et psychologique. Enfin, nous résumerons les spéculations des chercheurs sur la façon dont la qualité de la vie des personnes âgées évoluera vraisemblablement dans l'avenir.

Que veut dire être vieux ? ou vieille ?

Quand devient-on vieux ? Que veut dire être vieux ou vieille ? Plus précisément, quand serez-vous vieux vous-mêmes ? Peut-on être encore jeune à 75 ans, et les gens de 50 ans sont-ils déjà vieux ? La vieillesse est-elle un état d'esprit ou bien un état physique ? On peut considérer le vieillissement de quatre points de vue au moins : chronologique, physico-biologique, psycho-affectif et social.

L'âge chronologique

La façon la plus simple de définir la vieillesse consiste à compter les années écoulées depuis la naissance. De façon générale, les statistiques concernant les vieillards fixent arbitrairement à 65 ans le début de la vieillesse, mais quelle différence y a-t-il entre le fait d'avoir 65 ans et d'être classé parmi les vieux, et celui d'avoir 64 ans et d'être encore parmi les gens d'âge mûr ?

Chez certaines personnes la transition s'effectue graduellement, tandis que chez d'autres elle est rapide et traumatique. Chez une personne forcée de prendre sa retraite, le soixante-cinquième anniversaire peut signifier une entrée brutale dans la vieillesse. Chez d'autres, le vieillissement s'amorce doucement, signalé par les cheveux qui grisonnent, les enfants qui quittent le foyer, les amis qui meurent et d'autres signes qui se font de plus en plus fréquents.

Quand commence-t-on à s'apercevoir du passage d'un âge à l'autre ? Souvent, c'est au moment de la puberté qui marque le début de l'adolescence. En effet, l'adolescence s'accompagne généralement de changements physiques remarquables, comme l'accélération de la croissance, l'apparition des poils pubiens, le début

des menstruations et l'apparition des seins chez la jeune fille, la mue
et les premières éjaculations chez le jeune garçon. En même temps,
se produisent des changements d'ordre social : passage du primaire
au secondaire qui représente pour certains le début d'une nouvelle
existence. Les activités changent. Jeunes gens et jeunes filles
commencent à se fréquenter, et cette période est parfois très difficile à traverser. Mais les changements si remarquables de la
puberté présentent des variations individuelles. Ainsi, le début de
la transformation physique, par exemple, se situe à un âge qui peut
varier de cinq à six ans selon les sujets. Ces modifications physiques sont, en grande partie, sous la dépendance de l'« horloge biologique », mais elles sont aussi influencées par des facteurs divers
et nombreux, tels l'alimentation et l'exercice physique. Certaines
femmes sont menstruées avant leur dixième anniversaire, alors que
d'autres ne le seront que vers 16 ans (NCHS*, 1973).

L'importance de ces changements réside dans leur valeur de
signalisation. Ils indiquent en effet que de nouvelles réactions vont
bientôt apparaître. Certains perçoivent ces messages et modifient
leur façon de vivre en conséquence, mais d'autres surcompensent
et tentent de prouver leur jeunesse (à eux-mêmes et aux autres) en
étant « dans le vent ». Les différences individuelles se manifestent
non seulement au début de la transformation physique mais aussi
dans la durée de la transformation. Chez certains sujets, par exemple, cette transformation est achevée au bout de six mois, tandis
que chez d'autres, elle dure six ans.

Dans notre société, le second passage important survient à l'âge
de 21 ans. La coutume de faire débuter la maturité à 21 ans
remonte à une vieille tradition établie par Aristote, il y a deux mille
ans. Ce n'est que récemment que dans plusieurs pays les lois ont
été modifiées pour fixer à 18 ans le début, au sens juridique, de
l'âge adulte.

Les autres passages significatifs sont, le plus souvent, ceux qui
marquent la fin d'une décennie et le début d'une autre, par exemple, de 29 à 30 ans, de 39 à 40 ans, de 49 à 50 ans, de 59 à 60 ans.
Il va sans dire que ces étapes n'ont pas la même importance ni la
même signification pour tous. Chez certains, la transition de 29 à
30 ans passe presque inaperçue tandis que celle de 39 à 40 ans produit un effet dramatique. C'est que le changement de décennie

* NCHS : National Center for Health Statistics.

risque d'accentuer l'effet d'événements qui se sont produits au cours
des dix années antérieures. En d'autres termes, ces anniversaires
peuvent soudainement forcer le sujet à prendre conscience des
transformations amorcées au cours des dix dernières années. La
ménopause, qui marque une autre étape importante, peut, tout
comme la puberté, être plus ou moins précoce ou tardive, apparais-
sant parfois dès la fin de la trentaine ou bien seulement au début
de la cinquantaine. Elle peut être précipitée par une intervention
chirurgicale (fig. i-1, NCHS, 1966).

FIG. I-1. — Pourcentage de femmes, selon l'âge, qui au moment de l'enquête
ont dit avoir traversé leur ménopause (Source : NCHS, 1966)

Dans notre société, c'est l'âge de 65 ou de 70 ans qui marque
le début de la vieillesse parce qu'il coïncide souvent avec l'âge de
la retraite. L'entrée dans la vieillesse se trouve donc établie en partie
par décret. Du fait que l'âge arbitraire et obligatoire de la retraite,
qui est normalement de 65 ans, peut parfois être reculé jusqu'à
70 ans, certaines personnes vieillissent, du moins juridiquement,
plus tôt que d'autres. Bien qu'au-delà de 65 ou 70 ans le vieillissement ne soit plus marqué par des jalons officiels, le groupe des
« vieux » englobe un large éventail d'âges. Si l'on considère la

distribution des âges chez les « vieux », on constate en effet qu'elle est répartie sur deux ou trois générations.

Etant donné la grande dispersion des âges compris dans la période appelée vieillesse, période qui englobe facilement le tiers de notre vie, il est commode de distinguer deux groupes de personnes âgées : les « jeunes vieux » et les vieillards proprement dits. Encore une fois, il est arbitraire de placer le seuil à 70 ans, à 75 ans, ou ailleurs. Le fait est que ces distinctions n'ont rien de permanent. Autrefois, il était rare de rencontrer des personnes de 65 ans, alors qu'aujourd'hui, dans les pays industrialisés, les personnes de 70 ans sont nombreuses. Souvent les jeunes vieux sont encore actifs et se voient épargnés par les problèmes associés au vieillissement. La durée de la vie active et des autres caractéristiques de la jeunesse s'accroît constamment à notre époque.

L'âge chronologique s'accompagne également d'un phénomène d'identification aux stades traditionnellement reconnus comme constituant la jeunesse, la force de l'âge et la vieillesse. Les premières études sur le vieillissement ont montré que les gens ont conscience d'être d'abord jeunes, puis adultes, vieillissants, âgés et enfin vieux (Burgess, Cavan et Havinghurst, 1948). Des recherches subséquentes (Busse, Jeffers et Obrist, 1957 ; Jeffers, Eisdorfer et Busse, 1962) indiquent que l'identification au groupe des jeunes, des adultes, des gens d'âge mûr ou des vieux dépend non seulement de l'âge du sujet, mais aussi de son état de santé, de sa race, ainsi que sa façon de comprendre les termes utilisés pour désigner les stades de la vie. Ces variations sont déterminées par une quantité de causes, y compris la classe socio-économique, l'instruction et le groupe ethnique. En fait, on ne s'accorde guère sur le sens des mots qui désignent les derniers stades : est-on vieux avant d'être âgé, ou inversement ? L'un des objectifs des études mentionnées consistait précisément à tenter de pratiquer un découpage cohérent de cette dernière partie de la vie, mais les résultats ont été plutôt décevants.

Si l'on veut que l'âge chronologique serve de critère pour l'évaluation des événements de la vie, il serait souhaitable d'arriver à une entente concernant l'âge auquel ceux-ci surviennent. Aussi Neugarten et ses collaborateurs (1964) ont-ils demandé à leurs sujets de dire à quel âge s'étaient produits certains événements. Leurs résultats font état d'un accord satisfaisant, encore qu'ils présentent des variations individuelles. L'on s'entend à deux ans près,

ce qui constitue un écart faible, sur l'âge idéal pour terminer la scolarité et commencer à travailler, mais d'autres points, par contre,
sont loin de faire l'unanimité. Ainsi, chez les hommes, on enregis-
tre un écart de 15 ans autour du moment auquel se situe la force
de l'âge, ce qui révèle un désaccord considérable.

En résumé, il semble qu'il existe un rapport entre l'âge chronologique et la suite formée par les événements de la vie. Cependant, les seuils arbitraires établis d'après l'âge sont souvent
trompeurs, car les différences individuelles sont fréquentes et les
changements sont habituellement graduels, se produisant rarement
le jour même d'un anniversaire. De nombreuses variables, comme
la santé, les facteurs sociaux et économiques, semblent entrer dans
la conception de l'âge tout autant que le nombre des anniversaires. Puisque l'on vieillit différemment au point de vue physique,
économique et social, l'âge chronologique sert tout au plus à marquer l'âge « objectif ».

L'âge physique et biologique

D'autres critères que l'âge chronologique peuvent servir à définir le vieillissement, ce sont les changements physiques et biologiques. Cependant, à moins de traumatisme exceptionnel, le vieillissement physique se déroule graduellement de sorte qu'il est souvent
arbitraire de préciser le moment où une personne est vieille physiquement. La plupart des gens sentent leurs forces décliner graduellement entre 30 et 35 ans, mais ils ne s'en préoccupent guère tant
que leurs activités quotidiennes n'en sont pas affectées. Les personnes pour qui la condition physique est importante, tels les athlètes
ou celles qui tiennent à la beauté physique, peuvent s'apercevoir
plus facilement de leur vieillissement physiologique que celles dont
les activités ne sont pas centrées sur leur état physique. Les modifications graduelles se remarquent lorsqu'elles atteignent un seuil
critique qui entraîne un changement, comme la première paire de
lunettes à double foyer. L'hypothèse de la « discontinuité » a été
émise pour la première fois par Birren, Butler, Greenhouse,
Sokoloff et Yarrow (1971). Ces auteurs maintiennent que, tout en
sachant que les mécanismes physiques déclinent très tôt au début
de l'âge mûr, la plupart des gens n'en prennent conscience qu'au
moment où ceux-ci affectent de façon notable leurs activités
quotidiennes.

L'image de soi peut changer au moment où l'on commence à s'apercevoir que les cheveux grisonnent ou s'éclaircissent, que les rides et la peau sèche apparaissent, et que le poids augmente. Une industrie de plusieurs millions est née du désir de conserver l'apparence de la jeunesse : teintures pour les cheveux, crèmes pour la peau et autres produits de toutes sortes se vendent chaque jour en quantité ; ils n'ont d'autre raison d'être que de ralentir ou de réparer les ravages du temps. Mais la personne qui continue de paraître jeune se sent-elle plus jeune intérieurement que celle qui permet aux changements évidents du temps de se manifester naturellement ?

Le vieillissement physique modifie l'image que nous avons de nous-mêmes, mais il fait aussi autre chose. Il signale en effet à autrui qu'il convient de changer de comportement à notre égard. Jean-Paul Sartre (*Le Nouvel Observateur*, 1980) a remarqué :

> ... un vieillard ne se sent jamais un vieillard. Je comprends d'après les autres ce que la vieillesse implique chez celui qui la regarde du dehors, mais je ne sens pas ma vieillesse.

Heureusement, la plupart de nos activités quotidiennes ne nécessitent pas que nous fonctionnions avec le maximum d'efficacité ; or c'est ce maximum qui s'infléchit avec l'âge. Chez ceux qui, tels les athlètes, travaillent tout près de leur maximum, les changements causés par le vieillissement, notamment le changement de carrière, surviennent plus tôt que chez d'autres.

Le mot vieillissement évoque habituellement l'image de changements physiques désagréables : perte des forces, diminution de la coordination et de la maîtrise du corps, altération de la santé. Mais si ce tableau est vrai dans certains cas, il omet les différences individuelles, la nature et l'étendue des changements physiques, ainsi que la façon dont ceux-ci sont liés à des facteurs provenant de l'environnement et du milieu social. Ces aspects méritent une étude particulière. Rappelons par exemple que :

— tous les individus ne vieillissent pas au même rythme, ni de la même façon ;
— bien des personnes âgées sont en meilleure santé que certaines personnes plus jeunes ;
— tous les changements de l'âge mûr et de la vieillesse ne sont pas néfastes ; les rhumes, allergies et maux de tête chroniques, par

exemple, tendent à diminuer ou à disparaître au fur et à mesure que l'on vieillit ;
— à tout âge, la maladie peut provenir d'un environnement et de conditions sociales indépendantes de la volonté du sujet.

Au cours d'une recherche faite à Seattle, Washington, on a trouvé que les difficultés des personnes déprimées ou confuses s'expliquaient par la malnutrition, une mauvaise utilisation des médicaments, et des processus morbides qui n'étaient pas nécessairement d'origine psychiatrique mais qui avaient des effets secondaires psychiatriques (Raskind, Alvarez, Pietrzyk, Westerlund et Henlin, 1976). Les changements physiologiques du vieillissement doivent donc être considérés dans leurs rapports avec les facteurs économiques, sociaux et culturels, ainsi qu'avec les habitudes d'hygiène du sujet.

L'âge psychologique et émotif

Existe-t-il des signes psychologiques ou affectifs de la vieillesse ? Nous savons que la maturité a quelque chose de caractéristique. Par exemple, une personne est considérée comme psychologiquement mature quand elle peut assumer ses responsabilités dans la société. Mais quels sont les aspects psychologiques associés au vieillissement ? Se sent-on différent intérieurement à 70 ans de ce qu'on était à 40 ans ?

Pour étudier les différences psychologiques entre jeunes et vieux, on peut examiner la façon dont les expériences d'une population âgée diffèrent de celles d'une population jeune. Il est évident que l'on a plus d'expérience à 70 ans qu'à 40 ans. Or, l'instruction est une forme d'expérience condensée, et le niveau d'instruction s'élève, de sorte que certains sujets jeunes peuvent avoir plus d'expérience que leurs aînés. Dans une société où la technologie évolue rapidement (songeons aux progrès accomplis par l'électronique en l'espace de 20 ans), la plupart des gens doivent évoluer uniquement pour se maintenir à jour. Le changement est devenu un mode de vie en soi. Par ailleurs, à 70 ans on se rapproche de la mort, ce qui peut avoir des effets psychologiques. Comme le dit Neugarten (1968), à partir d'un certain moment, « la vie se réorganise en fonction du temps qui reste à vivre plutôt que du temps qui s'est écoulé depuis la naissance » (c'est nous qui traduisons).

Les changements psychologiques peuvent se diviser en deux groupes : 1 / les changements cognitifs, c'est-à-dire ceux qui affectent la façon de penser ainsi que les capacités, y inclus la sagesse et 2 / les changements qui concernent l'affectivité et la personnalité. Ces modifications ne surviennent pas seules. La personnalité et les fonctions cognitives sont affectées par les événements comme la retraite, la mort du conjoint, qui sont reliés à des expériences complexes au sein du milieu social. On croit maintenant que la façon de réagir aux expériences sociales détermine certains aspects importants du vieillissement.

L'âge social

L'âge social désigne les rôles que l'on peut, devrait, veut, doit ou désire jouer dans la société. Certains rôles sociaux peuvent entrer en conflit avec les jalons arbitraires de l'âge chronologique. Ainsi une personne âgée peut souhaiter continuer à jouer le rôle de soutien de famille même après sa retraite obligatoire. Le conflit entre les âges social, psychologique et chronologique constitue une forme de dissonance. Par exemple, les gens qui n'aiment pas leur rôle de travailleur et désirent prendre leur retraite avant l'âge désigné se trouvent dans une situation tout aussi dissonante que ceux qui sont obligés d'abandonner un travail agréable, dont ils retirent un sentiment d'identité important.

Certaines variables sociales évoluent évidemment avec l'âge, mais sans nécessairement suivre l'âge chronologique. La variable indépendance/dépendance en est un exemple. D'abord placés dans un état de dépendance totale, les enfants deviennent de plus en plus indépendants. Puis, devenu indépendant, l'adulte connaît une période au cours de laquelle certains êtres dépendent de lui. Enfin, tandis que la génération montante s'affranchit graduellement, il arrive que les parents retournent à un stade de dépendance vis-à-vis de leurs enfants ou de la société. Cet état peut faire suite à l'inflation, la perte d'un emploi, des frais médicaux imprévus, toutes choses qui replacent la personne dans un état de dépendance vis-à-vis de l'Etat ou de ceux qui ont dépendu d'elle auparavant. La dépendance produit des effets différents d'une personne à l'autre, en fonction de divers facteurs sociaux et psychologiques. La dépendance peut aussi être réciproque. Selon Veysset (1988), la personne dépendante dans une relation est aussi pourvoyeur et répond à sa manière à l'attente de celui qui l'aide. Par exemple, nous sommes dépendants de l'affection que nous donnent nos proches, mais ils dépendent de celle que nous leur rendons.

Le vieillissement de la population mondiale

Selon les Nations Unies, le nombre total des personnes ayant 60 ans et plus dans le monde passera entre 1950 et 2025 de 214 millions à 1 milliard 121 millions selon une estimation « conservatrice » (Shuman, 1984). La proportion de la population mondiale des plus de 60 ans passera de 8,5 % à 13,7 % et, en conséquence, le pourcentage d'enfants de 0 à 14 ans diminuera de 13,4 % à 8,4 % (United Nations, 1982). Les Nations Unies prédisent aussi que les pays les moins développés connaîtront un vieillissement accéléré d'ici l'an 2025. Malgré le fait que les pays moins développés ont une population relativement jeune aujourd'hui, les projections démographiques indiquent que les régions moins développées vont contenir la majorité des personnes âgées dans le monde après l'an 2000. Selon les recherches, les facteurs les plus importants qui influencent le vieillissement de la population sont un déclin du taux de fécondité ainsi qu'une diminution du taux de mortalité des personnes plus âgées. Même s'il semble impressionnant de voir que la population des personnes de 60 ans va se multiplier par cinq de 1950 à 2025, le nombre de personnes plus âgées (80 ans et plus) augmentera plus vite : il se multipliera par sept et passera de 15 millions en 1950 à 111 millions en 2025. Cette croissance du nombre et du pourcentage des personnes âgées aux quatre coins du monde a plusieurs implications sur les plans économique, politique, social et psychologique.

Le vieillissement de la population représente un grand défi pour plusieurs sociétés dans le monde. Même si le taux de dépendance de la population âgée augmentera dans la plupart des pays, il y aura une diminution de la population des enfants qui sont eux aussi dépendants. Les adaptations à ces changements démographiques vont grandement influencer le rôle des aînés dans la société. Ces changements vont aussi modifier l'importance des différentes recherches et théories sur le vieillissement basées sur une population d'aînés plus restreinte et généralement sur le vieillissement dans les pays plus développés.

Les stades de la vie

Le vieillissement est, par certains côtés, un processus évolutif graduel. La compréhension de la vie nous vient peu à peu, avec l'expérience. Les transformations du corps sont lentes, presque imperceptibles. La force musculaire, par exemple, ne décroît en moyenne que de 10 % entre 30 ans et 60 ans. Les facteurs psychologiques évoluent aussi de façon graduelle : avec les années, nous devenons plus ou moins satisfaits, plus ou moins rigides, plus ou moins adaptés à notre condition sociale et matérielle.

D'autre part, le vieillissement peut être considéré comme une série de stades qui s'organisent autour de certaines caractéristiques d'ordre physique, psychologique, social et matériel. Les crises ou événements marquants peuvent modifier radicalement la vie et précipiter le passage d'un stade à l'autre. La retraite, par exemple, peut obliger à entrer dans un nouveau stade et à réorganiser sa vie en remplaçant le travail par des distractions. Le mariage, le divorce, la naissance d'un enfant, le départ des enfants, la mort de parents ou d'amis intimes, ainsi que le début d'une maladie débilitante, peuvent également marquer l'entrée brusque dans ce qui peut être considéré comme un nouveau stade de la vie.

La nature, le moment et l'ordre de ces stades donnent cependant lieu à de vives controverses parmi les théoriciens. Le grand théoricien des stades de la vie, Erik Erikson (1963), soutient que, même si le moment où commencent et finissent ces stades varie selon les sujets, l'ordre dans lequel ils apparaissent demeure le même pour tous. Selon Erikson, des préoccupations fondamentales retiennent l'attention à différents instants de la vie. D'autres théoriciens, par contre, maintiennent que le concept de suite ordonnée est inadmissible en raison des nombreuses variations individuelles (Neugarten, 1977).

A ce point de l'exposé, il convient de préciser la différence entre un stade et un état. Le stade suppose une condition ou situation différente de celle qui la précède ou la suit immédiatement. Elle suppose également une progression, une direction au sein d'un modèle comportant certaines prévisions. L'état est lui aussi différent de ce qui le précède ou le suit, mais ne suppose par une succession ordonnée. La maladie, par exemple, est un état tandis que l'âge mûr correspond assez bien à un stade. Si l'on peut revenir à un état antérieur, comme lorsqu'on retrouve la santé après une maladie, par contre les modèles utilisant la notion de stade interdisent, à quelques exceptions près, le retour en arrière, sauf dans certains cas comme celui de la régression chez Freud, qui assimile le retour vers un stade antérieur à un mouvement négatif.

Les modèles évolutifs

Les modèles évolutifs ne sont pas nécessairement de simples progressions linéaires dans le temps. Certains individus présentent en effet des variations cycliques, leurs capacités pouvant d'abord augmenter, puis diminuer, pour augmenter de nouveau. De tels changements semblent imputables à des facteurs divers, qui sont en relation avec certaines causes intrinsèques, ou avec des circonstances particulières du sujet (voir fig. I-3).

On change d'une année à l'autre, mais on peut également changer d'un jour ou d'une semaine à l'autre. Il n'est pas rare d'éprouver tour à tour des sentiments d'euphorie ou de dépression au cours d'une même année. La dépression qui accompagne l'hiver et la période des fêtes peut, quand revient le printemps, céder la place à la joie et au sentiment de renaître à la vie. Deux expériences typiques, le mariage et l'éducation des enfants, comportent des hauts et des bas qui varient d'une heure, d'un jour et d'une année à l'autre. Ainsi, le mariage peut être heureux pendant quelques années, traverser ensuite une période difficile (qui fera souffrir), suivie d'une période de résolution (accompagnée d'une certaine satisfaction), puis d'une période de crise (retour des problèmes antérieurs), pour connaître enfin une nouvelle période de résolution qui amènera la satisfaction et la stabilité.

Cependant que sociologues et psychologues se concentrent sur leurs domaines propres, un certain nombre de théories du développement ont été élaborées en vue d'intégrer les changements sociaux, psychologiques et physiques qui accompagnent la maturation chez l'être humain ; mais la plupart de ces théories ne dépassent pas la puberté ou les débuts de l'adolescence. La théorie du développement qui a exercé l'influence la plus forte au cours de la première moitié de notre siècle, la théorie freudienne, ne va guère au-delà de la première décennie de la vie. Freud maintient en effet que la personnalité est fixée ou peu s'en faut dès l'âge de 5 ans.

Freud s'est intéressé aux changements de l'affectivité et de la personnalité qui accompagnent la maturation de l'individu. D'au-

Fig. I-3. — Quelques modèles hypothétiques du vieillissement

tres théoriciens, comme Piaget, se concentrent sur les changements
« cognitifs », évolution des modes de pensée, de l'aptitude à résoudre les problèmes et de la perception. Etant donné que c'est pendant la période de scolarité que l'évolution est la plus rapide, les
théoriciens de la connaissance ont limité leurs recherches, dans l'ensemble, à la première décennie de la vie. Cependant, on croit main-

Le vieillissement

tenant que certaines personnes âgées, lorsqu'elles approchent de la fin de leur vie, régressent jusqu'aux stades initiaux du développement cognitif. Des chercheurs européens (Ajuriaguerra *et al.*, 1965) ont émis l'hypothèse que chez les personnes âgées atteintes de démence sénile la capacité de conservation étudiée par Piaget est en régression. Hooper *et al.*, (1971) pensent que certains changements cognitifs liés à l'âge révèlent une diminution de la capacité à résoudre les problèmes étudiés par Piaget. Récemment des chercheurs (Lefebvre-Pinard et Pinard, 1982) ont entrepris une série d'études sur la métacognition chez les adultes, qui portent sur la façon dont les sujets perçoivent et dirigent leurs activités cognitives. Bien que l'on constate un intérêt croissant pour les changements cognitifs survenant vers la fin de la vie, il est intéressant de noter que les années situées entre la fin des études et le déclin de la vie ne semblent pas avoir retenu l'attention des chercheurs, comme si aucun changement ne survenait au cours de cette période.

On doit une étude importante de la vieillesse à un théoricien de la personnalité, Abraham Maslow (1954). C'est Maslow qui eut l'idée d'une hiérarchie des besoins, qui se manifestent suivant un ordre donné. Les besoins supérieurs n'apparaissent pas tant que les besoins inférieurs ne sont pas satisfaits dans une certaine mesure et pendant un certain temps. Le tableau I-1 présente cette hiérarchie ainsi que l'âge approximatif auquel se manifestent divers besoins lorsque les besoins inférieurs sont satisfaits. Maslow émet l'hypothèse que l'adolescence est marquée par un très fort besoin de s'assurer une image de soi positive et le respect des autres. Au stade adulte, le besoin d'épanouissement, de créativité et de réalisation maximum se fait sentir. Bien que Maslow étende sa théorie au-delà de l'adolescence et jusqu'à la maturité, il englobe cependant les 60 dernières années de la vie dans un seul et même stade. Bien qu'il fasse état de quelques traits caractéristiques de ce stade, il ne précise pas s'ils se présentent suivant un ordre spécifique.

Le nom d'Erik Erikson (1963), que nous avons déjà cité, est le premier qui vient à l'esprit lorsque l'on parle d'une approche vraiment globale du développement. Il est en effet l'un des rares théoriciens qui ait abordé la question du conflit entre le travail (réussite à l'école et au jeu) et les sentiments d'infériorité. Ce stade est suivi de l'adolescence, période de conflits d'identité et de confusion morale.

La maturité, qui fait l'objet du présent ouvrage, est marquée

TABLEAU I-1. — *Hiérarchie des besoins de Maslow*

Age	Besoins	Description
0-2	Survie	Besoins physiologiques (air, eau, nourriture, etc.).
3-5	Sécurité	Début de la capacité de faire des projets, basée sur l'évitement de la douleur.
5-10	Appartenance et amour	Besoin d'appartenir et d'être accepté — fondement de la socialisation adulte.
10-adolescence	Fstime	Besoin d'estime de soi et du respect d'autrui.
Vie adulte	Réalisation de soi	Besoin d'épanouissement, créativité et exploitation du potentiel.

par la crise de l'intimité opposée à l'isolement. Le jeune adulte typique cherche un conjoint, il veut aimer et s'unir. Une fois parvenu à l'intimité, l'adulte entre dans une période où la question de la productivité par opposition à la stagnation occupe une position centrale. L'individu a besoin de se sentir productif, grâce au travail ou à la procréation, sinon il aura l'impression de stagner.

TABLEAU I-2. — *Etapes épigénétiques d'Erikson*

Période	Crises	Vertus
Maturité	Intégrité du moi *vs* Désespoir	Renoncement et *Sagesse*
Adulte	Génération *vs* Stagnation	Productivité et *Sollicitude*
Jeune adulte	Intimité *vs* Isolement	Affiliation et *Amour*
Puberté et Adolescence	Identité *vs* Confusion	Dévouement et *Fidélité*
Latence	Industrie *vs* Infériorité	Méthode et *Compétence*
Locomotrice Génitale	Initiative *vs* Culpabilité	Direction et *But*
Anale Musculaire	Autonomie *vs* Honte, doute	Maîtrise de soi et *Volonté*
Orale Sensorielle	Confiance fondamentale *vs* Méfiance	Effort et *Espoir*

Orientations théoriques

Dans sa revue des découvertes « contradictoires » et théories en gérontologie, Schonfield (1989) a signalé que les gérontologues déplorent souvent qu'il y ait relativement peu de théories explicatives en gérontologie par rapport au grand nombre de recherches dans le domaine. Au cours des dix dernières années, les chercheurs ont publié des milliers de recherches empiriques en gérontologie, mais très peu de nouvelles théories ont émergé. On observe plutôt une tendance à proposer des « principes » qui portent sur un sujet très restreint et qui résument les résultats de plusieurs études autour d'un principe de base. Néammoins, il existe plusieurs théories intéressantes en gérontologie ; le présent livre résume les théories principales et indique s'il existe des données empiriques qui infirment ou appuient telle ou telle théorie.

Afin de comprendre ce qui se passe au cours de la vieillesse, certains théoriciens concentrent leur attention sur l'accumulation des expériences au cours de la vie. D'autres considèrent plutôt l'attitude des personnes âgées à l'égard des changements qui surviennent dans le monde. Ces attitudes, positives ou négatives, sont le reflet des expériences personnelles antérieures. Par exemple, telle personne qui a milité en faveur de la tempérance pourra s'opposer à l'abaissement de la limite d'âge permettant de consommer légalement de l'alcool dès l'âge de 18 ans, car ce changement va à l'encontre de son expérience passée. Par contre, telle autre, qui a connu la prohibition et l'échec auquel elle aboutit, pourra se déclarer en faveur de la décriminalisation de la marijuana. Son attitude correspond en effet à son expérience antérieure, celle de l'échec des lois visant à empêcher la fabrication et la vente des boissons alcooliques.

Au sein de la psychologie génétique étendue à l'existence tout entière, le psychologue Klaus Riegel fut à l'origine d'un mouvement centré sur le processus ou la dialectique du changement lui-même, plutôt que sur la description des traits différentiels. La perspective dialectique met en lumière l'influence de divers facteurs d'ordre social, personnel, intellectuel et historique dont l'interaction contribue à l'évolution de l'individu. Riegel et ses disciples rejettent toute théorie fondée sur la description de situations stables, telles que les « stades » du développement. La psychologie dialectique insiste sur la nécessité d'admettre le fait que l'homme vit dans un *perpétuel* état d'évolution et que les changements sont souvent le résultat des contradictions inhérentes à toute situation (Riegel, 1971).

L'approche dialectique de Riegel s'inscrit dans une longue tradition dont l'origine remonte à la philosophie grecque et à la recherche de la vérité à l'aide du dialogue socratique. Les philosophes modernes, comme Hegel, croient que le changement est enraciné dans la lutte de forces opposées. Marx a insisté sur le rôle joué par les faits « matériels », comme les facteurs économiques, dans la détermination de la destinée humaine. Fidèle à cette tradition, Riegel critique les théoriciens qui tentent de décrire les personnes par rapport à certains moments de leur existence, car les théories de ce genre présupposent que les gens peuvent être saisis dans un état de stabilité. Mais, étant donné que l'expérience et le changement sont continuels dans une vie, il vaut mieux examiner le processus évolutif lui-même que de s'attarder à ses résultats. Il est également possible d'étudier le contexte historique qui engendre les conflits générateurs de l'évolution. Les études dialectiques n'occupent qu'une faible portion du champ des recherches psychologiques.

Peut-on expliquer les dynamiques complexes en utilisant des méthodes simples ?

Les changements dans le développement de la personne avec le temps sont tellement multidimensionnels et s'opèrent sur tellement de plans différents qu'il est impossible de tout comprendre du comportement humain. Même s'il était possible de tout comprendre en un instant, notre description cesserait peu après d'être valable. Les humains modifient leur comportement dans différents contextes à l'intérieur d'une seule journée, et les attentes, valeurs, croyances, espérances, etc., d'un individu varient d'une étape de la vie à une autre. Il arrive souvent que les théoriciens essaient de résumer ce qu'ils croient important dans une dimension spécifique de la vie humaine en dénombrant certains principes généraux et que des chercheurs essaient d'isoler quelques variables qu'ils peuvent facilement étudier. Mais est-il possible d'expliquer le vieillissement par des théories relativement simples, et peut-on étudier quelques variables isolées de l'environnement psychosocial et physique changeant chez des êtres humains en évolution et en développement constants ? Devrait-on créer des méthodes plus complexes ou des théories plus perfectionnées pour expliquer le vieillissement humain ?

L'appendice du présent livre traite en détail les problèmes méthodologiques de validité et de fidélité des résultats de recherche. A part les preuves scientifiques, l'acceptation par les individus vieillissants des théories et des résultats de recherche est aussi liée à l'évaluation de leur pertinence pour leur propre vie. Malgré les belles recherches en laboratoire, nous ne pouvons pas parler d'une étape où il y a un questionnement sur le sens de l'existence ou d'une recherche qui décrit des pertes de mémoire si les personnes vieillissantes ne vivent pas un questionnement sur le sens de leur existence ou des pertes de mémoire. Donc, les théories et les résultats de recherche peuvent être ou non « à la mode » dans certaines cultures, selon qu'elles sont ou non acceptées par les intéressés.

Mishara (1988) a fait observer que ceux qui cherchent à comprendre le développement de la personne dans son contexte multi dimensionnel de changements continus dans la vie quotidienne pourraient appliquer des méthodes récemment mises au point en physique à l'étude des changements dynamiques dans le temps des systèmes ouverts complexes et multidimensionnels. Il s'agit de regarder les changements dans le temps de l'ensemble du système — conçu comme étant le système des comportements d'un être humain — selon l'étude des dynamiques des changements quantitatifs et qualitatifs des systèmes hors d'équilibre en physique (Nicoli et Prigogine, 1977). Il serait possible de comprendre le développement de la personne en examinant les tendances des changements dans le temps vers certains états simples ou complexes utilisant des méthodes disponibles aujourd'hui par le biais des ordinateurs, et des analyses de multiples dimensions à la fois dans « l'espace des phases ». Il se peut que les phénomènes très complexes étudiés par les sciences humaines ne puissent se résumer en principes simples ou être étudiés par des méthodes unidimensionnelles, et qu'il s'agisse là d'une question intéressante à poser. Peut-être faut-il utiliser les méthodes et théories plus complexes dans l'étude du développement humain. Ou bien il se peut que les êtres humains préfèrent les explications simples et que les chercheurs des sciences humaines aient plus de choses pertinentes à dire s'ils se limitent à l'étude de quelques variables à la fois.

Différences entre les générations

Certains lecteurs se souviennent du premier poste de télévision de leur quartier, d'autres des premiers postes de radio et d'autres encore ne peuvent s'imaginer un monde sans télévision en couleur. Certains se rappellent la crainte que ramenait, chaque été, la poliomyélite, alors que d'autres, protégés par l'ingestion d'un simple cube de sucre, s'en étonnent. Ces quelques changements illustrent l'essentiel de ce que nous appelons la différence entre les cohortes, qui tient au fait d'appartenir à des générations différentes et de vivre à un moment ou à un autre de l'histoire.

Une question intéressante se pose : les futures cohortes d'adultes et de personnes âgées seront-elles identiques aux générations présentes tant au point de vue psychologique et comportemental que dans leurs attitudes et leurs expériences ?

Notre population âgée actuelle est née et a grandi à une époque où l'instruction était moins répandue qu'aujourd'hui. Quel sera l'effet sur les futurs vieillards de la hausse du niveau d'instruction ? L'éducation reçue par les personnes de 80 à 90 ans était différente de celle des parents qui ont aujourd'hui 40 ou 50 ans, et celle-ci diffère à son tour de celle que recevra la génération des adolescents une fois qu'ils auront des enfants. Quelles seront la nature et l'étendue de ces différences ? Il importe d'essayer de comprendre que la description du vieillissement porte sur des phénomènes transitoires reliés à la différence des générations et des environnements.

Perspectives d'avenir

Les transformations futures sont du domaine de la spéculation, mais le succès de quelques réalisations récentes démontre que les conditions actuelles peuvent être améliorées. Signalons entre autres l'amélioration dans les programmes de loisirs introduits récemment dans les foyers pour personnes âgées, l'accès aux activités dans des ateliers communautaires qui sont de plus en plus nombreux, ainsi que l'ouverture des programmes d'éducation permanente pour les personnes âgées. La croissance du nombre et du pourcentage des personnes âgées dans le monde, particulièrement l'augmentation rapide du nombre de personnes de plus de 80 ans, exigera une redistribution des ressources à l'intérieur de plusieurs pays ainsi qu'un intérêt accru pour la gérontologie. La façon dont différents pays feront face à ces changements influencera la qualité de vie des aînés ainsi que les changements physiques, sociaux et psychologiques liés au vieillissement.

En vieillissant, notre comportement habituel influe sur notre santé : fumer, par exemple, peut avoir un effet néfaste tandis que l'exercice peut être bénéfique. Si la cohorte actuelle des personnes âgées (toutes celles qui ont à peu près le même âge en même temps) préfère les loisirs passifs à l'exercice, les cohortes plus jeunes, une fois qu'elles auront vieilli, sauront peut-être profiter de leur temps libre pour se livrer aux activités physiques qui ont apparemment des effets salutaires.

Des questions subsistent cependant. Les jeunes d'aujourd'hui continueront-ils demain à faire de l'exercice ? Et s'ils le font, quels en seront les effets sur leur santé ? Même si ces effets doivent être bénéfiques pour la santé physique et mentale des futurs vieillards, d'autres difficultés peuvent surgir. La tension et l'anxiété, par exemple, conséquences d'une vie tendue, peuvent engendrer des problèmes médicaux comme les troubles cardiovasculaires. On voit donc qu'un facteur aussi simple que celui des changement physiques est intrinsèquement lié aux conditions sociales et matérielles.

Cependant, une intervention appropriée au cours des dernières années de l'existence est non seulement possible, mais probable et ne peut manquer d'être bénéfique. Par exemple, l'amélioration des services de santé, l'instauration des visites d'infirmières et des services de maintien à domicile pourront contribuer à l'amélioration de la condition physique et de la santé globale des personnes âgées. Il devrait enfin être possible d'enrayer par une alimentation appropriée la sénilité causée par la malnutrition, de soulager la solitude et l'isolement grâce aux services de maintien à domicile, de prévoir des programmes éducatifs destinés à apaiser les craintes que suscite la ménopause, de réduire le nombre des crises cardiaques fatales grâce à un régime d'exercice convenable, et ainsi de suite, en utilisant pleinement les ressources que nous fournissent notre société et notre environnement.

CHAPITRE II

Le vieillissement physique

Des millions de personnes convergent chaque année vers les villes d'eau et les instituts de beauté dans l'espoir de faire disparaître les signes du vieillissement physique. Elles s'y soumettent à des cures de toutes sortes, bains d'eau salée, sources thermales, emplâtres de boue, régimes spéciaux, et y achètent de nombreux produits de beauté. C'est une vieille tradition qui remonte fort loin dans l'histoire, car les hommes ont toujours cherché la « fontaine de jouvence » qui leur permettrait de « réparer des ans l'irréparable outrage ».

Dans ce chapitre, nous présenterons les différentes théories du vieillissement et nous décrirons les changements physiques qui caractérisent le vieillissement ainsi que leurs effets sur la vie quotidienne. Même s'ils sont de nature biologique, ces changements ont souvent de profondes répercussions sur le plan psychologique, et nos comportements peuvent influer sur le processus du vieillissement physique de même que sur les conséquences sociopsychologiques que peuvent avoir les transformations liées à l'âge sur la qualité de notre vie.

Les théories du vieillissement physique

Pourquoi sommes-nous appelés à mourir plutôt qu'à vivre éternellement ? La réponse à cette question n'est ni simple, ni évidente, et les savants ne s'accordent pas sur les causes de la maturation physique, d'où la diversité des théories qui cherchent à l'expliquer. Il est probablement illusoire d'espérer trouver un jour une réponse unique à cette question car nous avons sans doute affaire à l'inter-action simultanée de processus multiples plutôt qu'à la présence d'un facteur unique et déterminant.

Au congrès de l'American Association for the Advancement of Science, qui s'est tenu en 1974, quatre théories sur les « causes du vieillissement ont été présentées et comparées. Ces causes seraient : 1 / le dysfonctionnement du système immunologique ; 2 / des mécanismes de vieillissement inhérents à la cellule ; 3 / les altéra-tions du système endocrinien ; 4 / des déclencheurs génétiques. Outre ces quatre théories touchant la maturation physique, nous en présenterons trois autres : 5 / la théorie des radicaux libres ; 6 / la théorie de l'usure et 7 / la théorie des déchets.

Loin d'être exhaustive, cette liste englobe cependant les prin-cipaux modèles actuels du vieillissement physique. Certains adep-tes de ces modèles croient pouvoir trouver le secret de la prolon-gation de la vie au fond d'une éprouvette plutôt que dans l'étude des influences socio-environnementales auxquelles nous sommes soumis. Mais la plupart des gérontologues ne se contentent pas d'une solution aussi simple et croient que le vieillissement est associé au type d'environnement dans lequel nous vivons (*e.g.* air pollué ou non pollué) ainsi qu'à notre façon de vivre (*e.g.* la qualité et la quantité d'aliments que nous absorbons, la présence ou l'absence d'exercice dans notre vie). Nous commencerons donc par présen-ter ces sept modèles ou théories.

La théorie de la défaillance du système immunologique

Selon cette première théorie, notre système immunologique détruit certaines parties saines de notre corps : « Le système de défense du corps semble se retourner contre lui-même et attaquer certaines de ses parties, comme si elles étaient des envahisseurs étrangers. Puisqu'il est probable qu'un certain matériel cellulaire imparfait apparaisse avec le temps et soit traité comme une menace, le danger pour les tissus normaux augmente en conséquence* » (Eisdorfer, 1971).

Avec le temps, le système immunologique devient aussi moins efficace dans la lutte contre la maladie ; les personnes âgées, dont les mécanismes de défense corporels diminuent, peuvent donc

---

* C'est nous qui traduisons.

succomber plus facilement aux maladies. En outre, le système de défense peut ne plus savoir distinguer les parties saines de l'organisme des envahisseurs, et se retourner contre les parties encore saines comme si elles étaient des envahisseurs. Bien qu'elle puisse rendre compte de certaines maladies fatales et de certaines formes de dégénérescence, cette défaillance du système immunologique ne saurait cependant tout expliquer. Cette théorie n'apporte donc qu'une réponse partielle au processus du vieillissement.

La théorie des radicaux libres

Les radicaux libres sont des molécules créées à partir de certaines réactions chimiques du corps ; ils contiennent un électron non apparié qui peut se fixer sur une autre molécule cellulaire et l'endommager. Plusieurs chercheurs (Harmon, 1987) considèrent que les dommages causés par les radicaux libres sont un processus central du vieillissement. Un chercheur, Walford (1983), a nommé ces radicaux libres « les grands requins de l'océan biochimique ». Ces radicaux produisent plusieurs effets délétères sur la physiologie de la cellule, comme des dommages aux membranes des lysosomes, particules cellulaires qui libèrent de puissants enzymes capables à leur tour d'endommager d'autres points de la machinerie cellulaire, dont l'ADN. Ceux qui appuient la théorie des radicaux libres avancent que l'ajout à la nourriture de certaines substances anti-oxydantes peut neutraliser ces radicaux libres, protéger les cellules et donc ralentir le vieillissement. Même si, en laboratoire, les anti-oxydants ont pour effet d'éliminer les radicaux libres il n'est pas prouvé que la consommation d'anti-oxydants ait un effet sur le processus du vieillissement, et l'importance de la théorie des radicaux libres n'est pas encore vraiment reconnue.

Les théories du vieillissement cellulaire

La plupart des théories cellulaires s'intéressent à la perte d'information que subissent les cellules du corps au niveau de la molécule d'ADN (acide désoxyribonucléique). Ces théories veulent que le vieillissement résulte de la mort d'un nombre croissant de cellules du corps. L'ADN étant responsable de certains processus du métabolisme et de la reproduction des cellules, toute perte d'information ou tout mauvais codage des cellules découlant d'un défaut de la molécule ADN peut provoquer la mort des cellules. La recherche a démontré que les cellules, que l'on croyait capables de se diviser (*i.e.* de se reproduire) à l'infini, ne sont en fait capables que d'un nombre de divisions fini. Cette limite est « programmée » dans leur bagage génétique. Ce nombre varie probablement d'une cellule à l'autre et d'une personne à l'autre, mais la moyenne se situe autour de 50 reproductions chez les êtres humains, alors qu'elle est supérieure chez les organismes à longue espérance de vie (*e.g.* les tortues) et inférieure chez les organismes à courte espérance de vie (*e.g.* les poules) (Hayflick, 1976).

Les programmes de fonctionnement de l'ADN ne sont pas les seules causes de la mort cellulaire. L'accumulation des déchets dans les cellules et la réduction du taux d'oxydation cellulaire entraînent également une perte de fonction et la mort cellulaire. Il y a donc recoupement ici entre la théorie cellulaire du vieillissement et celle de l'accumulation des déchets, sur laquelle nous reviendrons plus loin. L'une et l'autre tiennent compte des effets néfastes de l'incapacité des cellules à se débarrasser de leurs déchets. Plus les déchets s'accumulent dans la cellule, plus le processus de dégradation s'accentue. Ces changements cellulaires s'observent d'ailleurs aisément au fur et à mesure que l'on vieillit. Il n'est cependant pas certain que ces modifications soient les causes déterminantes du vieillissement : il se pourrait qu'elles ne soient que le *résultat* d'autres processus physiques associés au vieillissement.

Les théories des modifications du système endocrinien

L'une des transformations les plus évidentes et les mieux documentées qui modifient l'organisme vieillissant consiste dans la défaillance des ovaires qui cessent, après la ménopause, de produire de l'œstrogène. De nombreux chercheurs considèrent cette transformation et les diverses autres modifications du système endocrinien comme l'une des principales causes contribuantes du vieillissement (*e.g.* Finch et Hayflick, 1977). Selon cette théorie, le vieillissement pourrait résulter d'une modification de la production ou de la libération des corps chimiques dans l'organisme.

Une fois de plus, il est difficile de préciser si les modifications endocriniennes sont la cause ou l'effet du vieillissement. La difficulté augmente encore depuis que certaines recherches récentes ont démontré que la stimulation biochimique appropriée d'une région de l'hypothalamus chez la femelle du rat pouvait provoquer des réactions endocriniennes capables de déclencher l'ovulation après son arrêt normal par suite du vieillissement (Finch, 1977). Ce domaine de recherche n'en est qu'à ses débuts : les chercheurs concentrent leurs nouvelles investigations sur les effets des glandes endocrines sur le métabolisme des neurotransmetteurs, tels que les catécholamines (substances qui facilitent la transmission des impulsions neurales).

Les théories génétiques

Le lecteur aura sans doute compris que toutes ces théories sont interdépendantes. La théorie génétique s'appuie sur le fait bien établi que les animaux issus de certaines souches génétiques vivent plus longtemps que d'autres. On sait aussi que chez les êtres humains l'âge auquel sont morts les parents et les grands-parents, abstraction faite des morts accidentelles, constitue un indice de l'espérance de vie des descendants. Pour ces raisons, les théoriciens de la génétique croient que pour comprendre le vieillissement il faut comprendre le « code » génétique qui détermine notre longévité. Mais, chez les êtres humains, il est difficile, sinon impossible, de distinguer les facteurs génétiques et le style de vie, ou encore les facteurs comme le régime ou l'environnement. En effet, non seulement les parents et les enfants ont-ils des gènes semblables, mais ils ont également tendance à se nourrir de la même façon, à vivre dans des environnements comparables et à adopter les mêmes habitudes sanitaires.

La théorie de l'usure

Souvent associée au nom de Hans Selye, cette théorie veut que les parties du corps finissent tout simplement par s'user. Cependant, l'activité et les exercices physiques peuvent influer sur la santé et la longévité puisqu'ils ont un effet sur la durée des parties du corps. Selye (1974) a parlé d'activités négatives et positives, mais le caractère positif ou négatif d'une activité particulière pourrait dépendre de la façon dont elle est perçue plutôt que de sa nature propre. Le ski nautique, par exemple, exige sans doute un effort physique plus considérable que la rédaction d'un rapport dont l'échéance approche rapidement. Pourtant leur effet peut être fort différent. En effet, si le ski nautique est perçu comme un « exer-

cice » et la rédaction comme un « stress », l'exercice aura peut-être
un effet bénéfique tandis que la rédaction du rapport risque d'avoir
une incidence négative sur la santé et la longévité. La « relaxation »
même peut devenir stressante. Tout réside dans la façon de percevoir l'activité.

La théorie des déchets

La vie entraîne la production de déchets et leur élimination par
des processus normaux. Certains théoriciens croient que la vieillesse
s'accompagne d'une diminution de la capacité d'élimination, suivie d'une accumulation de déchets qui nuisent non seulement à l'activité cellulaire normale, mais au processus de purification lui-
même. Selon cette théorie, le fonctionnement normal serait affai-
bli par l'accumulation de sous-produits inutiles issus de nos propres fonctions corporelles.

Les modifications possibles du processus de vieillissement

Les solutions proposées pour ralentir le processus du vieillissement et « prolonger la jeunesse » dépendent des causes que
l'on attribue au phénomène du vieillissement et de l'orientation
théorique qui en découle. Mishara et McKim (1989) ont publié une
revue détaillée des recherches portant sur la prolongation de la vie
et les modifications dans le processus du vieillissement chez les êtres
humains. Dans la section qui suit, nous aborderons plusieurs interventions mentionnées par Mishara et McKim, lesquelles ont pour
objectif de rétablir ou de préserver la jeunesse.

Le caractère inéluctable du vieillissement et de la mort a toujours causé bien des soucis aux humains ; aussi n'est-il pas surprenant qu'ils aient tenté, au cours des âges, de ralentir, d'arrêter ou
même de renverser le cours du vieillissement. Dans la présente section, nous traiterons de certaines de ces tentatives, mais nous
devons faire au préalable une importante distinction. On croit généralement à une durée théorique maximale de la vie. La plupart des
espèces semblent jouir d'une longévité qui leur est propre, sans
doute prédéterminée génétiquement.

Plusieurs ont tenté d'estimer la longévité assignée à l'espèce
humaine. Les anciens psalmistes hébreux établirent ce maximum
à trois fois 20 plus 10 ans (Psaume 90), tout en reconnaissant 80 ans

comme durée de vie possible. Au début du siècle dernier, le mathématicien anglais Benjamin Gompertz, qui fut l'un des premiers à étudier les statistiques de la longévité sur de vastes populations, établit un maximum théorique de 100 à 110 ans. Les estimations modernes n'ont guère varié. Léonard Hayflick, un généticien moderne qui étudiait la division des cellules humaines, a proposé une limite théorique de 110 à 120 ans (Kurtzman & Gordon, 1976).

Dans les temps anciens, la plupart des individus de l'espèce humaine mouraient à la suite de maladies, d'accidents ou à la guerre, bien avant d'avoir atteint la limite d'âge biblique. Récemment, dans les pays industrialisés, grâce aux progrès de la médecine, de l'alimentation et de l'hygiène, la plupart des gens évitent maladies et mort prématurées. On s'approche donc des limites avancées par les théories modernes. Il s'ensuit que le vieillissement et les maladies de la vieillesse se vivent de façon totalement différente, bien que celles-ci mettent un terme à la vie comme auparavant (Comfort 1973 ; Davidson, 1979).

Modifications du style de vie

Le sunamisme. — Selon une ancienne vision de la nature du vieillissement, le corps serait imprégné d'une certaine force de vie, ou élément vital, semblable à la flamme d'une lampe. Avec l'âge, cet élément s'use, faiblit et s'éteint à la mort. Augmenter la chaleur du corps en mangeant des mets piquants et en se gardant au chaud devrait conserver la vitalité. De plus, par la simple proximité de leur chaleur corporelle, les jeunes personnes vigoureuses devraient pouvoir transférer cette force vitale aux faibles vieillards. La pratique du sunamisme illustre cette croyance, selon l'exemple du vieux roi David (Les Rois, 1 : 1) à qui l'on amena Abishag la Sunamite, une jeune vierge auprès de laquelle il s'allongeait quand ses vêtements de nuit ne pouvaient plus le réchauffer. Le Romain Hermippus essaya aussi cette technique et vécut jusqu'à 115 ans, « grâce au souffle de jeunes femmes » (Davidson, 1979).

De nombreux partisans du sunamisme pensaient que les relations sexuelles n'étaient pas nécessaires au rajeunissement. Roger Bacon, un moine franciscain, mathématicien et physicien du XIIIe siècle, écrivait : « Si la maladie est contagieuse, pourquoi pas la vitalité ? » (Little et Withington, 1928). David profita simplement de la chaleur d'Abishag sans avoir de relations sexuelles avec sa jeune compagne de lit (Les Rois, 1 : 4). Parmi les partisans des relations sexuelles, se trouvait cependant le médecin arabe Avicenne, qui appréciait fort cette médecine et se la prescrivait régulièrement. Les recherches en laboratoire montrent qu'il est possible qu'Avicenne ait eu raison. Une étude effectuée sur des rats mâles démontre que les animaux pourvus de compagne ont en moyenne une vie de 27 % plus longue que les rats sans compagne (Drori et Folman, 1971). Malheureusement, nous ne savons pas si les rates en question étaient plus âgées ou plus jeunes que les mâles, et si l'accouplement se révélait aussi bénéfique pour elles. D'autres recherches indiquent que ce pourrait fort bien être le cas (Dunker et Tippit, 1973).

Il nous est difficile de dire si cette théorie, avec ou sans relations sexuelles, est fondée ou non. Physiologiquement parlant, aucun facteur de vitalité ne peut se transmettre d'une jeune personne à une personne âgée pour allonger la durée de la vie de cette dernière. Cependant, une étude récente a démontré que le taux de mortalité des hommes de plus de 50 ans vivant avec des femmes jeunes, est inférieur à celui des hommes dont les compagnes sont plus âgées (Foster *et al.*, 1984). Les auteurs n'ont pu cependant déterminer si ce phénomène est dû au fait que les hommes en bonne santé choisissent des femmes plus jeunes, ou seulement au fait qu'ils vivent (et peut-être dorment) avec une jeune personne.

L'exercice physique. — Les médecins de la Grèce et de la Rome antiques croyaient que l'une des meilleures façons de traiter les handicaps du vieil âge était de surveiller son alimentation et de faire de l'exercice physique. En plus des bains chauds et du vin, l'un des principes de Galien pour conserver une bonne santé durant la vieillesse résidait dans l'exercice physique (S. de Beauvoir, 1972).

Le déclin de la force de travail physique et de la résistance à la maladie est-il inhérent au processus du vieillissement ? Peut-on faire quelque chose pour l'arrêter ou le ralentir ? Il semble évident que l'exercice physique peut le ralentir considérablement. Smith et Gilligan (1983) ont affirmé qu'une bonne partie du ralentissement du fonctionnement biologique réduisant nos capacités physiques est due au style de vie, et en particulier au manque d'exercice. Shephard (1978) a émis l'hypothèse qu'un entraînement physique régulier, dès le moment de la retraite, peut retarder d'au moins huit ans le moment où quelqu'un ne pourra plus faire face aux exigences de l'environnement. Non seulement l'exercice améliore notre pouvoir de faire face à la vie, mais il semble bénéfique sur d'autres plans. Les programmes de mise en forme destinés aux personnes âgées améliorent toutes les capacités : la vitesse de réaction (Spirduso, 1980 ; Van Fraechem et Van Fraechem, 1977), le fonctionnement cognitif de la mémoire (Stacey *et al.*, 1985), l'intelligence fluide (Elsayed *et al.*, 1980). L'anxiété et la dépression diminuent (Ledwidge, 1980) et le sentiment de bien-être augmente (Stacey *et al.*, 1985).

Quelle sorte d'exercice peut effectivement réduire les effets du vieillissement ? De toute évidence les exercices aérobiques qui augmentent la capacité des poumons d'absorber de l'oxygène et celle du cœur de le transporter à travers le corps. On parvient à ce résultat par un exercice énergique qui élève la capacité cardiaque à 80 % de son maximum pendant au moins vingt minutes (Walford, 1983), et que l'on doit effectuer de façon continue et régulière.

La plupart des recherches mettent l'accent sur le fait que, dans nos sociétés occidentales, plus les gens vieillissent, moins ils sont actifs et moins il y a de probabilités qu'ils participent à un programme d'exercice régulier (McPherson et Kozlik, 1980). Il est malheureux que les gens âgés, qui bénéficieraient le plus du fait de se tenir en forme, soient ceux qui participent le moins à ces programmes. Les attentes culturelles semblent expliquer en partie cette situation, mais cette faible participation a aussi d'autres sources. Il a été prouvé, par exemple, qu'une certaine somme de travail semble demander de moins en moins d'efforts à une personne jeune qui améliore sa forme sans cesse, alors que dans le cas des personnes âgées, il semble que, même si leur forme s'améliore, les efforts demeurent les mêmes. Si elles considèrent ces efforts comme vains, il leur devient difficile de rester motivées et de continuer à suivre le programme d'exercices. Pour soutenir leur motivation, on aurait peut-être avantage à structurer des programmes de mise en forme physique qui apportent aux personnes âgées une bonne dose de gratification sociale ainsi que d'autres encouragements à participer.

Modifications du régime alimentaire

Les restrictions. — En 1556, un noble vénitien, Ludovic Cornaro, mourut à l'âge de 99 ans, ayant vécu jusque-là en excellente santé physique et mentale. A 83 ans, il avait écrit un traité sur la manière de vivre longtemps. L'un des principes de base du livre de Cornaro tenait en ceci que les restrictions alimentaires favorisent la longévité : « La nourriture qu'une personne laisse lui fait plus de bien que celle qu'elle absorbe. » Les théories de Cornaro ont été largement répandues et suivies, mais il a eu ses détracteurs. L'un d'entre eux a affirmé que Cornaro avait vécu en invalide pour pouvoir mourir en bonne santé (Vischer, 1947). Cependant, la recherche contemporaine semble bien donner raison à Cornaro.

La plupart des études de laboratoire ayant porté sur les moyens de retarder ou de ralentir le processus du vieillissement ont conclu au succès de sévères restrictions alimentaires imposées à des animaux de laboratoire afin d'allonger leur durée de vie. En 1935, C.M. McCay (McCay *et al.*, 1956) a effectué une telle expérience, devenue classique et qu'on a recommencée maintes fois sur des espèces différentes (Rothstein, 1982). Il a nourri un groupe expérimental de rats uniquement avec les vitamines, minéraux et protéines essentiels à leur survie, et a nourri un groupe témoin de façon normale, sans limitation aucune. La longévité du groupe témoin de rats s'est révélée normale, le plus vieux ayant vécu jusqu'à 969 jours. Par contre, le groupe expérimental a vécu en moyenne deux fois plus longtemps, le plus vieux ayant atteint 1 320 jours. Les rats soumis aux privations sont demeurés plus petits, mais plus vigoureux et avec un poil plus brillant, longtemps même après la mort des animaux témoins. Au bout de 1 000 jours, en retrouvant une alimentation normale, ils ont connu une poussée de croissance, et de nombreuses femelles ont eu des petits. Pour en savoir plus long sur les expériences de McCay, on peut consulter McCay *et al.*, (1956) et Prehoda (1968). Des expériences ultérieures ont également démontré que les rats soumis à des restrictions alimentaires non seulement vivent plus longtemps, mais ont moins de cancers et d'autres maladies (Tannenbaum, 1947 ; Masoro, 1992).

La pertinence de l'application de ces travaux aux humains n'a pas encore été sérieusement examinée. La plupart des recherches sur des sujets non humains indiquent que l'effet des restrictions alimentaires est plus grand lorsqu'on les impose très tôt, en tout cas avant la maturité (Barrows et Beauchêne, 1970). Le principe consistant à sous-alimenter les enfants ne va certainement pas devenir populaire, mais l'effet McCay plaide à coup sûr contre la suralimentation. Les bienfaits des restrictions alimentaires signalés par McCay se manifestent surtout au début de la vie, mais on peut aussi les ressentir en commençant à suivre un régime à un âge plus avancé (Stuchlikova *et al.*, 1975). McCay lui-même recommandait un régime composé de levure de bière, de farine de blé entier, de germe de blé, de foie, d'œufs, de calcium et d'un supplément de vitamines B_1.

Les régimes allongent-ils réellement la vie ? Peut-être... Leaf (1973) a remarqué que les personnes centenaires qu'il a observées étaient maigres et absorbaient moins de calories. Thomas Parr vécut jusqu'à 152 ans, grâce à un régime à faibles calories, composé de fromage de chèvre écrémé, de lait, de pain noir, de bière et de petit-lait sur. Il devint célèbre pour sa vigueur et sa longévité. Quelque temps avant sa mort, il se rendit à Londres et fut présenté au roi. Il changea de régime durant son séjour et se convertit aux aliments riches et aux vins fins. Il mourut peu après et les médecins du temps attribuèrent son décès à son changement de régime trop soudain (Lorand, 1911). McGlone et Glick (1978) ont analysé des personnes de plus de 80 ans en Grande-Bretagne et découvert que, parmi celles qui avaient entre 80 et 90 ans, ils pouvaient en classifier 114 comme minces, 182 comme normales et 37 comme grosses. Dans le groupe des 90 à 100 ans, 99 étaient normales ou minces et 10 seulement étaient grasses. Ils n'ont pu classer aucune personne de plus de 80 ans comme « obèse véritable ». De façon identique, les tables actuarielles indiquent que les personnes se maintenant en dessous de leur poids normal peuvent espérer vivre de 15 à 20 ans de plus que les personnes plus grasses (Parker et Gerjuoy, 1979), quoique récemment la compagnie Metropolitan Life of America ait augmenté de 10 % ses critères de poids idéal (Adelman, 1985). En conclusion, nous pouvons dire, à la suite de Parker et Gerjuoy (1979), que le fait de diminuer graduellement sa consommation alimentaire, en la stabilisant aux deux tiers de la quantité habituelle, et en y ajoutant un supplément de vitamines et de minéraux, est certainement possible pour les humains. C'est sans aucun doute le meilleur moyen d'augmenter la longévité que l'on puisse entrevoir, parmi toutes les autres voies actuellement connues.

Les suppléments alimentaires. — Selon une théorie du vieillissement, les radicaux libres endommagent les cellules du corps. Certaines substances, nommées antioxydants, ou « balayeurs de radicaux libres », ont pour effet de neutraliser ou d'« éteindre » ces radicaux libres et de protéger les cellules. Le corps produit un certain nombre d'antioxydants naturels, et l'alimentation en fournit d'autres. Théoriquement, si l'on en consomme suffisamment et de façon continue, ces antioxydants devraient ralentir le vieillissement, en réduisant les dommages des radicaux libres. On ajoute actuellement à la nourriture des agents de conservation comme le MEA (hydrochlorure de 2-marcapto-éthylamine) et le BTL (butalate d'hydroxytoluène) qui agissent comme antioxydants. Les vitamines C et E, en particulier, neutralisent les radicaux libres de façon naturelle. L'alcool éthylique est un autre neutralisant appréciable.

Harman, l'instigateur de la thérapie par antioxydants, prétend qu'un régime comportant moins de graisses polyinsaturées (source de radicaux libres) et plus de vitamines C et E permet à un nombre considérable de personnes de vivre au-delà de 100 ans (Kurtzman et Gordon, 1976). Cette théorie, qui semble très sensée à première vue, n'est cependant guère fondée. De plus, il y a de fortes probabilités qu'un bon nombre de ces substances, dont les agents de préservation, sont dommageables à fortes doses ; la recherche n'a toutefois pas été poussée à ce sujet.

A un moment donné, on a considéré presque toutes les vitamines comme des fontaines de Jouvence. Les plus connues à ce titre sont les vitamines C, E et B_5. Linus Pauling, la seule personne à avoir gagné deux prix Nobel sans avoir à les partager (l'un en chimie et l'autre pour la paix), s'est fait le champion de la vitamine C. Pauling a adopté le raisonnement suivant : l'humain s'est développé au moyen d'une alimentation à base de fruits, ceux-ci contenant une énorme quantité de vitamine C. Son corps a donc perdu le pouvoir de fabriquer et d'entreposer cette vitamine. L'homme moderne, qui consomme trop peu d'aliments riches en vitamine C, en subit une déficience chronique et radicale, qu'il ne peut compenser qu'en ingérant chaque jour d'énormes doses de cette vitamine. La vitamine C est le principal cheval de bataille de Pauling, mais il reconnaît que de nombreuses autres vitamines sont tout aussi essentielles. Il consomme personnellement chaque jour 2 grammes de vitamine C, 1 200 unités de vitamine E, 4 000 unités de vitamine A et 50 milligrames de plusieurs vitamines de type B.

Même si les vitamines C et E neutralisent les radicaux libres, il n'existe guère de preuves de leur effet sur la longévité humaine. Dans la plupart des recherches sur les animaux, on n'a pu constater aucune hausse de la longévité maximale qui soit due à la vitamine E (Rothstein, 1982) ou à la vitamine C (Leibovitz et Siegel, 1980). On a pu observer cependant, dans certaines études sur les animaux, que la vitamine E a peut-être contribué modestement à augmenter le nombre de rats vivant jusqu'à 24 mois.

Le docteur Roger Williams a découvert la vitamine B_5 en analysant les effets de la gelée royale sur l'espérance de vie des abeilles (Williams, 1973). Il a par la suite observé que cette vitamine augmentait de 20 % l'espérance de vie des souris. Il affirme que des doses quotidiennes de cette substance, administrées à partir de la naissance, pourraient aisément accroître la longévité humaine de dix ans ; mais rien ne fonde vraiment cette affirmation.

L'efficacité des vitamines chez les personnes âgées demeure douteuse, mais plusieurs d'entre elles en prennent d'énormes quantités, croyant inoffensives les mégadoses de vitamines solubles dans l'eau, ce qui n'est pas forcément le cas. Peter P. Lamy (1985) a mentionné que les mégadoses de vitamines peuvent supprimer les fonctions leucocytaires, favoriser la formation de calculs dans les voies urinaires, acidifier l'urine et aggraver la surcharge de fer dans le sang. Il a prouvé que 11 % des personnes âgées qui consomment des vitamines les prennent à des doses potentiellement dangereuses.

Les agents dont nous avons parlé plus haut, qui neutralisent les radicaux libres en laboratoire, n'ont peut-être aucune action réelle sur les cellules d'un organisme vivant. Le fait d'ajouter au sang un certain nombre d'agents paralysant les radicaux libres peut amoindrir la résistance naturelle du corps, ce qui revient à ne rien changer à l'activité physiologique totale (Zolier, 1985). Il est cependant prouvé que l'ajout d'antioxydants à l'alimentation des animaux de laboratoire ralentit l'accumulation de pigments insolubles issus des dommages causés par les radicaux libres (Leibovitz et Siegel, 1980). Mais aucune de ces vitamines ni aucun de ces agents de conservation n'ont entraîné à ce jour un allongement de la durée de vie.

Les agents de conservation, qui agissent comme antioxydants, servent à protéger les composantes de la cellule des effets dommageables provoqués par les radicaux libres. Ces substances, comme le BHT et le MEA, conservent efficacement les aliments pour cette raison. Les recherches sur les animaux ont démontré que les antioxydants allongent effectivement la vie de 7 à 29 % (Harman, 1968), mais seulement en cas de carences dans l'environnement ou dans l'alimentation (Kohn, 1971). Ces substances protègent éga-

lement l'organisme contre les effets des radiations, que certains
considèrent comme analogues aux effets du vieillissement.

Les agents stabilisateurs de membranes. — Parmi leurs effets
indésirables, les radicaux libres peuvent endommager les membranes des lysosomes. Les lysosomes sont des poches minuscules situées
dans chaque cellule animale, qui libèrent les enzymes lytiques. La
fonction des enzymes est de détruire les matières indésirables qui
pénètrent dans la cellule. Lorsque les membranes des lysosomes
sont endommagées par les radicaux libres, les enzymes se répan-
dent alors en plus grand nombre et détériorent à leur tour des
parties fragiles de la cellule, dont l'ADN, ce qui entraîne des
symptômes désagréables. La centrophénoxine est une substance chimique qui stabilise les membranes et protège celles des lysosomes.
Les personnes âgées qui l'utilisent ont vu leur dépression et leurs
pertes de mémoires diminuer, mais rien ne prouve que cette substance allonge la vie (Drestren, 1961).

Le yoghourt. — On a longtemps considéré le yoghourt comme
un facteur alimentaire de longévité. La publicité télévisée moderne
a montré des paysans de l'Europe de l'Est très âgés, qui attri-
buaient leur longévité à la consommation du yoghourt. Le lien entre
yoghourt et longévité date du tournant du siècle. Un biologiste lau-
réat du prix Nobel, Elie Metchnikoff, rattachait le vieillissement
à l'alcool, à la syphilis et à une substance toxique produite par
l'action des bactéries, substance qui, selon lui, putréfie la nourriture dans les intestins. Il soutenait que cette bactérie, parasite des
entrailles, produisait une toxine que le corps absorbait en petites
quantités, ce qui causait son vieillissement. Pour ralentir ou prévenir la formation de cette toxine, Metchnikoff proposait un régime
végétarien, accompagné de lait sur bulgare et de yoghourt. Il affir-
mait que la bactérie qui contribue à former le yoghourt, le *Lacto-
bacillus bulgaricus*, supprimait aussi la bactérie qui engendrait la
toxine (Vischer, 1947). Metchnikoff fondait sa théorie sur le fait
qu'en Bulgarie, où l'on consommait énormément de yoghourt, la
population de centenaires était plus importante que la normale, ce
qui a été réfuté depuis. Cependant, dans l'imagination populaire,
le yoghourt reste associé à la longévité et à la santé, conviction que
les industries de produits laitiers ne découragent pas, loin de là.

L'alcool. — Comme nous l'avons mentionné plus haut, le suna-misme s'enracine dans la croyance que la chaleur des jeunes per-sonnes revitalise les personnes vieillissantes. La nourriture piquante et les boissons alcoolisées procurent aussi de la chaleur. Les anciens médecins préconisaient le vin à cet effet. Dans l'Odyssée, Ulysse donne ce conseil à son père : « Des bains chauds, une bonne ali-mentation, un lit moelleux et beaucoup de vin. Tels sont les privi-lèges de l'âge, qui sont aussi les tiens. »

La réputation du vin comme agent de rajeunissement a décliné durant les deux cents dernières années. Grâce aux campagnes en faveur de la tempérance, on reconnaît que l'alcool, dans sa forme distillée, provoque de nombreux dommages personnels et sociaux. Cependant, plus récemment, on a redécouvert les bienfaits d'une consommation modérée d'alcool distillé pour les personnes âgées (Mishara et Kastenbaum, 1980 ; Mishara et McKim, 1989).

Médecines et thérapies

Les extraits de plantes et d'animaux. — Tout au long de l'his-toire, les humains ont accordé un pouvoir regénérateur à un grand nombre de plantes. Ainsi, on crut longtemps que la plupart des aphrodisiaques ou des stimulants sexuels avaient aussi le pouvoir de revigorer les vieillards. La puissance sexuelle des mâles donnait l'indice de leur force vitale, pensait-on. Toute intervention ravivant cette puissance sexuelle renforçait en même temps leur vitalité glo-bale et les rajeunissait. La perte de la puissance sexuelle semblait un symptôme de vieillissement fort préoccupant. La racine de man-dragore y offrait le remède. La mandragore a une longue racine pivotante qui, lorsqu'elle se divise en deux branches, ressemble vaguement à la forme humaine. Suivant le principe magique de sympathie, selon lequel des objets se ressemblant s'influencent mutuellement, et parce que la racine de la mandragore contient des substances anticholinergiques hallucinogènes (la scopolamine et l'atropine), les sorcières et les magiciens s'en servaient pour prépa-rer des potions magiques et pour jeter des sorts (McKim, 1986). Les hommes l'utilisaient comme aphrodisiaque. C'est ainsi que la racine de mandragore aida Jacob à féconder ses deux femmes, Léa encore jeune, et Rachel, déjà vieillissante (Genèse 30 : 14-16). Le fait suivant n'a sans doute rien à voir avec la réputation de la plante, mais les substances anticholinergiques stabilisent avec succès la maladie de Parkinson et améliorent l'activité des personnes qui en sont affligées.

Parmi d'autres anciens produits de rajeunissement, mentionnons le soma, la drogue-déesse des Aryens de l'Inde du Nord — que l'on croit maintenant être le champignon Amanita muscaria (Wasson, 1968) —, la soupe de nid d'hirondelles, la racine de Ginseng (en Chine), les orchidées et les fruits de mer, comme les huîtres et les homards. L'eau elle-même était investie d'un pouvoir rajeunissant. La plupart des mythologies racontent des histoires d'immersions regénératrices. La quête de la fontaine de Jouvence a motivé maints explorateurs, dont Ponce de Leon qui découvrit la Floride en 1513 (Trimmer, 1967). Trimmer (1967) et Segerberg (1974) offrent un récit plus détaillé de l'histoire des thérapies de rajeunissement.

Les hormones. — Au tournant du siècle, on a associé les symptômes du vieil âge à ceux de l'hypothyroïdie, ou baisse de production d'hormones par la glande thyroïde (Vischer, 1947). La recherche a montré par la suite que les extraits de glande thyroïde améliorent effectivement l'état de santé de beaucoup de personnes âgées qui souffrent fréquemment d'hypothyroïdie, mais sans exercer aucun effet sur leur longévité.

Cette équivalence ancienne entre la performance sexuelle et la vitalité tout entière s'est manifestée au XIXᵉ siècle d'une façon très particulière. On a cru longtemps que le déclin généralisé du bien-être des mâles résultait d'une chute des hormones sexuelles. Le docteur C.E. Brown-Séquard, professeur de médecine expérimentale bien connu, en présenta l'un des cas les plus remarquables. En 1889, à l'âge de 72 ans, il éberlua la communauté médicale en proclamant, au cours d'un communiqué à la Société de biologie de Paris, qu'il avait réussi à se rajeunir en s'injectant des extraits de testicules de chien. Il affirma même que, grâce à ces extraits, il pouvait satisfaire la jeune femme qu'il venait d'épouser. Les allégations de Brown-Séquard ne furent jamais totalement acceptées par le corps médical. Sa jeune femme le quitta peu après, et il mourut cinq ans plus tard, mais il venait de lancer une mode qui allait durer longtemps (Trimmer, 1967). Durant la première moitié du siècle, on assista à une vague de transplantations de testicules sur des hommes vieillissants qui pensaient ainsi rajeunir. On utilisa des testicules de boucs et d'ânes, qui n'augmentèrent pas la longévité de ces hommes, même si ceux-ci connurent une brève période de rajeunissement. Les promoteurs de ces deux types de transplantation devinrent très riches. Malheureusement, tout ce que les testicules de singes transmirent à leurs receveurs, ce fut la syphilis (Kurtzman et Gordon, 1976).

La thérapie par supplément d'œstrogènes, l'hormone sexuelle femelle, soulage bien des symptômes de la ménopause, mais il n'existe aucune preuve qu'elle accroisse la longévité.

La thérapie cellulaire de Paul Niehan. — En 1931, le docteur Paul Niehan traita avec succès une femme à qui l'on avait ôté la glande parathyroïde par accident. Ses symptômes disparurent lorsqu'il lui injecta la parathyroïde hachée d'un bouvillon. Il s'attendait à un soulagement de courte durée, qui disparaîtrait avec les effets des hormones provenant de la glande du bouvillon mais, au contraire, l'effet de la cure se révéla permanent. Niehan pensa que les cellules de cette glande avaient en quelque sorte provoqué la régénération de la propre parathyroïde de sa patiente. Il étendit le principe à d'autres tissus organiques et mit au point la thérapie cellulaire. Cette thérapie est basée sur l'hypothèse que des cellules provenant d'un organe sain entraînent la régénération d'un organe détérioré. Comme la vieillesse semble résulter d'une détérioration des organes, des injections de cellules d'organes sains devraient provoquer une régénération généralisée et retarder la mort. Cette façon de penser ressemble fort au principe de régénération prôné par le sunamisme.

A l'origine, la thérapie cellulaire débutait par une analyse d'urine, qui devait déterminer le niveau de fonctionnement de chaque organe. On sacrifiait une brebis enceinte et on injectait au patient les cellules des organes requis, prélevés sur l'embryon de l'agneau. On modernisa ensuite la technique en utilisant des organes congelés et déshydratés plutôt que des organes frais.

La thérapie cellulaire connut un énorme succès. Des personnalités comme Somerset Maugham, qui vécut jusqu'à 91 ans, et Pie XII, mort à 82 ans, s'en firent les champions. Niehan lui-même atteignit les 89 ans et mourut en 1971. En dépit des personnalités qui y ont souscrit, la théorie cellulaire n'a jamais été évaluée par la science contemporaine et n'a aucun fondement scientifique.

Le Gérovital. — Le Gérovital, composé de chlorhydrate de procaïnamide, est également connu sous le nom commercial de Novocain. C'est un produit d'anesthésie locale, souvent utilisé par les dentistes. On l'injecte près d'un nerf pour bloquer sa capacité de conduire l'influx nerveux. Dans les années 1940, Ana Aslan, une doctoresse roumaine, étudie la procaïne. Elle injecte le remède dans les artères de personnes âgées et constate un allégement de leurs symptômes cardio-vasculaires, de l'angine, de l'asthme et de l'arthrose dont elles souffraient. En plus du soulagement de ces symptômes, le bien-être général de ses patients s'améliore, en particulier la mémoire, l'accomplissement des tâches, la vigueur et la vitalité. Ana Aslan est si impressionnée qu'elle nomme le remède Gérovital et en fait la promotion comme antidote contre le vieillissement.

En 1951, on commercialise une nouvelle préparation du remède, le Gérovital H_3 ou GH_3. On stabilise et conserve la solution de procaïne en y ajoutant de l'acide benzoïque et du métabisulfite de potassium, ce qui prolonge de moitié sa vie biologique. On peut injecter ce remède dans les muscles. Un traitement comprend une série de huit injections, répétées douze fois durant l'année, à intervalles réguliers. Ces traitements sont largement répandus en Roumanie.

A partir de ses essais cliniques, Aslan a prétendu que le remède haussait le taux de survie des personnes âgées, ce que d'autres chercheurs ont contesté (Zwerling *et al.*, 1975). En plus de cette prétendue capacité de prolonger la vie, le remède soulage, d'après Aslan, bien des symptômes de la vieillesse, comme la surdité, les rides, les cheveux gris et l'impuissance sexuelle. Là encore, ses allégations sont contestées. On peut utiliser le Gérovital dans le traitement de la dépression, car ce remède a des propriétés identiques à celles d'une sorte d'antidépresseurs, les inhibiteurs de la monoamine-oxydase (Cohen et Ditman, 1973). Le Gérovital, en qualité de vasodilatateur, peut sans doute augmenter le débit sanguin dans les divers organes, y compris le cerveau, et en améliorer ainsi le fonctionnement. Mais cet effet n'a pas encore été prouvé dans les recherches scientifiques. De nombreux pays n'en permettront l'usage que lorsque des essais cliniques soigneusement contrôlés en révéleront les effets positifs sur la santé mentale ou physique.

Conclusion. — Après avoir passé en revue ces différentes méthodes d'intervention, il nous semble clair que les moyens les plus efficaces de se maintenir en bonne santé le plus longtemps possible sont la restriction alimentaire sélective qui consiste à manger moins sans se sous-alimenter et sans ajouter à son régime de suppléments ou additifs spéciaux, en même temps que le maintien en forme par des exercices aérobiques pratiqués régulièrement. Aucune de ces méthodes ne dépend de la science moderne ou de la technologie de pointe. Elles impliquent de simples changements dans le style de vie, qui ont été mis en pratique avec succès durant des centaines et même des milliers d'années.

Comfort (1972) s'attarde au fait que la vie pourrait être prolongée de dix à vingt ans par la mise en application de techniques déjà reconnues comme étant efficaces auprès des animaux de laboratoire. Advenant que l'homme puisse profiter de ces dix à vingt ans de vie supplémentaire, la prolongation de la vie soulèverait inévitablement divers problèmes :

1 / *Le surpeuplement.* Vivre plus longtemps, c'est aussi occuper une partie de l'espace terrestre. Or le monde est peut-être déjà suffisamment surpeuplé à l'heure actuelle.

2 / *L'augmentation du nombre de personnes dépendantes.* Qui prendra soin de l'excédent de personnes âgées ?

3 / *Des problèmes de répartition, de coûts et d'éthique concernant le choix des êtres qui bénéficieront d'un sursis et de ceux qui devront mourir plus tôt.* Si nous ne pouvons pas tous vivre plus vieux, à qui accorderons-nous l'avantage ? Qui en décidera ?

4 / *Un dilemme.* Pour éviter la surpopulation, il faudra choisir entre avoir des enfants ou vivre plus vieux. Le moyen d'éviter la surpopulation consiste en effet à limiter les naissances.

5 / *L'ultime question* consiste à savoir si l'on ne ferait qu'ajouter des années à la vie alors qu'il faudrait ajouter plus de vie aux dernières années de l'existence. Car vivre « plus longtemps » n'est pas nécessairement synonyme de vivre « mieux ».

Comme le disait Eisdorfer (1971), la question n'est pas de chercher à prolonger l'existence mais bien les années les plus productives de la vie humaine.

Rares sont ceux d'entre nous qui accepteraient d'être branchés sur un appareil destiné au maintien automatique de la vie dans un état d'inconscience indéfini. Et même si nous n'avons guère envie d'avoir à nouveau 16 ans, les savants cherchent les moyens de redonner aux plus âgés la capacité de réagir, de ressentir, de se mouvoir et de récupérer leurs forces comme des jeunes. Ajouter des années à l'existence, même si cela peut paraître passionnant, n'est au fond qu'affaire de chiffres, et l'on risque d'oublier les mesures qui s'imposent pour améliorer la qualité de la vie qui nous est donnée.

Les changements physiques typiques de la vieillesse

En vieillissant, nous constatons et sentons que certains changement se produisent en nous et chez ceux qui nous entourent, bien que personne ne vieillisse exactement de la même façon et que les variations d'un sujet à l'autre soient considérables. Nous allons maintenant considérer les transformations physiques qui surviennent au cours du vieillissement, que ce soit dans l'apparence, la structure ou le fonctionnement du corps. Les données qui suivent proviennent pour la plupart d'études transversales (voir l'Appendice p. 301), c'est-à-dire de relevés obtenus auprès de personnes d'âges différents examinées au même moment. On ne s'entend pas absolument sur la façon dont les différences ainsi relevées s'appliquent aux cas individuels. C'est pourquoi il serait utile d'effectuer des études longitudinales portant sur des traits en voie d'évolution. Signalons en outre que, dans l'avenir, les différences entre les cohortes pourront ou bien diminuer grâce à l'amélioration des soins médicaux et dentaires ainsi que des habitudes sanitaires, ou bien augmenter avec les ravages de la pollution et des autres sous-produits de notre civilisation industrielle.

Les changements d'apparence

Notre apparence change en vieillissant. Le changement se produit lentement et ne peut être perçu aisément que si l'on compare des photos prises à diverses époques de la vie. Les principaux changements superficiels sont liés aux changements structuraux sous-jacents. Nous nous contenterons, ici, d'indiquer les modifications sans en faire une analyse structurale détaillée, puisque cela sera fait dans la prochaine section.

Modifications du système pileux. — Les changements du système pileux affectent la distribution, la couleur, l'épaisseur et la force des poils et des cheveux. Les hommes sont atteints de calvitie plus souvent que les femmes, mais ces dernières peuvent aussi devenir chauves. Hommes et femmes constatent parfois l'intrusion de poils en certains endroits de leur corps. Chez les femmes, ce peut être sur les jambes, le menton et la lèvre supérieure ; chez les hommes, dans les oreilles et les narines. En vieillissant, les hommes se rasent moins souvent. La plupart des gens constatent un changement dans la couleur de leurs cheveux, qui deviennent progressivement gris ou blancs. Les cheveux peuvent aussi changer d'apparence et devenir moins épais, moins forts ou avoir moins de corps.

Les changements de stature. — Au lieu de parler des « petits vieux », on devrait plutôt parler des « vieux qui rapetissent ». Le vieillissement s'accompagne effectivement d'une diminution de la taille. Les os deviennent plus poreux (ostéoporose), la courbe naturelle de la colonne vertébrale s'accentue (kyphose) et la cavité thoracique diminue de volume pendant que les côtes se déplacent vers le bas et l'avant. Le repliement du corps sur lui-même diminue la taille, altère radicalement l'apparence et gêne la mobilité. La taille commence à diminuer entre 30 et 40 ans. Cependant les différences de taille que l'on observe aujourd'hui entre les jeunes et les personnes âgées sont dues à un autre phénomène, celui de l'accroissement progressif de la taille individuelle avec chaque génération.

Les changements structuraux

En prenant de l'âge, le corps subit des transformations dans sa structure métabolique et cellulaire ainsi que dans la répartition de ses diverses composantes. Par exemple, au niveau des cellules et des tissus, il y a perte de certains éléments tels que l'ADN, et augmentation des tissus graisseux et fibreux aux dépens des tissus maigres. Les causes de ces changements sont mal connues car les rapports dont on dispose sont essentiellement de nature descriptive et corrélationnelle. Même si l'on sait que ces changements sont liés au régime, à l'environnement et à l'exercice, les chercheurs n'ont toujours pas réussi à en découvrir les causes. Il reste qu'à partir du milieu de la trentaine ceux qui ne modifient pas leur régime alimentaire et ne font pas plus d'exercice qu'auparavant se mettront à engraisser dans la plupart des cas, et la nouvelle graisse s'accumulera surtout autour de la taille.

Avec l'âge le corps subit quatre modifications principales dans sa composition globale ; celles-ci ont d'importantes implications pour le régime alimentaire et la médication. De 20 à 80 ans, la masse maigre du corps diminue de 17 %. De 20 à 70 ans, la proportion de graisse augmente de 35 %. Entre 20 et 80 ans, la quantité totale d'eau dans le corps diminue de 17 %, tandis que le volume plasmique augmente de 80 %.

Ces transformations ont des répercussions sur la dispersion des substances dans le corps, dont la plus importante concerne leur répartition. Ainsi l'alcool se disperse moins qu'auparavant tandis que le Valium, au contraire, se répartit sur une surface plus grande, ce qui influe nécessairement sur l'effet ainsi que sur la durée d'absorption des substances. Ces diverses modifications sont englobées sous le terme « pharmacokinésie ». Il existe des relations importantes entre l'âge et l'effet produit par certains agents thérapeutiques couramment employés par les personnes âgées. Par exemple, la demi-vie de certains médicaments, comme la Digoxine et le Valium, est considérablement plus longue chez les personnes âgées. Cela veut dire qu'il faut beaucoup plus de temps pour que l'effet produit par le médicament passe du maximum à la moitié. Les substances séjournent donc plus longtemps dans le corps, ce qui a pour conséquence que leur absorption continue fait augmenter leur concentration dans l'organisme.

Certaines substances sont éliminées du système sanguin grâce à l'action métabolique du foie alors que d'autres le sont par les fonctions rénales. Mais les reins et le foie perdent 35 % de leur efficacité entre 20 et 80 ans, ce qui a une incidence importante sur l'effet de certains médicaments lorsqu'ils sont administrés aux gens âgés.

Les changements cellulaires. — L'étude des changements cellulaires consiste à analyser le cycle et la division cellulaires, la longévité des cellules, et les rapports des changements cellulaires au vieillissement biologique. Ce sujet est d'une telle complexité que nous nous contenterons de le résumer. Le lecteur désireux de se documenter davantage sur la question est invité à lire les trois chapitres qui y sont consacrés dans le *Handbook of the Biology of Aging* (Brody et Vijayshankar, 1977 ; Norwood, Smith et Stern, 1990).

On appelle *cycle cellulaire* la série d'événements qui se produisent entre la mitose d'une cellule (la division d'une cellule en deux nouveaux noyaux) et la mitose de la nouvelle cellule issue de la division initiale. Ce cycle présente des variations tant dans la durée du

cycle que dans celle des diverses transformations biochimiques qui
le constituent. Ces variations distinguent non seulement les espèces, mais aussi différents organes du corps au sein de la même
espèce, et l'âge des sujets. Bazerga (1977) cite des recherches qui
démontrent un accroissement de la durée du cycle cellulaire en
fonction de l'âge. Et de nombreuses recherches biologiques consacrées à la longévité cellulaire semblent indiquer qu'il y aurait une
accumulation des erreurs survenant au cours de la reproduction,
à laquelle s'ajoute une réduction de la capacité de restauration
(Hayflick, 1975*a*, 1975*b*, 1976, 1977).

Les modifications du système tissulaire. — L'apparition des
rides de la peau est reliée, dans le plan structural, à certaines modifications des tissus graisseux sous-cutanés ainsi qu'à une perte
d'élasticité. Cette dernière est associée à l'augmentation de protéines fibreuses, la lipofuscine et le collagène. Or, la plupart des
auteurs soulignent que l'état actuel de nos connaissances ne nous
permet pas de savoir si la lipofuscine et le collagène sont la cause
ou l'effet du vieillissement, ou bien le résultat de lésions et de maladies diverses dont la fréquence s'accroît avec l'âge (Brody et
Vijayashankar, 1977). Outre l'apparition des rides et la perte d'élasticité de la peau, on constate une hypertrophie des cellules de
pigmentation du système tissulaire, notamment sur les parties non
protégées de l'épiderme, produisant des taches colorées, appelées
Lentigo senilis. La cause de cette hypertrophie est encore inconnue,
mais il semble qu'elle soit liée aux transformations de la peau dues
à l'âge. Enfin, les glandes sudoripares et sébacées s'atrophient, ce
qui donne à la peau son apparence desséchée et nuit au processus
normal de sudation, de sorte que la tolérance à la chaleur s'en
trouve diminuée.

L'augmentation de la lipofuscine et des divers éléments associés au vieillissement se produit non seulement dans la peau mais
au niveau d'autres tissus, notamment ceux du système nerveux central. Comme dans le cas des rides, on ignore encore s'il s'agit d'une
cause ou d'un effet ; par contre, on sait que le tissu nerveux ne peut
pas se reproduire et qu'une fois endommagé il est perdu pour toujours. Certaines études tendent à démontrer que l'augmentation de
la lipofuscine et du collagène dans les tissus nerveux entraîne une
diminution de leur fonctionnement voire leur perte totale.

Les modifications de l'ossature. — Avec l'âge, ce n'est pas tant la proportion des diverses composantes des os qui change comme la proportion des matières solides par rapport aux matières poreuses. C'est-à-dire que les os conservent généralement leur forme mais deviennent moins solides. L'ostéoporose est étroitement associée au vieillissement. Quand l'ostéoporose est parvenue à un stade avancé, certains traumatismes légers tels que les éternuements peuvent provoquer des lésions bénignes des tissus osseux, tout particulièrement de ceux de la colonne vertébrale. En fait, les fractures de la hanche ou de la jambe chez les personnes âgées peuvent être la cause plutôt que le résultat d'une chute ; autrement dit, ce qui se produit, c'est que la personne se casse la hanche et tombe, plutôt que l'inverse.

Les changements fonctionnels et le vieillissement

Les changements biochimiques ou métaboliques cellulaires dont il vient d'être question ne soulèvent pas un intérêt passionné. Pour plusieurs, l'apparence peut même n'avoir qu'une importance secondaire. En effet, ce qui compte avant tout, c'est le bon fonctionnement des organes et des membres.

Advenant des pertes de fonctions, la question est alors de savoir dans quelle mesure celles-ci affecteront la vie quotidienne des personnes concernées, et quels remèdes peuvent y être apportés. Nous aborderons maintenant les aspects suivants : les sens, la motricité, la digestion, l'élimination et le sommeil, à l'exclusion de certaines fonctions importantes, telles que la cognition et la sexualité, puisque nous y reviendrons dans un autre chapitre.

L'altération des fonctions sensorielles et le vieillissement. — Les fonctions sensorielles ne se résument pas aux cinq sens traditionnellement reconnus, la vue, l'ouïe, le goût, le toucher et l'odorat. Elles comprennent aussi la position kinesthésique du corps, l'équilibre, le mouvement et les sensations internes. Mais les exposés concernant les modifications sensorielles accordent la première place à la vue et à l'ouïe parce que celles-ci déclinent avec l'âge au point de modifier les relations interpersonnelles et le rythme de la vie quotidienne.

Les altérations de la vue. — Avec le vieillissement, la cornée de l'œil perd une partie de son élasticité et de ses capacités de focalisation. Connue sous le nom de presbytie, cette anomalie se développe avec l'âge. Les yeux perdent graduellemnt leur capacité de localiser les objets très rapprochés ou très éloignés, ce qui oblige à porter des lunettes à double foyer. La plupart des gens portent donc des verres correcteurs à partir de la quarantaine afin de pallier divers problèmes de vision (voir fig. II-1).

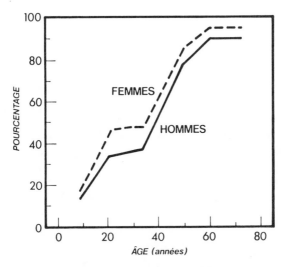

Fig. II-1. — Port de verres correcteurs selon l'âge et sexe
(Source : NCHS, 1974).

En général, on peut dire que la plupart des difficultés oculaires ont été dépistées et corrigées dès l'âge de 20 ans. La vision se stabilise ensuite entre 25 et 44 ans, période où ne surviennent que peu de changements. A 40 ans, plus de la moitié de la population porte des lunettes, le pourcentage des femmes étant à tout âge légèrement plus élevé que celui des hommes. A 60 ans, 9 personnes sur 10 portent des verres correcteurs (National Center for Health Statistics, 1974).

La fréquence des cataractes augmente avec l'âge. Ce trouble est causé par le jaunissement ou la décoloration de la cornée, qui réduit d'autant la quantité de lumière atteignant la partie sensible de la rétine, fausse les couleurs, et rend plus difficile la vision et la perception précise des objets.

Les altérations de l'ouïe. — La perte de l'ouïe se manifeste avec l'âge, et les causes en sont multiples. Le taux d'incidence est plus élevé chez les hommes que chez les femmes, quel que soit l'âge : par exemple, 45 % des hommes et 35 % des femmes de plus de 75 ans ont de la difficulté à entendre. Ces troubles ont le plus souvent pour cause l'infection et la maladie. Mais l'utilisation des vaccins pour lutter contre diverses maladies infantiles et des antibiotiques pour combattre les infections a certainement réduit de façon significative le taux d'incidence des problèmes auditifs engendrés par la maladie parmi les cohortes plus jeunes (*Statistical Bulletin*, 1976).

L'exposition continuelle aux sons très intenses entraîne la perte permanente de l'ouïe. Les sources de bruit se classent en deux catégories : sources volontaires et involontaires. Les bruits industriels se classent en général parmi les sources involontaires car la plupart des industries où le bruit menaçait l'ouïe des employés ont implanté des techniques de réduction du bruit. Les bruits produits par l'environnement, comme ceux qui proviennent de la circulation routière, se situent à mi-chemin entre les bruits volontaires et involontaires. Il est toutefois étrange de constater que l'incidence des pertes auditives est inférieure en milieu urbain, où le niveau de bruit est pourtant plus élevé qu'en milieu rural (*Statistical Bulletin*, 1976). Comme exemple d'une exposition purement volontaire au bruit, citons la façon dont les jeunes écoutent la musique avec forte amplification. Ce phénomène est d'ailleurs une des causes significatives de la perte de l'ouïe chez les jeunes gens.

La plupart des pertes sont sélectives plutôt qu'absolues et totales. Le seuil d'audibilité des sons à haute fréquence (sons aigus) est encore plus atteint que celui des sons à basse fréquence (sons graves). La figure II-2 présente la perte selon les fréquences en fonction de l'âge des sujets.

La perte des hautes fréquences a des conséquences pratiques significatives puisqu'elle modifie la perception de la voix. La hauteur des consonnes étant plus élevée que celle des voyelles, la cadence et le flot normal de la parole s'en trouvent déformés, et les mots peuvent alors se confondre. La perte de la capacité de percevoir les hautes fréquences s'appelle la *presbyacousie* ; sa fréquence augmente avec l'âge.

Les altérations de la motricité fine et globale. — La motricité est étroitement liée aux capacités sensorielles. Celui qui discerne

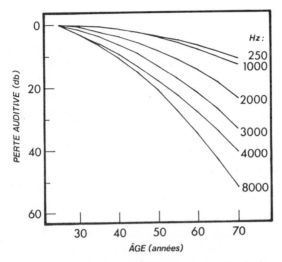

FIG. II-2. — Perte auditive des hommes en fonction de l'âge
(Adapté et reproduit avec l'autorisation de Spoor,
International Audiology, 1967, 6, 48-57).

mal un objet éprouvera de la difficulté à le manier, et cela en dehors
de tout trouble des organes moteurs. La motricité peut être atteinte
par suite du déclin de la force musculaire, de l'accroissement des
tissus graisseux par rapport aux tissus maigres, d'ostéoarthrite et
d'autres processus physiques déficients. Elle subit aussi l'influence
des modifications qui s'opèrent dans le métabolisme basal, la capacité thoracique vitale et le bon fonctionnement du système
cardiovasculaire.

A mesure que l'on vieillit, les mouvements moteurs globaux
deviennent plus lents, les muscles se fatiguent plus rapidement et
se remettent plus lentement du stress. Les mouvements de motricité fine deviennent aussi plus lents et moins précis pour les mêmes
raisons. On croit cependant que ces changements peuvent être
inversés, retardés et, jusqu'à un certain point, évités grâce à un
régime et à des exercices appropriés. Un étude faite sur 112 hommes âgés de 52 à 87 ans a permis d'observer que le programme
d'exercices qu'ils avaient suivi avait amélioré leur forme physique
sous bien des rapports (de Vries, 1970). On a observé notamment
une réduction du pourcentage des graisses dans le corps, une augmentation de la capacité de travail manuel et une amélioration de

la pression sanguine systolique et dyastolique. La découverte la plus significative de cette étude a trait à la circulation de l'oxygène ; la pulsation d'O_2 s'est améliorée de 29,4 %, la « ventilation par minute » de 35,2 %, et la capacité vitale de 12,6 % (de Vries, 1970). L'auteur de ce programme d'exercices conclut que ce régime est à la fois efficace et sans danger pour la population normale des hommes âgés, à condition qu'il soit appliqué sous surveillance médicale et physiologique.

Les modifications des systèmes pulmonaire et cardiovasculaire. — Le vieillissement s'accompagne généralement d'une diminution de la capacité et de l'efficacité des poumons et du système cardio-vasculaire. Les effets de l'ostéoporose et la modification des tissus musculaires réduisent la capacité thoracique, diminuant ainsi le volume d'air qui peut être absorbé ; le déclin de la force musculaire a aussi des effets négatifs sur la capacité de respirer. Des modifications apparaissent également au niveau des parois alvéolaires et des alvéoles, qui entraînent une perte de leur élasticité et de leur perméabilité, réduisant ainsi le taux de pénétration de l'oxygène dans le sang. Finalement, certaines maladies chroniques, telles que l'emphysème et certaines formes de bronchite, surviennent plus fréquemment avec l'âge et contribuent aux problèmes respiratoires.

Le cœur, les artères, les veines et les capillaires dégénèrent aussi avec l'âge. La capacité maximale du cœur et le nombre total de battements diminuent. Les vaisseaux sanguins, et particulièrement les artères, perdent de leur élasticité et risquent d'être partiellement bloqués par l'athérosclérose causée par la formation de plaquettes. La réduction de l'élasticité et l'athérosclérose font que le diamètre des conduits (lumen) se rétrécit, ce qui entraîne une surpression (hypertension). Enfin, d'autres processus maladifs contribuent aussi à la perte d'efficacité de l'ensemble du système cardio-vasculaire.

La recherche contemporaine sur les modifications du système cardio-vasculaire qui accompagnent le vieillissement met souvent l'accent sur les liens qui existent entre ces changements et le style de vie des gens. Plusieurs recherches indiquent que nous pouvons renverser ou prévenir les modifications cardio-vasculaires (particulièrement les problèmes liés aux réactions aux événements stressants chez les humains) par une augmentation d'activité physique ou une modification des habitudes alimentaires.

Les changements dans la nutrition, la digestion et l'élimination.
— Les besoins nutritionnels se modifient avec le temps tout comme
les fonctions d'ingestion/excrétion. Par suite de la diminution des
activités et des exercices physiques, le corps requiert moins de nourriture pour se maintenir à un poids convenable. Comme la plupart
des gens ne modifient pas leurs habitudes alimentaires en vieillissant, la maturation s'accompagne généralement, dans notre culture,
d'un gain de poids ; celui-ci est cependant suivi d'une perte de
poids après 45 ans ou au début de la cinquantaine.

Les besoins nutritifs changent lentement et les exigences en calories, lipides, protéines, minéraux et vitamines se modifient très peu,
sinon pas du tout. Il convient cependant de signaler que la dernière
étude effectuée par la « Society of Actuaries » sur la norme des
poids (ceux qui sont associés aux taux de mortalité les plus bas)
date de 1959 et que les données peuvent avoir changé dans l'intervalle de 30 ans. L'insuffisance de poids est associée entre autres à
une incidence accrue de déficits vitaminiques et minéraux, ainsi
qu'à une incidence accrue des dysfonctions et des maladies ; l'excès
de poids est associé à un surplus d'efforts de la part du système car-
diovasculaire/pulmonaire et lié aux diverses maladies et au mauvais fonctionnement engendré par ce stress supplémentaire. Il est
évident que le meilleur moyen d'éviter les désordres fonctionnels
au moment de la vieillesse consiste à conserver un poids convenable. Mais certaines personnes âgées trouvent difficile de s'en tenir
à ce poids idéal. Les carences alimentaires que l'on observe chez
elles sont associées à certains facteurs physiques ainsi qu'à divers
facteurs sociaux et émotifs tels que la dépression, les difficultés économiques (certains aliments coûtent trop cher) et l'effort nécessaire
pour préparer un repas équilibré pour une seule personne. Les facteurs physiologiques qui entraînent une diminution ou une altération de la ration alimentaire (quantité d'aliments ingérés), les troubles de l'absorption ou de la digestion, les effets secondaires de
médicaments employés pour soigner d'autres maladies, ainsi que
la perte du goût et de l'odorat feront l'objet des paragraphes
suivants.

Diminution et modification de la ration alimentaire. — La perte
de l'appétit par suite d'une dépression altère la qualité du régime
alimentaire chez les personnes âgées. Le prix des aliments, la difficulté de se les procurer et de les préparer sont autant de facteurs

qui influent sur la qualité de ce régime. Souvent les aliments riches en vitamine C coûtent trop cher, sauf les pommes de terre, qui sont plus abordables mais font craindre l'embonpoint. L'éloignement des magasins, la crainte de sortir seul, l'absence de moyens de transport ainsi que la difficulté de marcher, par exemple, sont autant de circonstances qui doivent être prises en considération. Comme les personnes âgées vivent souvent seules, elles peuvent trouver trop compliqué de cuisiner un repas composé de plusieurs plats, ou bien trouver que certains aliments vendus par portions individuelles sont peu pratiques ou trop chers. Quant aux aliments qui accroissent ou sont censés accroître la constipation, ils devraient être évités par les nombreuses personnes âgées qui souffrent ou croient souffrir de ce désordre. La fréquence et le volume des mouvements excréteurs diminuent avec l'âge, en partie parce que la quantité d'aliments ingérés diminue ; certains voient dans ce ralentissement naturel un signe de constipation et prennent un laxatif qui est en fait inutile.

Les difficultés d'absorption et de digestion. — Bien que les changements dans la capacité d'absorption ou de digestion associés au vieillissement soient légers, certaines substances comme la vitame B_{12} sont plus difficiles à absorber et peuvent, de ce fait, être en déficit dans l'organisme, même si elles se trouvent en quantité suffisante dans l'alimentation. Certains diététiciens croient qu'il est nécessaire d'augmenter le dosage de ces substances afin de compenser les déficits occasionnés par ces difficultés d'absorption : certaines maladies cumulatives et des troubles comme les ulcères peuvent aussi occasionner des carences nutritives chez les personnes âgées.

Les modifications du goût et de l'odorat

Depuis les dix dernières années, plusieurs recherches importantes ont été effectuées sur les modifications du goût et de l'odorat qu'entraîne le vieillissement (Bartoshuk et Weiffenbach, 1990). Les recherches récentes ont clairement démontré que la conclusion de la première édition du présent livre selon laquelle en vieillissant « on trouve la nourriture plus fade et moins appétissante », n'est pas conforme à la réalité. Dans l'ensemble, les études montrent que le sens du goût ne se perd que très peu avec l'âge. Cependant, plusieurs de nos habiletés sensorielles d'odorat diminuent.

Le sucré, le salé, le sur et l'amer sont des qualités du goût généralement acceptées par les chercheurs. Les qualités de l'odorat sont différentes des qualités du goût et sont, généralement, concrètement liées aux objets qui les évoquent (par exemple, fumée, citron, menthe, fleur). Les recherches récentes sur le seuil de recognition d'un goût indiquent que le vieillissement y cause peu de modifications (Weiffenbach, 1984). Les recherches sur l'intensité des goûts perçus par les personnes âgées en comparaison avec des personnes plus jeunes indiquent qu'il n'existe pas de différences significatives chez les sujets typiques, et que, selon certaines études, les personnes âgées ont perçu des goûts à faible concentration plus facilement que les personnes plus jeunes.

Les études sur l'odorat indiquent que la capacité d'identifier les odeurs diminue avec l'âge, mais que les femmes identifient mieux les odeurs que les hommes et que les non-fumeurs ont de meilleures capacités olfactives que les fumeurs. Presque la moitié des personnes de 65 à 80 ans subissent des pertes sévères dans leur capacité d'identifier des odeurs ; après l'âge de 80 ans, près des trois quarts des sujets ont des pertes majeures. Néanmoins, la capacité d'identification des odeurs varie selon le type d'odeur. Une étude impressionnante a été menée par la revue *National Geographic Magazine* (Gibbons, 1986 ; Gilbert et Wysocki, 1987). En septembre 1986, chaque numéro de cette revue comprenait six boîtes d'odeurs distinctes à gratter et à sentir. Un million et demi de lecteurs ont essayé d'identifier ces odeurs et ont répondu au questionnaire qui leur demandait s'ils avaient senti quelque chose, de coter l'intensité (de faible à fort sur une échelle de 4 points), d'indiquer s'il s'agissait d'une odeur agréable ou désagréable (sur une échelle de 5 points) et d'identifier l'odeur en cochant l'un des douze descripteurs (« floral », « boisé ») ; ils devaient également indiquer leur âge sur le questionnaire. Les analyses de 26 200 tests choisis au hasard (Gilbert et Wysocki, 1987) indiquent que la capacité de sentir une odeur ne diminue qu'après l'âge de 70 ans, mais que l'intensité perçue des odeurs ainsi que la capacité d'identifier une odeur diminuent après l'âge de 50 ans.

En conclusion, peu de changements du goût interviennent au cours du vieillissement et, s'il y a des modifications, elles affectent peu l'expérience quotidienne de goûter la nourriture. Toutefois, nos capacités d'odorat diminuent significativement avec le vieillissement ; plus on avance en âge, moins les odeurs ont l'air intenses et plus elles sont difficiles à identifier.

Le sommeil

En général, les gens âgés dorment aussi longtemps que les plus jeunes, quoiqu'ils tendent à s'éveiller plus souvent et que la phase du sommeil profond (le stade IV du sommeil) soit proportionnellement moins longue chez eux par rapport au temps de sommeil global. Un inconvénient très répandu chez les personnes âgées est qu'elles se réveillent fréquemment la nuit, particulièrement durant la deuxième moitié de la nuit (Hayashi et Endo, 1982 ; Webb, 1982). Une fois éveillées, elles ont plus souvent de la difficulté à se rendormir si on les compare à des personnes plus jeunes. Les personnes âgées mentionnent aussi plus souvent des difficultés à s'endormir lors du coucher. Les personnes âgées peuvent donc passer un tiers de leur temps au lit éveillées. Même si elles dorment moins la nuit que les jeunes, à cause des siestes de jour, le nombre total d'heures de sommeil sur une période de 24 heures n'est pas différent du nombre d'heures de sommeil de personnes plus jeunes. Certains auteurs affirment que la difficulté de dormir la nuit peut être liée à des facteurs comme la dépression, le besoin d'uriner et d'autres troubles inhérents au vieillissement (Butler et Lewis, 1977). Les personnes âgées dont le sommeil est perturbé risquent plus d'être en moins bonne forme le lendemain et sont plus souvent de mauvaise humeur que les jeunes dans la vingtaine qui connaîtraient les mêmes problèmes. Les désordres du sommeil chez les personnes âgées peuvent avoir des racines physiques ou psychologiques. Les troubles respiratoires ainsi que des désordres musculaires peuvent causer des perturbations du sommeil ainsi que certaines affections comme les maux de dos, les ulcères, les douleurs cardiaques, les douleurs associées à l'arthrose et les problèmes de diabète. Se réveiller tôt le matin, sans être capable de se rendormir, est un indicateur possible d'une dépression clinique.

L'insomnie peut conduire certaines personnes à l'abus des médicaments. Etant donné que celle-ci peut être symptomatique d'autres difficultés (*e.g.* dépression, miction fréquente), les somnifères risquent de compliquer la situation plutôt que de l'améliorer. En effet, les changements pharmacokinésiques, c'est-à-dire dans la façon dont les agents thérapeutiques sont absorbés et éliminés (et non dans leurs effets spécifiques), constituent une autre source de difficultés. La pharmacokinésie comporte quatre éléments : l'absorption, la distribution, le métabolisme et l'élimination des substances (Friedel, 1977), qui sont tous affectés par le vieillissement. Comme nous l'avons déjà mentionné, certaines substances ont une demi-vie très considérable (la demi-vie se définit comme le temps qu'il faut aux agents thérapeutiques absorbés par le corps pour atteindre la moitié de leur effet maximum). Par exemple, le Dalmane (dont le nom générique est chlorhydrate de flurazépam), somnifère très utile chez les malades plus jeunes, a une demi-vie grandement prolongée par la pharmacokinésie des personnes âgées. Cet effet peut entraîner chez les personnes âgées la somnolence et même la désorientation pendant plus d'une journée. Il existe un consensus chez les chercheurs au sujet de l'utilisation de médicaments pour le traitement de l'insomnie des personnes âgées : cette approche est rarement appropriée.

Les résultats d'évaluation de trois types d'intervention pour les traitements de l'insomnie chez les personnes âgées indiquent que les trois méthodes d'intervention sont très efficaces (Bootzin *et al.*, 1983). La première consiste à donner de l'information et du soutien. L'information porte sur les étapes du sommeil, sur les changements liés au vieillissement, sur les effets sur le sommeil des maladies physiques et des médicaments, de l'alcool, de la caféine, du stress et des facteurs environnementaux. Les intervenants ont aussi appris aux sujets que les personnes qui mènent une vie productive et satisfaisante dorment deux heures de moins par nuit en moyenne, si on les compare à des personnes qui évaluent leur vie comme n'étant pas satisfaisante. Au cours de sessions d'information, on expliquait que le fait d'être privé de sommeil n'a pas d'effets très graves ; les effets majeurs sont la fatigue et la tendance à être plus irritable. Dans une intervention axée sur l'information et le soutien, l'information est donnée dans un contexte d'appui où un thérapeute examine avec le client la nature de son problème, les causes possibles et les façons d'y remédier.

Un deuxième type d'intervention pour le traitement de l'insomnie chez les personnes âgées consiste à modifier le contexte du sommeil en offrant au patient les instructions qui suivent sur la façon de se comporter (Bootzin, 1972, 1976, 1977) :

1 / Vous ne devez vous coucher que quand vous êtes fatigué.
2 / N'utilisez le lit que pour dormir (jamais pour regarder la télé, manger, lire). La seule exception étant les activités sexuelles.

3 / Si vous avez de la difficulté à vous endormir, il faut que vous vous leviez et que vous quittiez votre chambre. Demeurez ailleurs aussi longtemps que vous le désirez et ne revenez dans votre chambre que lorsque vous serez fatigué et prêt à vous endormir. Le lit devrait être un endroit où l'on dort ; si vous ne dormez pas, il faut quitter la chambre.

4 / Il n'y a pas d'inconvénient à quitter la chambre et à retourner au lit autant de fois qu'il est nécessaire de le faire dans une nuit.

5 / Quel que soit le nombre d'heures de sommeil, levez-vous toujours à la même heure le matin.

6 / Il est interdit de prendre une sieste le jour.

Une troisième méthode d'intervention consiste à entraîner la personne âgée à la relaxation. Il existe plusieurs méthodes d'entraînement à la relaxation, y compris les méthodes de relaxation progressive, la méditation transcendantale, le yoga, l'hypnose, etc. Toutes ces méthodes reposent sur l'hypothèse qui veut que, si quelqu'un est déjà « relax » au moment du coucher, le sommeil sera plus facile.

Selon le cas, les personnes âgées souffrant d'insomnie chronique profitent de différents types d'intervention thérapeutique, mais l'utilisation des somnifères n'a habituellement pas de bons résultats.

La santé et le vieillissement

Au regard de l'observateur superficiel, tout ce qui est associé au vieillissement, et plus particulièrement au vieillissement physique, peut sembler néfaste : c'est la détérioration pure et simple. Mais bien que la détérioration physique constitue une menace grave, il ne faut pas oublier que certaines différences individuelles, que l'on associe à l'âge, sont en fait des transformations particulières à certaines cohortes et évoluent d'une génération à l'autre. Les programmes de prévention et d'intervention peuvent retarder le processus de détérioration physique, et certains changements également associés au vieillissement sont souhaitables. Les affections des maladies aiguës diminuent avec l'âge autant chez les hommes que chez les femmes (fig. II-3). L'incidence des maladies aiguës est en effet de 3,5 fois plus élevée chez les jeunes que chez les personnes à la retraite et les personnes âgées ont la moitié moins de maladies graves que celles d'âge moyen. De fait, on compte à peu près deux rhumes ou grippes par année chez les jeunes de 6

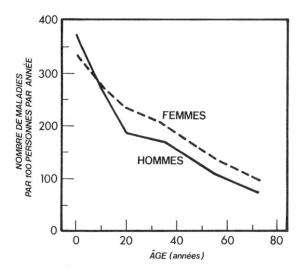

FIG. II-3. — Fréquence de maladies aiguës par 100 personnes par années selon l'âge et le sexe (Source : NCHS, 1977).

ans et moins, contre une grippe tous les deux ans chez les personnes de plus de 45 ans. Cette amélioration est plus marquée chez les hommes que chez les femmes, c'est-à-dire qu'elle passe de 2,01 à 0,52 rhumes par année chez les hommes, contre 1,93 à 0,63 chez les femmes (National Center for Health Statistics, 1977).

Les difficultés résultant du vieillissement sont plutôt chroniques qu'aiguës. Dès l'âge de 65 ans, environ une personne sur deux doit limiter ses activités et près d'une personne sur cinq est incapable de poursuivre ses activités principales (29,6 % chez les hommes et 8,8 % chez les femmes). Signalons une fois de plus que la situation sera appelée à changer dans l'avenir grâce aux progrès de la médecine, ainsi qu'à l'amélioration de l'environnement et du style de vie. Le nombre de visites chez le médecin augmente avec l'âge : environ une fois par mois chez les gens de plus de 65 ans, par exemple, contre moins d'une fois par trois mois chez ceux de 17 ans et moins.

La figure II-4 montre le lien entre les causes de mortalité et l'âge des sujets. Notons qu'il existe une différence sensible entre les maladies chroniques de la vieillesse et celles de la jeunesse.

Même s'il est possible à des fins statistiques de déterminer *la*

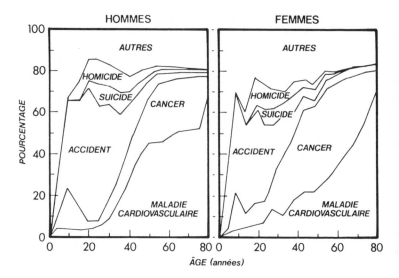

FIG. II-4. — Pourcentage des décès selon la cause
(Source : *Metropolitan Life Insurance Statistical Bulletin*, 1976).

cause du décès d'une personne, les recherches récentes (Crews, 1990) révèlent que plusieurs causes peuvent expliquer la mort de quelqu'un à un moment précis.

A plusieurs reprises dans ce livre nous avons attiré l'attention sur les différences qui distinguent les cohortes d'âge. Grâce à l'amélioration des soins médicaux et des habitudes de vie, ainsi qu'aux découvertes médicales futures, nous pouvons espérer que ces différences seront encore plus considérables entre nos grands-parents, nos parents, nous-mêmes et nos enfants. Le domaine des soins dentaires en fournit un exemple (voir figure II-5). On croit en effet que la perte des dents ira en décroissant au cours des prochaines décennies, par suite de l'amélioration de l'hygiène dentaire, y compris les soins préventifs et les visites régulières chez le dentiste.

Les recherches contemporaines sur la santé des personnes âgées considèrent la maladie comme un facteur parmi plusieurs qui affectent le fonctionnement physique des individus, leur capacité de vivre pleinement dans leur environnement. L'Organisation mondiale de la santé définit la santé comme étant un état de bien-être complet, physique et psychologique, ainsi qu'un bien-être social.

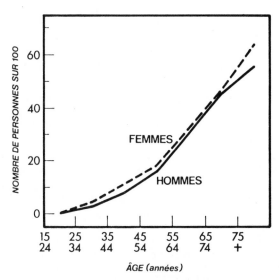

Fig. ii-5. — Perte de la denture selon l'âge et le sexe
(Source : NCHS, 1974).

Selon Asiel (1988, p. 15), pour la personne âgée, la santé comprend
« toutes les sensations liées à son bien-être physique et psychique,
à son équilibre dans l'environnement mais aussi à la qualité de ses
contacts et relations avec autrui, malgré d'éventuelles incapacités
fonctionnelles, et enfin à son activité en général ». Même si 60 %
des personnes âgées en Europe et en Amérique du Nord souffrent
d'une ou de plusieurs déficiences ou maladies importantes (Enquête
Santé-Québec, 1987), près de deux tiers des aînés se déclarent
comme étant en « bonne santé ». Selon Liang (1986), pour bien
comprendre l'évaluation subjective de la santé des personnes âgées,
il faut tenir compte aussi de leurs maladies chroniques, du nombre de journées de maladie, de leur comportement pour se maintenir en bonne santé, ainsi que des activités pratiques de la vie
quotidienne auxquelles elles sont capables de se livrer. Henrard
(1979) déclare que les meilleurs indicateurs de la santé adaptés aux
problèmes des personnes âgées sont : 1 / l'étendue de l'espace-
action (des limites ou restrictions des lieux où la personne est capable de fonctionner), 2 / la capacité fonctionnelle de la personne (les
activités auxquelles elle est capable de se livrer ainsi que ses capa-

cités physiques, auditives, motrices, etc.) et 3 / le « niveau d'intervention » — le nombre et le type de services médicaux et sociaux que la personne peut utiliser pour corriger les handicaps et un « environnement défaillant ».

La prévention des handicaps chez les personnes âgées

En 1982, l'Organisation mondiale de la santé publiait une série de recommandations sur la prévention des handicaps chez les personnes âgées. Ces recommandations, formulées par un groupe de 24 experts de plusieurs pays, incluaient des recommandations générales ainsi que des recommandations portant sur la prévention primaire, secondaire et tertiaire. En général, l'OMS a préconisé le développement de politiques sociales pour :

— réduire les dangers de l'environnement (des contrôles plus sécuritaires pour les appareils de cuisson d'aliments) ;

— protéger des dangers de l'environnement (par exemple, stationnement des véhicules dans les quartiers dévolus au magasinage) ;

— modifier les situations dangereuses (par exemple, supprimer les dénivellations de planchers inégaux qui peuvent provoquer des chutes) ;

— augmenter la reconnaissance des dangers (par un meilleur éclairage des lieux) ;

— augmenter la résistance aux dangers (par exemple, par l'utilisation de tissus ignifugés).

La prévention primaire vise à diminuer l'incidence des problèmes quand ils apparaissent.

L'OMS recommande de meilleures approches pour la prévention des handicaps et des problèmes et suggère des programmes d'évaluation des détériorations sensorielles et des capacités fonctionnelles des personnes âgées à domicile :

— l'instauration de programmes permettant de s'assurer que les personnes âgées mangent bien et suffisamment ;

— la consultation régulière du dentiste et du pédicure.

Pour assurer la prévention primaire, ils recommandent aussi plusieurs stratégies pour améliorer le sort des personnes âgées, notamment :

— diminution de l'isolement physique par des politiques du logement ;

— augmentation de l'accessibilité aux activités récréatives et sociales;
— politique de transport;
— programme d'aide financière et autre aux aidants naturels;
— diminution de la séparation des personnes âgées d'avec leur environnement par un abrègement des séjours à l'hôpital.

La prévention secondaire vise la diminution de la prévalence des incapacités et handicaps chez les personnes âgées. L'OMS préconise des programmes pour la modification précoce des problèmes par un système d'évaluation régulière de l'état physique et par l'utilisation des différents systèmes conçus pour identifier les personnes qui ont des troubles. Ils indiquent qu'il est essentiel de créer de meilleures liaisons entre les médecins généralistes et spécialistes et d'utiliser une approche interdisciplinaire.

La prévention tertiaire porte sur la réadaptation des personnes âgées atteintes de déficience et de handicaps. L'OMS estime qu'il est important d'établir de meilleurs critères d'évaluation des personnes âgées et d'augmenter la formation des spécialistes en gérontologie. Elle ajoute qu'il serait utile de regarder de près les cloisons administratives souvent arbitraires entre les services de santé et les services sociaux et de prendre conscience du besoin d'avoir des programmes spéciaux en soins palliatifs.

Les différences individuelles

Il ne faut pas perdre de vue que toutes les interventions et les pratiques que nous avons mentionnées doivent être adaptées aux besoins de chacun. Nous nous demandons tous comment il se fait qu'un citadin fumant deux paquets de cigarettes par jour survit alors qu'un non-fumeur vivant en milieu rural meurt d'un cancer des poumons. Il se peut que des facteurs génétiques, l'environnement ou tout simplement le hasard interviennent, mais il faut cependant se garder de prendre prétexte des cas exceptionnels pour justifier des comportements nocifs. Le fait de pouvoir dire : « Mon père était fumeur et il a vécu jusqu'à 85 ans » ne constitue pas une garantie de longévité.

Les progrès médicaux et les perspectives de longévité

Comment les découvertes médicales peuvent-elles influer sur la longévité ? Sans doute permettront-elles non seulement de vivre plus longtemps mais elles donneront à un plus grand nombre la possibilité de mieux vivre les dernières années de la vie. Il existe cependant une autre question, au-delà de la qualité du progrès médical, et c'est celle de la distribution efficace des soins médicaux. De nombreux débats ont présentement lieu sur la meilleure manière de répartir ces soins entre tous les citoyens. Peu importe les moyens utilisés, il est certain qu'en permettant à un plus grand nombre d'y avoir accès on augmentera à la fois la durée et la qualité de la vie. Ce qui constituera un progrès très important.

Quelques bonnes et mauvaises nouvelles au sujet des sous-produits technologiques

Il est certainement réjouissant de penser à tout ce qui contribue aujourd'hui et contribuera demain à prolonger et à améliorer la vie : programmes d'exercices appropriés, saines habitudes alimentaires, sans oublier les effets bénéfiques des progrès de la médecine ainsi que de la répartition des soins à l'ensemble de la population... Mais il n'y a malheureusement pas que de bonnes nouvelles. Pensons à l'aggravation de la pollution, à la surpopulation, à la consommation effrénée des ressources non renouvelables. A moins d'un renversement de la situation, les effets des améliorations se trouveront neutralisés. Alors que nous avons réussi, par des règlements et des lois, à réduire le taux des maladies associées aux conditions de travail, nous ne sommes pas parvenus à réglementer les conditions de vie résultant de la pollution de l'air et de l'eau dans nos grandes villes. La diminution du nombre de morts industrielles a été compensée par un accroissement du nombre de « morts écologiques », et les progrès dans ce domaine ont été lents jusqu'à ce jour. Nous sommes parvenus au point où l'accroissement des connaissances et de l'accès aux services s'accompagne d'un accroissement parallèle des facteurs négatifs.

CHAPITRE III

Aspect social
du vieillissement

L'appartenance à un groupe particulier, une famille ou une culture est régie par un ensemble de règles et comporte des obligations nombreuses, qui varient énormément selon le groupe, la personne, la situation et même selon l'âge. La nature exacte de l'influence exercée par le milieu social demeure cependant sujette à controverse.

Six modèles sociaux du vieillissement

Sociologues, psychologues et gérontologues ont élaboré divers modèles du vieillissement en vue d'expliquer l'influence des facteurs culturels et sociaux sur le vieillissement. Dans ce chapitre, nous résumons six modèles sociaux ; ceux-ci présentent des différences parfois minimes ainsi que des recoupements nombreux. Certains modèles, comme la théorie du désengagement, ont suscité de nombreuses recherches ; d'autres, telles les théories des sous-cultures et des minorités, ne semblent pas avoir retenu l'attention des chercheurs.

La théorie du désengagement

La théorie du désengagement veut que le vieillissement s'accompagne du désengagement réciproque de la société et de l'individu (Cummings et Henry, 1961) : l'individu cesse peu à peu de se mêler à la vie de la société et la société lui offre de moins en moins d'avantages de toutes sortes. Ce processus de désengagement réciproque a d'abord semblé présenter des avantages à la fois pour la société et pour l'individu, mais la théorie s'est modifiée au bout de quelques années de recherche pour refléter la variété des styles de vie individuels chez les personnes âgées (*e.g.* : Cumming, 1974). Des formulations ultérieures ont souligné la différence des adaptations individuelles à la vieillesse, et peu à peu remplacé la notion d'une tendance générale vers le désengagement.

Cependant, on ne s'entend toujours pas sur la question de savoir si le désengagement est fréquent et s'il est bénéfique ou non à la personne concernée. Il est sans doute vrai que la personne qui sera graduellement délaissée s'adaptera d'autant mieux qu'elle acceptera cette situation. Certains croient que ce sont les personnes âgées qui amorcent elles-mêmes le processus de désengagement ; d'autres, au contraire, maintiennent que c'est la société qui oblige graduellement les vieux à se retirer de la vie active.

La théorie de l'activité

La théorie de l'activité a d'abord été élaborée en vue de combler les lacunes de la théorie du désengagement. Elle cherche à rendre compte des problèmes sociaux et des causes exactes qui contribuent à l'inadaptation des personnes âgées. Si certains rôles sont retirés aux vieillards, ceux qui leur restent sont loin d'être clairement définis. La confusion qui en résulte aboutit à un état d'« anomie », l'individu n'a plus de but ni d'identité. Selon la théorie de l'activité, si de nouveaux rôles ne viennent pas remplacer les précédents, l'anomie tend à s'internaliser et l'individu devient inadapté et aliéné, non seulement de la situation mais aussi de lui-même.

Selon la théorie de l'activité, une vieillesse réussie suppose la découverte de nouveaux rôles ou de nouveaux moyens de conserver les anciens rôles (Atchley, 1977). Afin que cet idéal se réalise, il faudra dans l'avenir reconnaître la valeur de l'âge et attribuer aux personnes âgées des nouveaux rôles, valorisés par la société. Ceux-ci devront s'accompagner d'une forme quelconque de revenus, d'abord par nécessité économique et ensuite parce que, dans notre société, le travail rémunéré est valorisé tandis que le travail bénévole ne l'est pas. La plupart des programmes d'activités destinés aux personnes âgées servent à occuper ces dernières, mais la rémunération qu'ils comportent est inférieure au minimum prévu par les normes nationales et serait illégale si elle s'appliquait à tout autre groupe de travailleurs. Le maintien dans un rôle de travail normal est parfois compliqué pour les gens âgés en raison des difficultés que peuvent susciter leur santé, les syndicats, la législation, ainsi que les progrès de la technologie. Les nouvelles mesures adoptées aux Etats-Unis par la Chambre des Représentants ont quelque peu amélioré la situation en repoussant jusqu'à 70 ans l'âge de la retraite obligatoire ; une redéfinition de l'aptitude au travail, fondée sur les capacités individuelles et non pas uniquement sur l'âge, s'impose cependant.

Maddox et Eisdorfer (1962) ont élaboré une caractérologie du moral et de l'activité des gens âgés qui comporte quatre combinaisons possibles. Ils ont trouvé peu de faits appuyant l'hypothèse de désengagement de Cummings et Henry (1961), selon laquelle le niveau d'activité tend à diminuer au fur et à mesure que l'on vieillit. Ainsi, ces auteurs parviennent à identifier quatre types de sujets distincts parmi les personnes âgées en fonction de l'évaluation des activités et du moral. Leurs quatre combinaisons sont les suivantes :

1 / activité élevée/moral élevé ;
2 / activité élevée/moral bas ;
3 / activité faible/moral élevé ;
4 / activité faible/moral bas.

Les sujets du type 3, « activité faible/moral élevé », autrement dit ceux qui ont réussi leur désengagement, existent bien, mais ils constituent une portion relativement faible de l'échantillonnage. Quel que soit le nombre de ces sujets, leur existence démontre d'autre part que le taux d'activité n'est pas nécessairement associé à l'élévation du moral. Les chercheurs concluent qu'un moral élevé est associé généralement à un niveau d'activité élevé et que ceci dépend de la situation économique et des débouchés qui s'offrent au sujet.

Goudy, Powers et Keith (1975) ont présenté une typologie du même genre concernant le travail et les attitudes à l'égard de la retraite. Ils ont, eux aussi, décrit quatre types en combinant les attitudes favorables et défavorables au travail et à la retraite. Parmi un vaste échantillonnage comprenant 344 membres des professions libérales autonomes, 385 membres salariés des professions libérales, 498 propriétaires et commerçants, 336 ouvriers d'usine et 359 agriculteurs (voir tableau III-1), ils ont obtenu une distribution quasi égale pour les quatre types. Ils ont également constaté que les

TABLEAU III-1. — *Capacité de satisfaction au travail
et attitude à l'égard de la retraite*

Attitude à l'égard de la retraite	Satisfaction au travail	
	Positive	Négative
Positive	Type A (21 %)	Type B (25 %)
Négative	Type C (25 %)	Type D (29 %)

(Adapté et reproduit avec l'autorisation de Goudy, Powers et Keith, *Journal of Gerontology*, 1975.)

différentes catégories d'occupations ainsi que les catégories « salariés » et « autonomes » présentaient peu de différence. Dans une seconde étude, Goudy, Powers et Keith (1975) ont présenté une analyse plus complète de leurs quatre types, selon les catégories d'occupation tout en tenant compte des facteurs suivants : valorisation et âge. Bien que les sous-catégories présentent des différences significatives au point de vue statistique, ces variations ne sont cependant pas extrêmes dans la plupart des cas. Les membres des professions libérales sont surreprésentés dans les types A et B, alors que les ouvriers d'usine et les agriculteurs le sont dans les catégories C et D, mais ces proportions sont loin d'être très marquées. Une fois de plus, il est important de noter que les statistiques masquent les différences individuelles. Alors que les membres des professions libérales tendent à être mieux adaptés, chaque catégorie comprend un nombre significatif de personnes bien et mal adaptées.

Ni la théorie de l'activité et ni celle du désengagement ne peuvent rendre compte de plus d'une fraction des situations réelles. Il semble plutôt exister des « types actifs », des « types désengagés » aussi bien que d'autres « types », et leur distribution ne varie que dans une faible mesure en fonction de variables telles que le travail, le revenu, l'instruction et l'âge.

La théorie du milieu social

Gubrium (1973) soutient que le comportement au cours de la vieillesse dépend de certaines conditions biologiques et sociales. Le milieu dans lequel vit la personne âgée englobe, en effet, non seulement le contexte social (avec ses normes), mais aussi les obstacles d'ordre matériel et les débouchés qui s'offrent aux gens âgés. Selon cette façon de voir, trois facteurs importants influent sur le niveau d'activité d'un individu âgé : la santé, les finances et les appuis sociaux. La santé est un facteur important puisque bien des personnes âgées sont handicapées par l'effet cumulatif des maladies chroniques qui limitent leurs activités. Dès l'âge de la retraite, un quart de la population est empêché de se livrer à ses principales activités et 10 % sont complètement impotents.

La situation économique est un autre facteur limitatif. Aux Etats-Unis, 13 % des vieux avaient, au moment de l'étude, un revenu inférieur au seuil « officiel » de la pauvreté. Dix-huit pour cent du groupe des plus de 65 ans s'en approchent (revenu égal à 125 % de la limite officielle de la pauvreté), ce qui signifie qu'un cinquième des gens âgés sont grandement limités par le manque de ressources économiques (Brotman, 1977).

L'existence d'appuis sociaux, tels qu'un mari ou une femme, la famille ou des relations sociales, contribuent au niveau d'activité. Plus des deux tiers des hommes âgés de 65 ans et plus sont mariés, tandis qu'un peu plus du tiers seulement des femmes sont mariées. En fait, les quatre cinquièmes des femmes de plus de 85 ans sont veuves. Quant à l'appartenance aux associations diverses, Lopata (1973) a constaté qu'elle diminuait avec l'âge et par suite du veuvage. Dans l'ensemble, les facteurs provenant du milieu social qui sont susceptibles d'influer sur le degré d'activité sont défavorables à la vieillesse.

La théorie de la continuité

Par constraste avec le sombre tableau que dépeint la théorie du milieu social, Atchley (1971, 1972) maintient que le dernier stade de la vie prolonge les stades antérieurs. Les situations sociales peuvent présenter une certaine discontinuité mais l'adaptation et le style de vie sont déterminés principalement par les styles, habitudes et goûts acquis tout au long de la vie. Ainsi, ceux qui ont toujours préféré la pêche au travail se réjouissent, une fois à la retraite, d'avoir tout loisir d'aller taquiner le goujon, tandis que ceux qui ont toujours remis les excursions de pêche à plus tard se fatigueront vite de ce passe-temps ou, paradoxalement, ne trouveront ni le temps ni l'énergie ni l'argent pour s'y livrer, tout en se plaignant de n'avoir rien à faire.

Selon la théorie de la continuité, les habitudes, goûts et styles personnels acquis et élaborés au cours de la vie persistent jusque dans la vieillesse, et le meilleur indice de prédiction des conduites d'un sujet dans une situation donnée demeure son comportement antérieur. L'adaptation sociale à la vieillesse, à la retraite et aux événements du même genre, est principalement déterminée par le passé. Les événements sociaux qui surviennent au cours des dernières années de la vie exercent certes des pressions et entraînent l'adoption de certaines conduites, mais celles-ci suivent la direction déjà empruntée plus tôt dans la vie.

Certains auteurs (Covey, 1981 ; Palmore, George & Fillenbaum, 1984) ont critiqué la théorie de la continuité parce que, selon eux, il est difficile de maintenir une continuité dans la vie personnelle après la rupture causée par la prise de retraite. Atchley (1989) a admis que, pour diverses raisons, certaines personnes sont incapables de maintenir une continuité dans leur vie. Néanmoins, des recherches sur la retraite permettent de penser que les retraités qui conservent leur niveau de revenu, leur position sociale et une bonne santé après la retraite ont un meilleur moral que les retraités incapables de maintenir une continuité dans leur vie (Richardson & Kilty, 1991).

Les personnes âgées en tant que sous-culture

Rose (1965) estime que les caractéristiques communes des gens âgés et leur isolement expliquent qu'ils forment un groupe social à part. Et cette « sous-culture de l'âge » possède tous les traits caractéristiques de n'importe quel groupe isolé, y compris un ensemble de normes qui gouvernent leur conduite. Comme Riley et ses associés (1968) l'ont démontré, il est beaucoup plus avantageux d'étudier les groupes âgés en utilisant une *stratification élaborée selon l'âge plutôt qu'une stratification élaborée selon la classe.*

Depuis la publication du rapport de Rose, les organisations exclusivement réservées aux personnes âgées ont augmenté en nombre et en pouvoir ; elles sont aussi devenues plus revendicatrices. L'organisation pour citoyens âgés à laquelle appartient un individu aura une influence sur son comportement. Les organisations nationales diffèrent entre elles par leur philosophie, leur composition et leur style. Ces différences apparaissent dès qu'on visite un regroupement particulier ; les membres expliquent en effet qu'ils ne sont

« pas comme » les autres, qui « se croient supérieurs » ou « veulent tout avoir pour rien », et le reste.

L'organisation, la spécificité, les objectifs et le style de chaque groupe social constituent aussi des variables importantes. Si une personne choisit la solitude (choix souvent imposé par la maladie, la pauvreté, l'absence de moyens de transport), ce choix détermine aussi son comportement. Souvent les gens demeurés actifs dans la même organisation religieuse ou sociale depuis leur jeunesse expliquent qu'ils ne veulent pas s'associer à une bande de « vieilles badernes » et que leur adhésion au groupe leur permet de « rester jeune ».

Les personnes âgées comme groupe minoritaire

Les idées de Strieb (1965) sont très semblables à celles de Rose ; Strieb croit cependant que les gens âgés sont pour ainsi dire forcés de former une minorité dans notre société. Le groupe minoritaire des vieux se voit en outre attribuer des défauts qu'il faut éviter à tout prix. Tout comme les Noirs, dans certaines études, préfèrent paraître plus pâles qu'ils ne le sont réellement sur leur photographie et se voient attibuer une condition sociale supérieure lorsqu'ils ont effectivement le teint pâle (Kardiner et Ovesay, 1951), les personnes âgées qui ne paraissent pas leur âge ou qui ont des conduites jeunes sont généralement considérées comme quelque peu supérieures aux autres.

Les traits caractéristiques des groupes minoritaires s'appliquent aux personnes âgées. Le manque de mobilité, la pauvreté, la ségrégation et l'impuissance, tous traits communs aux groupes minoritaires, sont aussi le fait de la génération des vieux en Amérique du Nord. Les réactions à cette ségrégation varient depuis la passivité totale jusqu'à l'activisme politique. L'alcoolisme, la toxicomanie (dans le cas des personnes âgées, il s'agit en général de calmants vendus sur ordonnance ou dans une pharmacie), la pauvreté et la faible estime de soi se retrouvent aussi bien dans la sous-culture des gens âgés que chez les autres minorités. Bien que ces traits soient secondaires et pas nécessairement caractéristiques des groupes qui vieillissent ou des groupes minoritaires, ils peuvent influer sur la façon dont sont traitées les personnes âgées ainsi que sur les sentiments des vieux à l'égard d'eux-mêmes.

La stratification sociale

Dans toute société, chaque personne appartient à un certain nombre de groupes. Certains de ces groupes sont ouverts, on peut y entrer ou en sortir ; d'autres, comme le groupe racial, sont au contraire permanents. Les sociologues emploient le terme de « couche » pour décrire la stratification sociale. La notion même de stratification suppose une superposition des couches sociales, encore qu'il existe des classes ou groupes dont la position est relativement libre ou peu définie dans la hiérarchie. Groupes et couches possèdent un certain nombre de propriétés : ils peuvent être permaments, comme le groupe racial, ou temporaires, comme le groupe formé par les étudiants à une certaine époque.

La stratification selon l'âge est permanente dans un sens et transitoire dans un autre. Chacun est, à tout moment, membre permanent d'une couche d'âge, et seule la mort lui permettra d'en sortir. Cependant, cette couche évolue avec la maturation de ses membres. Les sociétés diffèrent par le nombre de couches d'âge qu'elles reconnaissent, comme par les couches économiques et sociales qu'elles se donnent. Certaines sociétés primitives peuvent n'avoir que deux classes, une supérieure et une inférieure. Au fur et à mesure qu'elles évoluent, la stratification sociale augmente et les couches se multiplient en fonction de la richesse, de l'instruction, et le reste ; les couches d'âge ne font pas exception. Il fut un temps où, en Occident, on ne connaissait que trois ou quatre couches d'âge. Il y a deux cent ans en effet, il y avait l'enfance, l'âge adulte, la vieillesse et peut-être la petite enfance, si nous considérons cette dernière comme distincte de l'enfance. La durée de chacune était variable. Mais la prolongation de l'enfance, par suite de la prolongation de la scolarité ainsi que d'un certain degré de richesse, a permis une subdivision de l'enfance que l'on nomme adolescence.

L'influence qu'exerce sur l'individu le fait d'appartenir à telle couche sociale constitue la « dominance » de cette couche. Comme chaque individu est membre de plusieurs groupes, chacun des groupes auxquels il appartient acquiert pour lui un degré de dominance différent. Cette dominance peut également varier en fonction de la situation et selon les époques. Par exemple, s'il s'agit de questions de morale, la dominance reviendra à l'appartenance au groupe religieux, mais pour les décisions intéressant les programmes gouvernementaux, elle reviendra au groupe politique. Les questions qui se posent au sujet de l'appartenance au groupe d'âge durant les dernières années de la vie sont les suivantes : quelle est l'importance d'appartenir à une couche d'âge donnée et quelles sont les variables qui définissent cette importance ?

Dans le passé, lorsque les couches d'âge étaient moins nombreuses, chacune couvrait un plus grand nombre d'années. Mais leur nombre ayant augmenté, leur durée respective a diminué d'autant. Par ailleurs, certaines couches d'âge sont moins prestigieuses que d'autres, de sorte qu'il semble souhaitable de les traverser le plus rapidement possible afin d'accéder au groupe d'âge suivant, qui représente un état supérieur à l'ancien. Par exemple, il semble avantageux de quitter l'enfance pour atteindre l'âge adulte, les adultes étant en effet perçus comme détenteurs d'un pouvoir et d'une liberté supérieurs. D'autres couches d'âge, comme la vieillesse, la quarantaine ou la cinquantaine, peuvent paraître moins désirables.

Cain (1974) a fait observer que la prolongation de la période qui précède l'entrée dans l'âge adulte ainsi que la longévité augmentent considérablement. La vieillesse dure plus longtemps et le groupe des personnes âgées est plus nombreux et possède plus de pouvoir qu'autrefois. Il en a conclu que le modèle sociologique traditionnel qui comporte deux générations, jeunes et vieux (*e.g.* Eisenstad, 1956, et Feur, 1969), est incapable d'expliquer les faits actuels. Il ajoute qu'il se peut qu'on assiste au rajeunissement progressif du groupe des jeunes de même qu'au vieillissement progressif du groupe des vieux qui sont, les uns et les autres, capables d'une action *efficace* en politique (Cain 1974, p. 39. C'est nous qui soulignons).

Confirmant la thèse de Cain, le bloc des vieux, parfois appelé le « pouvoir gris », augmente en nombre et en force. La conscience de cette prise de pouvoir économique et politique confère une importance nouvelle au fait d'appartenir à la couche d'âge qui comprend la vieillesse. Cette importance s'accroît du poids des questions liées à l'âge, telles que l'inflation, la retraite forcée, les impôts (spécialement l'impôt foncier), les soins médicaux, la sécurité sociale et les programmes gouvernementaux qui constituent des « questions sociales » et qui sont du plus haut intérêt pour les personnes âgées.

Puisque les jeunes et les vieux sont dans une position d'inf érâorité relative par rapport aux adultes dans la force de l'âge, ces deux groupes ont des raisons de vouloir s'unir. Mais d'autre part, en période de croissance économique ralentie, tout ce que l'on peut espérer, c'est un partage plus équitable des ressources connues, dont la quantité est limitée. Sans le développement de ressources nouvelles, chaque groupe reçoit la redistribution comme un « échange » plutôt que comme un gain, ce qui risque d'engendrer un conflit entre les jeunes et les vieux plutôt qu'une alliance.

La condition sociale des personnes âgées et les changements sociaux

Cowgill (1974) a identifié dans le développement d'une société moderne quatre tendances qui contribuent au rabaissement de la condition de ses citoyens âgés : l'amélioration de la technologie sanitaire, l'amélioration et l'efficacité de la technologie économique, l'urbanisation et les progrès de l'instruction. Les changements spécifiques qu'il définit sont le résultat de la modernisation (voir la fig. III-1). Cependant, dans de nombreux pays, on assiste à un ralentissement et peut-être même à un renversement de quelques-unes des tendances présentées à la figure III-1, tout particulièrement de l'urbanisation et de l'instruction. Selon Cowgill, dans une société évoluée la tradition est moins importante que la souplesse et le progrès des connaissances ; la valeur des personnes âgées s'en trouve diminuée d'autant et celle des jeunes augmente en proportion. La nécessité de renouveler leurs connaissances afin de remplir certaines fonctions place les personnes âgées en position d'infériorité sur le marché du travail et affaiblit leur position économique. Les personnes de plus de 40 ans ont souvent beaucoup de difficulté à trouver un nouvel emploi même si elles ont donné entière satisfaction dans le passé. Leurs aptitudes sont tout simplement « démodées » par suite des progrès de l'équipement et de la technologie, qui exigent une expérience et un entraînement différents ; si elles se trouvent en chômage, ce n'est pas nécessairement de leur faute.

La possibilité de mettre les travailleurs à la retraite comporte des aspects à la fois positifs et négatifs. Le fait qu'une part importante de la population active puisse quitter le marché du travail et être soutenue par la productivité accrue de ceux qui continuent à travailler constitue un aspect positif. Par contre, le fait d'abandonner le milieu de travail, qui fait presque inévitablement baisser à

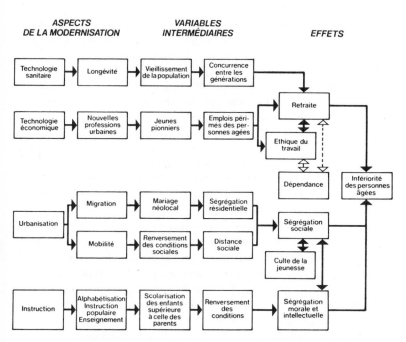

FIG. III-1. — Vieillissement et modernisation
(Adapté et reproduit avec l'autorisation de Cowgill,
Annals of the American Academy of Political and Social Science, 1415, 1974)

la fois le revenu et le prestige de l'individu, constitue un aspect négatif. Comme l'a montré Cutler (1972), il suffit d'ajouter le mot « retraité » à la désignation de fonction (*e.g.*, plombier retraité, prêtre retraité) pour qu'aussitôt le prestige dont jouissait la fonction désignée se trouve diminué.

Dans les pays développés, la mobilité est grande : les jeunes quittent ou ont déjà quitté les régions les moins peuplées pour aller vers les régions métropolitaines. Malgré tout, la plupart des personnes âgées ont encore au moins un fils ou une fille qui demeure assez près de chez elles pour que les visites soient fréquentes.

Les progrès rapides de l'instruction, qui ont commencé à se faire sentir vers la fin de la seconde guerre mondiale et se sont poursuivis avec la génération des enfants du *baby boom*, se ralentissent considérablement à tous les niveaux. Les plus jeunes parmi les nombreux enfants de l'après-guerre ont maintenant terminé leur scolarité. Avec l'actuelle diminution du taux de natalité, les inscriptions scolaires diminuent partout. Cette tendance va vraisemblablement se poursuivre pendant quelque temps, et les vingt prochaines années devraient voir la désaffectation de nombreuses maisons d'enseignement ; il faut espérer que les ressources ainsi libérées seront redistribuées aux personnes âgées.

Le niveau d'instruction atteint par les personnes âgées s'améliore de façon spectaculaire avec chaque cohorte. Ainsi, aux Etats-Unis, 21,8 % de la population masculine et 17,5 % de la population féminine ont poursuivi des études universitaires. En 1930, la proportion n'était que de 6,5 % ; or, vers la fin du siècle, plus du tiers des femmes et presque le quart des hommes auront fréquenté l'université. Il est intéressant de comparer la proportion des gens qui ont fréquenté l'université pendant quelques années avec le pourcentage de ceux qui n'ont pas terminé leur cours secondaire en prenant comme repères les années 1930 et 2000. En 1930, les gens qui ont fréquenté l'université sont franchement en minorité (6,5 % des hommes et 5,5 % des femmes). En l'an 2000, c'est le pourcentage de ceux qui *n'auront pas terminé* leur cours secondaire qui sera minoritaire (6,4 et 5,3 % pour les hommes et les femmes respectivement). L'évolution la plus rapide aura lieu entre 2010 et 2020.

Tous les auteurs ne sont pas d'accord avec le point de vue de Cowgill sur l'influence du statut des personnes âgées. D'abord, plusieurs auteurs mettent en doute l'idée selon laquelle les aînés auraient eu généralement un plus grand statut avant le développement de la société industrielle moderne (Achenbaum, 1978 ; Fisher, 1978 ; Foner & Kertzer, 1978). Certains auteurs estiment que sa définition du statut est trop limitée et devrait tenir compte d'autres facteurs comme le pouvoir politique, le rôle dans la communauté et les biens et l'argent que les aînés ont accumulés (Streib, 1976 ; Fuchs, 1983).

A l'heure actuelle, le paradigme de Cowgill semble capable d'expliquer la condition des gens âgés dans de nombreux pays. Il fait aussi la lumière sur ce qui s'est produit au cours de notre évolution culturelle. Il se pourrait cependant que ce modèle devienne de moins en moins utile dans l'avenir, si l'on tient compte des tendances évolutives actuelles, c'est-à-dire si :

1 / l'espérance de vie ne continue pas à s'accroître de façon significative ;
2 / les changements technologiques entraînent le recyclage des travailleurs plutôt que leur renvoi ;
3 / la tendance à l'urbanisation se ralentit et se renverse même si le taux de croissance démographique diminue ;
4 / la différence du niveau d'instruction entre les diverses cohortes s'amenuise.

La vie familiale et le support social au cours de la vieillesse

Non seulement le nombre des personnes âgées augmente-t-il, mais celles-ci constituent une proportion de plus en plus considérable de la population. Cette tendance à l'accroissement de la population âgée, tant en nombre absolu que par comparaison avec les autres groupes d'âge, va se poursuivre pendant au moins quatre nouvelles décennies. Puisque le taux de natalité diminue, chaque personne âgée a moins de descendants capables de prendre soin d'elle ; les familles comptent en effet moins de la moitié des membres qu'elles avaient au début du siècle. La vie familiale a donc changé, elle change encore et continuera de le faire dans l'avenir prévisible. Les sociologues ont récemment porté leur attention sur deux secteurs de recherche concernant la famille, soit :

1 / la modification des liens de parenté et son incidence sur l'interaction entre les générations ;
2 / l'émergence de nouvelles formes de familles (Sussman, 1976 ; Troll, 1971).

Scherr (1960) et Blenkner (1965) décrivent la « responsabilité filiale », c'est-à-dire l'obligation de subvenir aux besoins des parents qui vieillissent. Blenkner parle aussi de la « maturité filiale », c'est-à-dire de la capacité de faire preuve de responsabilité filiale. Dans une étude sur la responsabilité filiale, Seelback et Saver (1977) ont montré que le moral des parents est d'autant plus bas que leurs exigences sont élevées. Leur échantillonnage était malheureusement décentré en faveur des classes socio-économiques inférieures et composé de sujets de race noire pour la plupart, de sorte qu'il n'est pas possible d'étendre leurs conclusions à d'autres groupes.

Les recherches récentes (par exemple Gottlieb, 1989) mettent l'accent sur le membre du réseau social des personnes âgées qui prend soin d'un individu qui a des troubles chroniques de santé. Souvent, il s'agit de la femme qui s'occupe de son mari handicapé. Selon Gottlieb, la façon dont se déroule la relation d'aide dépend de la qualité de la relation entre l'aidant et la personne qui reçoit de l'aide, de l'influence de la relation d'aide sur les autres activités de l'aidant et des variables d'ordre psychosocial telles que l'évaluation des vrais besoins de la personne qui reçoit de l'aide, l'équité dans la relation et la manière dont l'aidant perçoit la relation d'aide : celle-ci ne menace-t-elle pas sa liberté et son indépendance personnelles ?

La plupart des recherches indiquent que les gens d'âge moyen atteignent la maturité filiale et, chaque fois que la chose est possible, prennent soin de leurs parents âgés ou leur procurent l'aide nécessaire afin que ceux-ci demeurent indépendants. Ces études contredisent l'image stéréotypée qui veut que les familles « se déchargent » des vieux en les confiant à un foyer de vieillards plutôt que de prendre soin d'eux. Ajoutons que la présence de personnes âgées peut procurer aux jeunes et aux personnes d'âge moyen des modèles qui leur apprennent à vieillir et à s'adapter aux nouveaux rôles familiaux et sociaux associés au vieillissement.

La plupart des personnes âgées sont indépendantes, elles ont une famille qui s'occupe d'elles et, dans la classe moyenne, ces personnes donnent autant qu'elles reçoivent par les services qu'elles rendent. Des tensions existent néanmoins. Etant donné les problèmes réels dont souffrent les gens âgés, il demeure quand même vrai que la plupart des membres de la famille, jeunes et vieux, désirent se comporter comme une famille. Ils préfèrent cependant ce que Rosenmayr et Kosheis (1965) nomment « l'intimité à distance » : les familles désirent rester en contact mais pas nécessairement vivre dans la même maison. Souvent on croit aussi que les gens âgés vivant dans une institution n'ont pas de famille ou que leur famille ne s'intéresse plus à eux. C'est pourtant le contraire qui est vrai. Brody et Spark (1967) ont analysé la liste d'attente d'un foyer pour vieillards et ont trouvé que 85 % des postulants avaient au moins un enfant, plus de la moitié avaient trois enfants ou plus, tandis que 7 % seulement n'avaient pas de parenté qui s'intéressait à eux. Sussman (1976) a trouvé que la famille au sens large, « la parenté », joue généralement le rôle d'intermédiaire entre la personne âgée et la bureaucratie.

L'évolution du rôle de la famille influe aussi sur les rapports entre les membres de la famille. Leur interdépendance a en effet été modifiée par le passage de la famille organisée en fonction de la production à la famille soutenue par le travail à l'extérieur. L'évolution démographique signifie aussi qu'il y a moins d'enfants travaillant dans une entreprise familiale pour prendre soin des vieux parents. Puisque le mariage et les naissances surviennent beaucoup plus tôt qu'autrefois, la génération des gens d'âge mûr peut avoir à la fois des enfants, des petits-enfants, des parents et des grands-parents qui sont *tous* vivants et ont tous besoin d'une aide quelconque.

Bien qu'il y ait moins de gens jeunes pour prendre soin de leurs vieux parents, il y a aussi relativement moins d'enfants qui requièrent les soins de leurs parents âgés. Bien que ce soit généralement les parents qui aident les grands-parents et les enfants, l'aide est cependant réciproque (Hill, 1965). Il faut aussi se rappeler que les statistiques masquent les différences individuelles plutôt qu'elles ne les font ressortir. Il peut y avoir des familles dans lesquelles ce sont les membres plus âgés qui aident les plus jeunes et d'autres où ce sont les personnes âgées qui viennent en aide aux autres et ne reçoivent rien en échange. Enfin, il y a certainement aussi des familles où l'entraide et la communication sont à peu près inexistantes.

Récemment, on a pu observer une croissance impressionnante des recherches portant sur les réseaux d'appui sociaux des personnes âgées et sur l'aide apportée par les membres du réseau personnel des aînés ainsi que celle offerte par les personnes âgées aux membres de leur entourage. Le réseau d'appui social d'un individu inclut les membres de la famille, mais aussi toute autre personne avec laquelle il existe des échanges, par exemple, les voisins, les amis au travail, les copains au club social, etc. Au début, les études mettaient l'accent sur le nombre de membres d'un réseau d'appui social et sur la quantité de rencontres avec les membres. Plusieurs chercheurs ont observé que le fait d'avoir un plus grand réseau peut avoir des effets bénéfiques sur la santé et le bien-être des aînés (par ex. Antonucci, 1985 ; Pearlin & Turner, 1987). Les individus diffèrent dans leur estimation du nombre de personnes qu'ils incluent dans une évaluation des personnes proches et de celles qui pourraient fournir de l'aide ou du soutien si le besoin s'en faisait sentir. De plus, il existe des différences culturelles dans la structure des réseaux. Par exemple, Corin (1987), dans une comparaison de trois communautés au Québec, a remarqué que, dans les milieux ruraux et dans la classe moyenne urbaine, les réseaux sont plutôt centrés sur la famille nucléaire alors que, dans un quartier ouvrier, ils le sont sur les amis et les connaissances.

Les études longitudinales révèlent qu'il existe un niveau de stabilité dans différentes mesures d'appui social. Costa, Zonderman & McCrae (1985) ont découvert dans une étude longitudinale à Baltimore aux Etats-Unis qu'après 30 ans la qualité de la relation familiale et conjugale, celle des relations avec des amis et la participation aux activités offertes dans les organismes changent très peu. Selon les études effectuées dans plusieurs pays, le soutien offert par les membres de la famille semble plus important que l'aide apportée par d'autres membres du réseau. Thomae (1988) a souligné l'importance des membres de la famille dans son étude longitudinale du vieillissement qu'il a effectuée à Bonn en Allemagne. Van Sonderen & Ormel (1990) en Hollande et Holmes, Teresi, Holmes, Bergman, King & Bentur (1989) en Israël dans les kibbutzim, ainsi que Kendig (1989) en Australie ont observé que les membres de la famille immédiate en petit nombre sont ceux qui offrent le plus d'aide aux personnes âgées. A part le nombre de personnes en relation avec la personne âgée, plusieurs études ont mis l'accent sur la réciprocité ou sur les types d'échange avec un membre du réseau personnel. S'interroger sur la réciprocité signifie se demander si les biens et services sont également donnés et reçus par les deux parties ou si l'une a tendance à tout donner et l'autre à tout recevoir. Les biens peuvent inclure l'argent, les aliments et certains services d'ordre ménager. Un autre type d'échange avec les membres du réseau est l'appui psychologique et la participation aux activités sociales. Evidemment, le degré de réciprocité dans une relation dépend en partie du besoin ; par exemple, si une personne a des handicaps physiques, elle peut avoir besoin de plus d'aide ; les mœurs culturelles et les habitudes des individus influencent aussi les caractéristiques du réseau. Certaines personnes trouvent plus facile de donner que de recevoir, et dans certaines sociétés et circonstances il existe des normes qui déterminent dans quelle situation il convient d'accepter. Kamo (1988) indique qu'il y a des règles d'échange assez strictes au Japon qui déterminent qui pourrait donner quelque chose à quelqu'un d'autre et dans quelle situation. Certaines études indiquent que les relations amicales sont plus satisfaisantes quand il y a davantage de réciprocité dans les échanges (Roberto, 1989).

Hagmann (1982), dans sa comparaison entre les structures familiales d'aujourd'hui et celles du XVIIe siècle, a découvert que, même si l'isolement relatif des personnes âgées en milieu urbain d'aujourd'hui est plus grand, rien n'indique que les relations entre les générations d'aujourd'hui en milieu urbain soient moins importantes qu'autrefois.

Un modèle du cycle de la vie familiale au cours de la vieillesse

Les recherches actuelles portent à croire que l'âge mûr est le nadir du cycle de la vie familiale. Malheureusement, la plupart des recherches portent presque exclusivement sur le début du cycle ou sur sa toute fin, et peu de chercheurs se sont intéressés aux années centrales. Les auteurs qui utilisent une approche évolutive, comme Hill et Rodger (1964), définissent diverses étapes au cours de ces années centrales. Leurs trois dernières étapes sont les suivantes : sixième étape, lancement du jeune adulte ; septième étape, années centrales de la vie ; huitième étape, années du vieillissement. Au cours de leur sixième étape, l'objectif du sujet est de réorganiser la famille pour en faire une unité dans laquelle les membres sont plus égaux les uns par rapport aux autres, et de libérer les enfants de l'étroite influence familiale afin qu'ils commencent à mener leur propre vie en dehors de la famille. La septième étape a pour but de réorganiser la famille autour du mari et de la femme plutôt qu'autour des enfants. Peut-être qu'après s'être concentrés pendant vingt ans sur la carrière et les enfants les couples atteignent le point le plus bas de leur mariage en raison des difficultés que présente la réadaptation à la vie du couple. La dernière étape est celle du désengagement et de la retraite. Cette dernière étape comprend la réintégration du mari dans la maison, qui remplacera dorénavant son travail. Dans ce contexte, le désengagement suppose une participation plus grande à la vie familiale. Ces huit étapes s'arrêtent à 77 ans, âge à partir duquel on pourrait ajouter les étapes de la fragilité ou du veuvage. Depuis le livre de Sheehy (1976), qui s'inspire largement des travaux de Levinson, Darrow, Klein, Levinson et McKee (1978), on accorde plus d'attention aux années consacrées à la vie familiale. Sheehy en a vulgarisé les étapes à l'aide d'expressions faciles à retenir comme « les ruades de la vingtaine », « le tournant de la trentaine », « racines et expansion », « la décennie de la dernière chance », « le renouveau ou la résignation ».

Le modèle que nous avons élaboré doit beaucoup aux modèles de Levinson *et al* (1978) et Sheehy (1976), mais accorde plus d'importance à la vie adulte ultérieure que n'importe quelle de ces approches. Notre modèle est présenté au tableau III-2. Nous avons essayé d'intégrer plusieurs approches en un modèle concis. Selon ce paradigme, nous ne nous attardons pas aux étapes qui précèdent la famille puisqu'elles ne sont pas pertinentes ici. Tout comme le va et vient d'une onde sonore, nos relations familiales peuvent être cycliques ; nous traversons des phases de dépendance et d'indépendance pour finalement parvenir à l'étape de l'isolement ou de la dépendance. Les périodes 3 et 4 sont des périodes de changements importants qui influent sur notre vie future. Les étapes 5 et 6 n'amènent que peu de changements pour la plupart des gens : les possibilités de changer de travail diminuent de plus en plus, et plusieurs recherchent la sécurité plutôt que les nouveaux défis. La fin de cette période se signale par le départ des enfants, qui deviennent indépendants. Si, jusque-là, ceux-ci tendaient vers une plus grande indépendance, à partir de ce moment ils doivent quitter la maison pour aller vivre ailleurs en permanence.

Dans notre société « non libérée », la vie des femmes est marquée par les étapes de la vie familiale, tandis que celle des hommes est jalonnée par celles de leur carrière. Les étapes présentées au tableau III-2 seront donc quelque peu différentes pour les hommes et les femmes de la présente génération. Ces différences devraient diminuer dans l'avenir car les femmes occupent des emplois à temps plein en plus grand nombre et les hommes participent davantage à la vie familiale.

Les questions concernant le rapprochement et l'éloignement de la famille ainsi que l'interaction des styles de vie familiale sont généralement résolues au cours de la première partie de l'âge adulte. Les membres de la famille finissent par s'engager davantage dans leur famille immédiate et à se dégager de leurs parents.

La retraite entraîne des changements de rôles qui produisent un effet spectaculaire sur les relations familiales. Certaines réactions sont facilitées par la situation familiale individuelle alors que d'autres produisent des changements dramatiques.

Les jeunes et les vieux sont généralement capables de participer à plusieurs formes d'activités. Leur santé est généralement assez bonne et leur revenu suffisamment élevé pour leur permettre d'entreprendre beaucoup de choses. Cependant, l'incapacité finit par

TABLEAU III-2. — *Un modèle social du vieillissement*

	Age	Crise	Tâches
9. Fin de la vieillesse	75	Invalidité, placement en institution	1. Perte de l'indépendance 2. Placement en institution
8. Milieu de la vieillesse	70-74	Symbiose Veuvage	1. Perte des capacités et développement des mécanismes d'adaptation 2. Perte du conjoint
7. Début de la vieillesse	65-70	Retraite	1. Diminution du revenu 2. Développement de la capacité d'occuper son temps libre et de s'adapter à ses nouveaux rôles
6. Age adulte (2e temps)	45-65	Stabilité de la carrière. Départ des enfants	1. Obligations envers les enfants et le couple 2. Plafonnement de la carrière
5. Age adulte (1er temps)	26-45	Développement de la famille. Développement de la carrière	1. Naissance des enfants 2. Développement de la carrière
4. Jeunesse	17-25	Projets de mariage et de carrière	1. Décision concernant le mariage 2. Début du travail à temps plein
3. Adolescence	11-17	Instruction et acculturation fondamentale	1. Développement des capacités de socialisation hétérosexuelles 2. Premier choix de la carrière et des études
2. Enfance	1-11	Socialisation et éducation familiale	1. Développement des capacités sociales 2. Apprentissage de la vie en famille
1. Premier âge	0-1	Conception de la réalité et survie	1. Développement d'une conception stable de la réalité 2. Développement des capacités primaires de communication et de locomotion

ÉVÉNEMENTS FAMILIAUX :

9. Séparation et isolement croissants
8. Rupture de la dyade fondamentale
7. Interaction accrue dans un état relativement dépourvu de rôles
6. Départ des enfants devenus indépendants
5. Début de la famille : avoir et élever des enfants
4. Interaction avec d'autres familles :   fréquentations
                                    départ de la famille
                                    élaboration de la famille
3. Acquisition des capacités, indépendance
2. Dépendance presque totale
1. Dépendance totale

s'instaurer graduellement de sorte que mari et femme en sont réduits à partager les tâches selon le principe de « chacun fait ce qu'il peut » (Clark et Anderson, 1967). A la suite de Troll (1971), nous nommons cette période celle de la symbiose. Cette forme d'entraide évite le placement en institution à bien des couples, qui ne pourraient demeurer indépendants sans l'apport de chaque partenaire. Si le stade final du veuvage se produit très tard après l'élaboration de la symbiose, le partenaire qui survit est généralement incapable de se débrouiller seul et doit être confié à une institution, ou bien il meurt dans un délai assez court. Il est convenable que, même en l'absence de l'infirmité et de la maladie, le couple âgé partage les tâches de la vie quotidienne et que le mari et la femme deviennent plus dépendants à l'égard l'un de l'autre. Il pourrait en résulter une symbiose qui nuirait ensuite à l'adaptation nécessaire à la perte du conjoint.

Ces étapes sont naturellement d'une durée différente pour les hommes et pour les femmes et doivent être considérées selon la perspective propre à chaque sexe. Il est assez rare en effet que les hommes connaissent les deux dernières étapes puisque ce sont habituellement les femmes qui survivent. En général, la femme peut s'attendre, pour les mêmes raisons, à vivre dix années de veuvage du fait que son espérance de vie est plus longue et que les femmes ont tendance à épouser des hommes plus âgés qu'elles. Le contexte dans lequel survient le veuvage est différent pour les deux groupes. L'homme qui survit se retrouve au milieu d'un grand nombre de veuves. La probabilité qu'il ait des contacts hétérosexuels et se remarie est nettement supérieure à celle des femmes.

Même si la proportion des personnes âgées vivant en institution à un moment donné n'atteint que 4 à 5 %, cette proportion s'accroît rapidement dès que l'on considère des âges de plus en plus avancés. Presque tous les gens de 60 ans sont encore indépendants alors que la plupart des personnes de 90 ans vivent en institution. L'évolution démographique a entraîné un accroissement phénoménal du nombre de foyers pour personnes âgées ainsi qu'une augmentation de leur coût. Comme le placement en institution se produit de plus en plus souvent, nous avons résolu de considérer, dans les lignes qui suivent, cet événement comme une crise familiale.

Hoening et Hamilton (1966) font une observation, à savoir qu'il n'existe pas de correspondance biunivoque entre le fardeau objectif que constitue la personne âgée et la perception du problème par la famille. En effet, le fardeau subjectif et le fardeau objectif sont très souvent divergents si l'on considère d'une part le diagnostic, et d'autre part les valeurs et le contexte sociaux de la famille. Le fardeau subjectif le plus lourd, selon Hoening et Hamilton, correspond au diagnostic de sénilité, tandis que le fardeau subjectif le moins lourd résulte d'une psychose affective. Les familles qui placent leurs vieux parents dans une institution le font en se basant sur leurs sentiments subjectifs qui ne correspondent pas nécessairement aux besoins réels de la personne âgée.

Le travail

Une partie considérable de la vie se passe à travailler. Dans la présente section, nous considérerons la personne âgée en tant que travailleur, et nous traiterons des effets que produit l'inévitable cessation du travail au moment de la retraite.

Que faut-il entendre par travail et détente ? Retourner la terre avec une pelle est sans doute un travail pour l'agriculteur mais une détente pour l'amateur de jardinage. Et le jeu de golf ne constitue-t-il pas un travail pour celui dont c'est la profession ? Certaines professions n'exigent que peu d'efforts physiques, tandis que certaines distractions sont très fatigantes. Enfin, la valeur accordée au travail varie selon les cohortes. Les plus jeunes exigent en effet que le travail soit intéressant en lui-même, tandis que les plus âgés considèrent surtout le travail comme un moyen de gagner un salaire. Autrefois, la retraite se présentait souvent comme un repos bien mérité, tandis qu'aujourd'hui elle peut devenir l'occasion d'entreprendre ou de poursuivre une seconde carrière. Cette différence entre les cohortes ne doit pas être oubliée lorsqu'on lit ce qui suit.

La vie active débute un peu avant la vingtaine pour se terminer avec la transition des années 60, 65 ou 70. Dans les classes socio-économiques supérieures, les années passées à l'université peuvent faire reculer l'entrée dans la vie active, alors que dans les classes moins favorisées le travail peut constituer une façon d'échapper aux contraintes imposées par l'école. Les années actives occupent environ les deux tiers de notre vie, et le travail est sans doute une des forces qui dominent presque toutes nos autres activités, tant familiales et sociales que strictement personnelles.

Dans une société encore attachée à l'éthique du travail, le fait d'accomplir un travail productif occupe une place importante dans la hiérarchie des valeurs et certains considèrent le chômage ou le fait de n'avoir pas d'activité productive comme le plus grave de tous les péchés, celui qu'il faut éviter à tout prix.

Dans notre société, la nature du travail a sans doute évolué plus rapidement au cours des cent dernières années que la valeur attachée au travail. D'un mode de production basé sur l'activité intensive, nous sommes passés à la consommation intensive de l'énergie : le dur labeur monotone d'il y a à peine quelques décennies cède graduellement la place aux moyens mécaniques et à l'ordinateur. Par suite de cette évolution, nous en sommes arrivés à dépendre de moins en moins du travail manuel et de plus en plus des ressources énergétiques. L'augmentation de la productivité et de l'efficacité dans la société occidentale a fait naître une société capable de subvenir aux besoins de ceux qui sont incapables de produire : les enfants, les indigents, les handicapés, les retraités et les vieillards. Nous sommes de plus en mesure de consacrer moins de temps qu'autrefois au travail nécessaire pour gagner notre vie de manière à disposer de loisirs qui prennent une grande importance dans notre vie personnelle et ont donné naissance à une vaste industrie.

Le contraste entre d'une part l'augmentation de la productivité et de l'efficacité dans notre société, et notre attachement à l'éthique du travail d'autre part comporte une certaine ironie et est à l'origine d'un conflit. Notre société est en effet capable d'une production suffisante pour permettre à un plus grand nombre de travailleurs de quitter le marché du travail plus tôt qu'autrefois, alors que ceux qui attachent de la valeur au travail n'acceptent pas volontiers ce qu'ils n'ont pas « gagné » et estiment que la retraite et la pension du retraité doivent être « méritées ».

En vue de recueillir des observations précises sur la différence entre l'attitude des travailleurs jeunes et plus âgés envers leur travail, Aldag et Brief (1977) ont étudié 439 salariés représentant quatre métiers différents : concierges, ouvriers du secteur industriel, gardiens de prison et agents de police. Ils ont obtenu une corrélation positive entre l'âge et la motivation, l'intérêt pour le travail, la satisfaction générale et l'engagement personnel envers leur employeur.

Selon cette recherche, les travailleurs âgés s'avèrent en effet plus portés que les jeunes à aimer leur travail, à s'y intéresser et à se sentir motivés, ainsi qu'à être animés par l'idéal inhérent à l'éthique du travail. Mais, à l'égard des besoins d'ordre supérieur (c'est-à-dire le degré de responsabilité attaché à un emploi et son aspect créateur par opposition à l'importance du salaire), le rapport est inversé : la motivation des jeunes travailleurs est moins extrinsèque (c'est-à-dire qu'elle dépend davantage de la nature du travail lui-même et moins du salaire gagné).

Dans une étude antérieure cependant, Aldag et Brief (1975) ont trouvé les vieux travailleurs plus satisfaits que les jeunes, tant de leur emploi que de leur épanouissement personnel (satisfaction des besoins d'ordre supérieur). Ces études doivent être interprétées avec prudence en ce qui concerne l'image stéréotypée des vieux travailleurs et de leur hiérarchie des valeurs. Ils présentent, en effet, de nombreuses différences individuelles et, sauf erreur, aucun chercheur n'a encore distingué convenablement l'effet produit sur la satisfaction au travail par la cohorte, le degré d'instruction et la classe socio-économique.

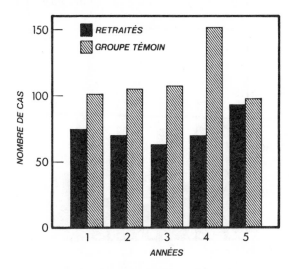

FIG. III-2. — Visites à la clinique médicale pour cause de blessures
(Adapté et reproduit avec l'autorisation de Bartley, *Personnel, 54,* Copyright 1977, Amacon, division de l'American Management Association, Tous droits réservés)

Parmi les idées très répandues au sein de la population mal informée, signalons celle qui veut que les vieux travailleurs soient absents pour cause de maladie plus souvent et plus longtemps que les jeunes. L'exposé que nous avons fait au chapitre précédent sur la fréquence de la maladie chez les personnes âgées pourrait donner l'impression que cette crainte est justifiée. En fait, c'est le contraire qui est vrai. Bartley (1977) a étudié les fiches de présence de 50 employés masculins mis à la retraite à 65 ans et celles de 50 employés comparables mais plus jeunes. L'absentéisme des plus vieux était bien inférieur à celui des jeunes. La figure III-2 montre que la prédisposition aux accidents et aux blessures révélée par le nombre de visites à la clinique médicale pour cause de coupure, contusion, écharde, écorchure et le reste (que l'accident soit survenu au travail ou à la maison) est moins grande chez les vieux travailleurs que chez les jeunes.

Etant donné que les personnes âgées sont censées se rétablir plus lentement et tomber malades plus souvent que les jeunes, la totalité des visites médicales a également été soumise à l'analyse. Une fois de plus, comme le révèle la figure III-3, les travailleurs âgés s'avèrent moins sujets aux absences pour cause de maladie.

FIG. III-3. — Total des visites à la clinique médicale
(Adapté et reproduit avec l'autorisation de Bartley, *Personnel, 54*, Copyright 1977, Amacon, division de l'American Management Association, Tous droits réservés)

Les recherches sur la productivité des vieux travailleurs sont fort nombreuses. Ces recherches ont cependant le défaut de suivre un plan d'étude transversal. Ce type de plan permet de révéler la différence entre les cohortes au moment de la collecte des données, mais ne permet pas de suivre l'évolution d'une cohorte avec le temps. Shepard et Sidney (1977) font remarquer que, même si certaines données (par exemple celles de Riley, Foner, Mooler, Hess et Roth, 1968) accusent des différences constantes entre les vieux travailleurs et les jeunes, ces résultats sont presque toujours l'effet d'une situation de laboratoire artificielle. Lorsque, au contraire, la situation ressemble davantage au travail véritable, les résultats sont plus favorables aux vieux travailleurs (Laufer et Fowler, 1971). La différence s'explique par le fait que la plupart des tâches réelles n'exigent pas le maximum d'efforts physiques dont le travailleur est capable, de sorte que l'affaissement de ce maximum qui survient avec l'âge ne se fait guère sentir, en *pratique*, dans l'accomplissement des tâches ordinaires.

Il existe tout un ensemble de caractéristiques stéréotypées qui visent à déprécier le vieux travailleur. Etant donné que la littérature scientifique le présente comme sujet aux maladies chroniques, plus lent que les jeunes et moins apte à se recycler, il n'est pas étonnant que l'industrie hésite à l'employer. Malheureusement, les recherches dans ce domaine sont trop peu développées par rapport à l'importance de la question. La plupart des textes nous ramènent à la conception qu'on avait de l'homme et du travail au XIXᵉ siècle, époque à laquelle la retraite apparaissait comme un soulagement après une dure vie de labeur exténuant. Cette conception, qui pouvait être valable lorsque la mesure d'un homme était sa force physique, n'est plus pertinente aujourd'hui, dans un monde où la force et la rapidité nécessaires à la plupart des tâches sont loin d'approcher du maximum possible. A l'heure actuelle, en effet, les déficits dus à la maladie et aux infirmités ne font sentir leurs effets sur le travail qu'à partir d'un âge fort avancé.

Nombreux sont ceux qui estiment que la question du maintien en fonction des vieux travailleurs dont les forces commencent à décliner trouverait sa réponse dans la redéfinition et la réorganisation des tâches. Nous nous empressons d'ajouter que chaque fois que les conditions de travail sont améliorées en vue d'augmenter la productivité des travailleurs âgés la production des jeunes augmente d'autant.

Quant aux difficultés de recyclage, Shepard (1976) souligne qu'elles sont aisément surmontées pour peu qu'on applique les méthodes élaborées par la psychologie. Les programmes de recyclage utilisés en Angleterre et ailleurs, mais malheureusement inconnus, semble-t-il, dans certains pays, ont donné d'excellents résultats (Belbin, 1965, 1969 ; Belbin et Belbin, 1972 ; Belbin et Downs, 1972). Ces programmes utilisent des méthodes actives spécialement conçues en fonction des travailleurs âgés.

Jusqu'aux années 80, la plupart des recherches sur le travail portaient sur les hommes. Plus récemment, des chercheurs ont commencé à s'intéresser à la carrière des femmes et aux facteurs liés à leur bien-être ainsi qu'à leur satisfaction par rapport au travail et aux relations familiales. Par exemple, Steffy et Jones (1988) ont remarqué que le niveau d'engagement des femmes dans leur travail est influencé par plusieurs facteurs, tels que la stabilité de la relation conjugale, l'appui du conjoint dans la planification de sa carrière et le cas où la femme gagne 20 % de plus que son mari. De plus, les exigences du travail à la maison et l'appui de la famille peuvent influencer l'importance de la carrière d'une femme. Il existe parfois des conflits entre les exigences d'une carrière et les responsabilités conjugales et parentales. Dans une étude des facteurs qui influencent le niveau de stress des femmes au travail, Abush & Burkhead (1984) ont observé que le niveau de stress était plus élevé chez les femmes qui avaient une personnalité « Type A », peu d'autonomie au travail, des tâches moins importantes et moins d'amis. Eadwins & Mellinger (1984), dans une étude des femmes de 30 à 55 ans, n'ont trouvé aucune corrélation entre le niveau de stress au travail et l'âge. Le niveau de stress n'était pas plus élevé chez les travailleuses plus âgées mais était plutôt lié aux caractéristiques de personnalité, de maturité et au lieu de contrôle.

Le choix d'une profession constitue l'une des tâches les plus importantes du jeune adulte. Ce choix a en effet trois conséquences importantes. Premièrement, c'est lui qui va déterminer en grande partie l'avenir du jeune homme ou de la jeune femme, puisque la vie active occupe au moins la moitié de notre existence. En second lieu, la durée de la vie active augmente parallèlement à l'espérance de vie. L'espérance de vie active, c'est-à-dire des années consacrées au travail, est en effet passée de 44,5 en 1940 à 45,2 en 1960 dans le cas d'un travailleur âgé de 16 ans qui aborde le marché du travail. La durée de la retraite s'est également quelque peu prolongée (Shepard, 1976). Enfin, le nombre de femmes mariées qui travaillent a augmenté de 10 % depuis 1940 et atteint aujourd'hui six millions aux Etats-Unis.

Les faits qui précèdent, auxquels s'ajoute l'accroissement de la population âgée, démontrent quatre choses. Premièrement, le nombre de vieux travailleurs continuera d'augmenter dans un avenir que l'on peut prévoir ; deuxièmement, le comportement des vieux travailleurs n'est pas nécessairement inférieur à celui des jeunes et il leur est même parfois supérieur ; troisièmement, les vieux travailleurs sont capables d'accroître leur production et de se recycler à condition que la transformation des tâches et les programmes de recyclage soient adaptés à leurs besoins plutôt qu'à ceux des jeunes ; enfin, il se peut que, par suite du vieillissement de la population, nous nous trouvions forcés d'employer un plus grand nombre de travailleurs âgés simplement parce que le nombre de personnes atteignant l'âge de 65 ans dépassera celui des jeunes qui accèdent au marché du travail. Au lieu d'imposer la retraite obligatoire, il faudra trouver les moyens de persuader les travailleurs qu'ils doivent demeurer actifs et productifs plus longtemps.

La retraite

Le travail est autre chose qu'un gagne-pain, il forme une partie du tissu de notre vie. Chacune de nos journées s'organise en fonction de notre emploi car c'est lui qui dicte l'heure du lever, des repas, du retour à la maison, et, si nos heures de travail viennent à changer, c'est tout notre emploi du temps qui s'en trouve modifié. Le travail nous force donc à structurer le temps ; il nous impose également, du moins dans une certaine mesure, le choix du costume que nous portons, du lieu que nous habitons, ainsi que de la classe socio-économique à laquelle nous appartenons. Il est évident que la retraite, qui met fin au travail, a des prolongements qui vont bien au-delà de la cessation d'emploi.

Pour comprendre ce que signifie la retraite, commençons par évaluer l'ampleur de la population retraitée. On s'aperçoit aussitôt que la tâche n'est pas facile. En effet, faut-il inclure quelqu'un qui, bien que chômeur avant l'âge de 65 ans, célèbre son soixante-cinquième anniversaire et devient ainsi autorisé à recevoir les prestations provenant d'un ancien emploi ? Devons-nous tenir compte des militaires et des fonctionnaires qui touchent une pension de « retraité » mais continuent à travailler dans quelque nouvelle profession ? Que dire de ceux qui ayant dépassé 65 ans n'ont cependant pas droit aux prestations de la sécurité sociale ni à quelque pension que ce soit et se voient forcés de vivre de la charité publique parce qu'ils ne peuvent pas trouver d'emploi à leur âge ? Enfin, qu'en est-il des malades forcés de prendre une retraite anticipée par suite de leur incapacité ? Tout en admettant que de tels cas ne soient pas la norme, il faut cependant reconnaître qu'ils sont assez fréquents pour embrouiller le tableau. Mais, dans les paragraphes qui suivent, il ne sera question que du cas le plus commun, celui du travailleur qui conserve son emploi toute sa vie, prend sa retraite à l'âge « normal » et touche une pension en reconnaissance de ses états de service.

Si nous retournons au siècle précédent, particulièrement aux débuts de la révolution industrielle, soit vers 1865, nous assistons au passage du travail artisanal, accompli à la maison, aux emplois en usine, passage qui s'accompagne d'un changement dans la nature même du travail : la consommation intensive d'énergie remplace le labeur intensif. La production elle aussi se déplace. L'entreprise familiale représentée par la petite exploitation agricole et le commerce artisanal cède la place aux grandes entreprises : on ne travaille plus chez soi mais pour le compte d'un patron étranger à la famille. Les tâches sont spécialisées à outrance, les gestes inutiles supprimés, la monotonie règne et l'ouvrier placé en un point quelconque de la chaîne ne sait même pas toujours ce que produit son travail ni quel rôle il joue lui-même dans l'immense machine.

La révolution industrielle a eu pour effet d'accroître la productivité des travailleurs de telle sorte que, pour la première fois dans l'histoire, le niveau de vie général — et non celui des riches — dépasse celui de la simple subsistance. Elle a aussi eu pour effet de permettre à un très grand nombre de survivre sans travailler puisque la production de chaque ouvrier dépasse en réalité ses propres besoins et ceux de sa famille. L'excédent de la production et la transformation de la nature même du travail ont eu une incidence profonde sur la retraite. Celle-ci fut instituée en Allemagne par Bismark au cours du XIXe siècle ; elle visait à adoucir le sort des vieux travailleurs qui, le plus souvent, avaient peiné toute leur vie. Comme la mise à la retraite était fixée à 65 ans et que l'espérance de vie était moins longue qu'aujourd'hui, peu de travailleurs en profitaient réellement et peu de retraités en jouissaient pendant longtemps.

Lorsque l'institution de la retraite se généralisa et s'étendit à d'autres pays, l'âge de 65 ans fut maintenu. Avec la prolongation de l'espérance de vie, pour tous les âges, les travailleurs qui quittent le marché du travail à 65 ans pour continuer ensuite à vivre en bonne santé sont nombreux. Cette tendance persistant, l'espérance de vie d'un retraité d'aujourd'hui, dans les pays industrialisés, est de 15,6 ans à l'âge de 65 ans. La retraite n'est donc plus le privilège d'un petit nombre qui n'en profitera que pendant un temps assez court.

Atchley (1977) a conceptualisé la retraite comme un processus, un événement et un rôle. En tant que processus, elle suppose une préparation et le passage d'un rôle, celui de travailleur assujetti à des normes objectives, à un autre, celui de retraité, qui comporte ses normes propres. Pour être efficace, la préparation à la retraite doit commencer non pas un an ou deux, ni même dix ans avant la retraite, mais assez longtemps auparavant pour permettre au retraité de s'assurer une situation financière stable, conforme à ses goûts et à ses ambitions. Bossé *et al.* (1991) ont trouvé dans une étude longitudinale de 1 516 hommes que les meilleures variables pour prédire le niveau de stress après la retraite étaient les difficultés financières dans la famille et un mauvais état de santé.

La mise à la retraite a souvent lieu si rapidement que le processus acquiert le caractère d'un simple événement. Crawford (1973) signale le cas où l'événement est de si courte durée que le travailleur préoccupé de ne pas perdre de temps au travail réussit à peine à serrer la main à ses collègues le dernier jour. Par contre, certains travailleurs sont autorisés à porter la tenue de ville pendant la dernière semaine, et, dans certains cas, on leur procure un travail de transition, qui les fatigue moins et leur laisse une plus grande liberté pendant un temps plus ou moins long avant le jour fatidique. Certains sont honorés d'une cérémonie plus ou moins élaborée, qui marque le fait qu'il s'agit bien d'un événement plutôt que d'un processus. Parfois la cérémonie se résume à quelques verres pris en compagnie des « copains » et des « copines », parfois toute l'entreprise s'arrête de travailler le temps qu'il faut pour présenter officiellement un cadeau au nouveau retraité.

Que l'événement soit ou non marqué par une cérémonie plus ou moins officielle, il constitue un moment critique de la vie, et, à ce titre, s'accompagne d'une certaine inquiétude et d'un certain déséquilibre. Selon Rappaport (1963), dans les sociétés qui possèdent

peu de rites de passage, c'est-à-dire où la socialisation préparatoire
aux nouveaux rôles familiaux est réduite au minimum et où les exigences qui s'attachent à ces rôles peuvent être variables, les tour-
nants critiques comme la mise à la retraite entraînent une perte
d'équilibre tant chez la personne concernée que dans sa famille. Les
rites de passage de notre société sont fort peu nombreux et ne
comportent généralement que de rares éléments de socialisation. En
outre, le changement d'état inhérent à la retraite est souvent considéré comme une perte et non comme un gain : ainsi que l'a
signalé Cutler (1972), la retraite s'accompagne toujours d'une perte
de prestige. Selon Van Genner (1960), les sociétés moins développées que la nôtre connaissent trois sortes de rites de passage : rites
de séparation, de transition et d'agrégation. Les rites de transition
et d'agrégation (confirmation, Bar Mitzvah, collation des grades,
initiation dans les sociétés d'étudiants, etc.) abondent dans notre
société, mais il n'y existe pas d'autre rite de séparation que la mise
à la retraite, à moins que ce ne soit le divorce. Or, la mise à la
retraite est la séparation d'avec un rôle : après la retraite on n'est
plus tenu de faire « ce que les autres veulent », mais on peut faire
« ce qu'on veut ». Et c'est là que le bât blesse. N'étant plus guidé
par les exigences externes, le sujet qui n'a pas l'habitude de « faire
ce qui lui plaît » peut se trouver désorienté et se sentir angoissé et
déprimé plutôt que libéré. Crawford (1973), qui a étudié l'effet des
cérémonies accompagnant la mise à la retraite, déclare que, par
comparaison avec ceux qui ont bénéficié d'un rite de passage, les
hommes privés de cet avantage ont une tendance plus marquée à
rechercher la compagnie de leurs collègues, à retourner sur le lieu
de leur travail et à adhérer aux sociétés professionnelles. Ce qui lui
fait dire que les rites de séparation sont efficaces, puisqu'ils aident
les hommes à changer d'état quelle que soit la façon dont ceux-ci
anticipent ce changement.

La transition de la retraite entraîne des changements dans la
relation conjugale. Comme le dit plaisamment le dicton : « Je l'ai
épousé pour le meilleur et pour le pire, mais pas pour le déjeu-
ner ! » Ballweg (1967) a étudié 52 couples dont le mari avait au
moins 65 ans. Tous vivaient ensemble indépendamment de leur
famille et jouissaient d'une santé satisfaisante. Parmi les maris, 18
travaillaient et 34 avaient pris leur retraite. Les deux groupes sont
comparables au point de vue de l'âge et de l'instruction, quoique
ces deux mesures soient légèrement supérieures pour le groupe des

retraités. Les maris à la retraite s'occupent plus souvent de la maison que les travailleurs (54,7 % des travailleurs ne faisant absolument rien dans la maison, contre 47 % des retraités). Mais leur participation présente cependant un aspect intéressant. La femme conserve généralement l'entière responsabilité des besognes qui, dans notre société, passent pour féminines, comme de faire la lessive et le ménage, tandis que l'homme se charge de soulever les meubles lourds, d'exécuter les petites réparations et de faire brûler les ordures ménagères. Les maris ont aussi tendance à s'attribuer les tâches administratives, comme le règlement des comptes du ménage. Le rôle de la femme, dans cet échantillonnage du moins, ne semble pas avoir subi de modifications profondes. Ballweg conclut son étude en disant qu'à la retraite la participation aux tâches quotidiennes augmente pour l'homme sans que celles-ci soient partagées pour autant.

Les difficultés d'ordre physique et psychologique qui accompagnent la retraite ont donné lieu à de très nombreuses recherches, mais c'est précisément sur ce chapitre que syndiqués et universitaires cessent de s'entendre. Les auteurs parlant au nom des syndicats, comme Zalusky (1977), ont tendance à louer la retraite anticipée et affirment que la plupart des travailleurs désirent abandonner leur travail aussitôt que possible ; ce serait là un élément important dans les négociations collectives. Par contre, les universitaires tendent à voir l'autre côté de la médaille. Ainsi, un auteur d'orientation psychanalytique, Frank (1977), applique à la retraite la notion empruntée à Ferenczi (1952) de « névrose du dimanche », qui veut que l'on soit angoissé et déprimé le dimanche, lorsque l'on n'a rien à faire. Il compare la retraite à un long dimanche et maintient que les troubles psychiques ne peuvent qu'augmenter au cours de la retraite. Conscient de la difficulté de s'adapter aux aspects qualitatifs subtils que comporte le rôle de retraité (qui a connu pendant si longtemps un emploi du temps plus structuré), Schwartz (1974) croit que les conseils d'un psychothérapeute sont souvent nécessaires à une adaptation convenable. Des auteurs conservateurs, comme le spécialiste canadien de l'épidémiologie Le Riche (1978), s'inquiètent du fardeau que représentera pour la société le nombre croissant des personnes âgées avec leur cortège de maladies et d'infirmités. Le Riche va même jusqu'à dénoncer la législation canadienne de l'immigration, qui permet aux immigrants de se faire accompagner de leurs grands-parents, disant que le Canada se verra envahir par des gens qui ne savent ni l'anglais ni le français et sont totalement incapables de s'intégrer dans une société dont les services destinés aux personnes âgées sont déjà surchargés (p. 138). La même attitude se retrouve du reste dans d'autres pays.

Aujourd'hui, dans plusieurs pays développés, un certain nombre de retraités vont s'installer toute l'année dans ce qui était jusque-là leur « résidence secondaire » souvent située dans les campagnes des environs de la ville de départ ou, très loin de leur ville de résidence de fin de carrière, dans des lieux touristiques, par exemple au bord de la mer. Cribier (1980, 1981, 1982a, 1982b, 1983a, 1983b, 1983c, 1989) a étudié en profondeur les migrations des retraités en France. Elle a trouvé que probablement le quart d'une génération de Parisiens arrivant à la retraite s'installent en province. Les couples sans enfants partent plus que les autres, et ceux qui ont des enfants restent assez souvent près d'eux ou migrent pour se rapprocher de l'un d'eux. Les retraités s'installent ailleurs parce qu'ils pensent que la ville où ils habitaient n'a plus de rôle satisfaisant à leur offrir, tandis que les lieux de retraite peuvent leur offrir des rôles plus positifs, une condition plus satisfaisante et un milieu qu'ils considèrent comme favorable à une vieillesse heureuse. Ces recherches indiquent que le retraité migrant maintient des relations avec les enfants malgré la distance ; c'est ce que Cribier appelle « l'intimité à distance » de la famille moderne. Selon elle, les trois quarts des migrants sont satisfaits, les hommes plus que les femmes, les gens aisés plus que les petites gens et les gens revenus dans leur pays ou région originaire plus que les autres. Chez ceux qui sont insatisfaits, les motifs d'insatisfaction dans la moitié des cas ne sont pas liés à la migration. La minorité de ceux-là ont souvent des difficultés à cause de l'éloignement de leur famille, ont des problèmes financiers qui ne leur permettent pas de revenir dans la ville qu'ils ont quittée, ni de trouver ailleurs un habitat ou un milieu de vie satisfaisant et vivent dans de petites communes peu capables d'assurer les services dont ils ont besoin.

L'opposition entre les divers points de vue n'est nulle part plus évidente qu'entre Zalusky (1977) et Ellison (1968). Selon Ellison, l'adoption du rôle de retraité chez les ouvriers et celle du rôle de malade présentent des points communs remarquables. Il en conclut que le contexte social qui entoure la retraite, notamment dans les milieux ouvriers, constitue un facteur propre à précipiter l'apparition de la maladie au cours de la retraite. Cette position est évi-

demment fort éloignée de celle de Zalusky, qui soutient avec optimisme qu'une pension convenable suffit au travailleur pour se
maintenir et jouir de sa longue retraite.

La plupart des auteurs distinguent cependant les effets de la
retraite forcée, qui sont néfastes, et ceux de la retraite volontaire ;
ils distinguent aussi la retraite des ouvriers et celle des membres des
professions libérales. Presque tous (par exemple Brickfield, 1978)
estiment que la retraite obligatoire entraîne souvent des difficultés,
cependant que d'autres pensent que toute retraite, même volontaire,
nécessite une période de préparation et d'orientation (voir Schwartz,
1974). Les études dont nous disposons actuellement nous portent
à croire que, si la sécurité économique leur était assurée, la plupart
des ouvriers prendraient volontiers leur retraite, alors que les membres des professions libérales ne le feraient pas. Selon Atchley
(1977) la difficulté vient de l'attitude des intellectuels, qui ne trouvent de satisfaction dans la vie qu'en remplissant leurs rôles traditionnels de pourvoyeurs, d'époux et de parents.

Typologie des modèles de sociabilité en situation de retraite de Guillemard

Guillemard (1976) propose un modèle perfectionné de sociabilité des personnes agées en situation de retraite. Elle décrit cinq
modèles de retraite qui, selon elle, dépendent du type de cohésion
du réseau d'échange de la personne retraitée ainsi que du principe
de recrutement des agents constituant le réseau d'échange. Chaque
modèle est basé sur les rapports sociaux des retraités. Les deux
variables déterminantes sont la façon dont se fait le recrutement des
membres du réseau d'échange : sur la base d'une communauté fermée ou d'une communauté ouverte. Dans le cas où le principe de
recrutement est la communauté fermée, il y a peu de diversifica-
tion, et les membres du réseau sont limités à ceux qui se défini-
sent par une situation semblable à la leur. Dans une communauté
fermée, les aînés retraités côtoient les personnes qui leur ressemblent, par exemple les gens ayant le même statut social ou le même
âge. Dans une communauté ouverte, le choix des membres du
réseau d'échange est libre et peut se faire sur une base d'identité
de condition, de simple proximité spatiale (par exemple les gens qui
habitent dans les environs), etc. La deuxième variable qui détermine la typologie des modèles de sociabilité est la forme de cohé-

sion du réseau d'échange : « solidarité organique », « solidarité mécanique » ou « aucune solidarité ». Dans un réseau caractérisé par la solidarité organique, le système des échanges entre individus fonctionne sur une base de complémentarité. Selon Guillemard, dans le cas de la solidarité organique, il s'agit de relations hiérarchisées dont les rôles et les statuts sont complémentaires et dans lesquelles chaque membre du réseau a un rôle spécifique. Au contraire, dans un réseau d'échange dont la solidarité est mécanique, les échanges s'effectuent sur une base égalitaire et non en fonction d'une hiérarchie de pouvoir. Les échanges « purement expressifs (affectivité) prennent le pas sur les échanges instrumentaux systématiques ». Les échanges sont toujours réciproques et le degré d'implication des individus dans le système d'échange est inférieur par rapport au cas de la solidarité organique. Finalement, il est aussi possible qu'il n'y ait aucune solidarité. Selon cette théorie et le résultat des recherches, les combinaisons possibles des trois types de solidarité et des deux principes de recoupement des membres du réseau d'échange donnent lieu à cinq modèles de sociabilité des retraités :

Modèle 1 : L'insertion dominée. — Lorsque la cohésion du réseau d'échange est du type solidarité organique et qu'il s'agit d'une communauté fermée, le résultat est appelé « l'insertion dominée ». Ici, il s'agit d'une situation où le réseau d'échange de l'individu est constitué par les membres de sa famille étroite (parents, retraités et enfants). Puisqu'il s'agit d'un réseau d'échange organiquement solidaire, fondé sur une hiérarchie des pouvoirs et une complémentarité des fonctions, la personne retraitée occupe une position dominée dans cette structure hiérarchique. La personne retraitée est dépendante du soutien et de l'assistance des membres de son réseau familial limité.

Modèle 2 : L'insertion dominante. — Ce modèle se caractérise par l'insertion dans un réseau d'échange organiquement solitaire ; mais dans le cas précis où le réseau d'échange est constitué par une « communauté ouverte », la personne retraitée occupe une position d'autorité à l'intérieur de sa famille puisqu'elle vit dans un réseau d'échange ouvert, diversifié (amis, voisins, parents, anciens collègues, membres d'association volontaires etc.). L'exercice et le maintien de sa position d'autorité à l'intérieur du système familial

exigent de sa part l'entretien d'un volumineux système extra familial d'échange de biens et de services. Cette personne a aussi la
charge d'entretenir le capital familial. Ce deuxième modèle s'oppose
au modèle 1 par la direction que prennent les échanges entre
parents et enfants. Dans le cas de l'insertion dominante, le retraité
conserve sa position d'autorité dans le système familial, mais dans
le cas de l'insertion dominée les échanges sont asymétriques et ce
sont les enfants qui déterminent le flux d'échange.

Modèle 3 : L'insertion ségrégée. — Selon ce modèle, le réseau
d'échange fonctionne sous forme de solidarité mécanique dans une
communauté fermée. La communauté fermée est constituée des
membres de la même génération (amis, voisins) qui sont souvent
de même condition sociale que le retraité. La réciprocité des échanges est la règle et on appelle ce modèle « insertion ségrégée » puisque les échanges s'effectuent exclusivement avec le groupe des
pairs.

Modèle 4 : L'insertion à distance. — Comme dans le cas du
modèle 3 d'insertion ségrégée, l'insertion à distance se caractérise
par une forme de solidarité du réseau d'échange mécanique qui est
peu exigeante, mais dont le principe de recrutement des membres
du réseau d'échange est fondé sur la communauté ouverte. Ici, le
retraité s'implique avec des membres de sa génération mais aussi
avec ses enfants adultes, ses petits-enfants, neveux, nièces ainsi
qu'avec toute autre personne appartenant à des générations plus
jeunes. Ce modèle est caractérisé par « une mise à distance » des
rapports, et le retraité s'implique moins profondément dans les relations avec les membres de sa famille. Contrairement aux retraites
ségrégées, le retraité maintient des échanges avec ses enfants mais
ces échanges n'entraînent que peu d'attente fonctionnelle réciproque entre parents et enfants. « Les uns et les autres sont autonomes et n'attendent pas des échanges qu'ils se transforment en une
aide substantielle » (p. 74).

Modèle 5 : La désinsertion. — Quand il n'y a aucune solidarité dans le réseau d'échange, la personne retraitée n'appartient à
aucun système d'échanges sociaux. Il s'agit ici de la dissolution
complète du réseau d'échange et de l'absence de sociabilité.
Selon la théorie de Guillemard, le modèle de sociabilité des per-

sonnes retraitées est fonction des caractéristiques du réseau d'échange. Sa typologie indique non seulement le type d'échange des aînés retraités mais aussi le niveau de disponibilité et le niveau d'implication des membres de la famille dans la vie de la personne retraitée. Cette typologie peut être utile dans la planification des services à offrir aux retraités et peut nous aider à mieux comprendre les manières différentes dont les personnes âgées s'adaptent à la retraite.

Les loisirs

Gordon, Gaitz et Scott (1976) donnent des activités qui occupent les loisirs la définition suivante : « activités personnelles discrétionnaires dans lesquelles l'expressivité l'emporte sur l'instrumentalité »* (p. 311). Selon la conception classique, ces activités englobent aussi bien les lettres et les arts, considérés comme de saines distractions, que la poursuite des plaisirs défendus, et ce n'est qu'à la suite des progrès de l'industrialisation et la montée des nouveaux riches, dans la seconde moitié du XXᵉ siècle, que le terme de loisirs est devenu péjoratif par association avec la « consommation ostentatoire » qui est l'apanage de la nouvelle classe dite « des loisirs ». A l'heure actuelle, on entend souvent par loisirs des activités libres dont l'objectif est de procurer une satisfaction immédiate plutôt que de tendre vers un but strictement utilitaire et éloigné. Autrement dit, ces activités trouvent leur fin en elles-mêmes.

Dans leur livre sur l'expérience de la vieillesse aujourd'hui, Erikson, Erikson & Kivnik (1986) mettent l'accent sur l'implication dans les activités de vie et les relations. Dans ce livre, l'importance de s'engager dans des activités est mise en lumière, même dans des activités « traditionnelles », comme le travail ménager des femmes ; ou relativement passives, comme regarder la télévision. Même s'il est impossible d'évaluer certaines activités comme étant « bonnes » ou « mauvaises », les auteurs se demandent s'il ne serait pas possible pour notre société d'utiliser davantage les capacités et ressources que les personnes âgées peuvent offrir.

Après avoir recensé les rapports de recherche et les textes philosophiques, Gordon *et al.* (1975) attribuent cinq objectifs prin-

---

* C'est nous qui traduisons.

cipaux à l'occupation des loisirs. Ce sont : la détente, le divertissement, l'épanouissement de la personne, la créativité et la
transcendance sensuelle, qu'ils ordonnent en fonction du degré d'expression personnelle (voir tableau III-3) auquel ils tendent. Dans
une étude faite à Houston, au Texas, et portant sur 1 441 sujets,
Gordon et ses collaborateurs ont pu constater que l'occupation des
loisirs diminue avec l'âge. Parmi les dix-sept catégories présentées
dans le tableau III-3, deux catégories seulement accusent une
augmentation au cours de la vieillesse, ce sont la détente ou la solitude d'une part et, chez les hommes seulement, la cuisine. Il semble donc que les personnes à la retraite, du moins celles qui constituent la cohorte et l'échantillonnage de Gordon, profitent peu de
leur temps libre pour se livrer aux activités de loisirs. Une telle
situation fait problème puisque, comme nous venons de le dire plus
haut, l'inactivité est précisément une des difficultés de la retraite.
La première explication qui se présente à l'esprit est d'ordre économique : peut-être est-ce le manque d'argent qui empêche les
retraités d'occuper leurs loisirs ? Il est cependant évident que,
parmi les nombreuses activités comprises dans les dix-sept catégories de Gordon, plusieurs n'entraînent que peu ou pas de dépenses.
On pourrait encore invoquer la mauvaise santé, mais, une fois de
plus, il semble qu'on doive rejeter cette explication car les activités négligées par les personnes âgées ne sont pas interdites aux personnes affaiblies.

Les recherches sur les activités de loisir révèlent qu'il y a généralement une diminution avec l'âge de la quantité de temps à des
loisirs qui impliquent une activité physique à l'extérieur mais que
cette diminution est moindre quand il s'agit de loisirs à la maison
et d'activités familiales (Kelly, 1987). Rubenstein (1987) a comparé
les activités de loisir en France et au Luxembourg. Dans son étude,
les facteurs qui prédisent la participation à des activités récréatives à l'extérieur sont différents dans les deux pays : en France, le
niveau socio-économique détermine le niveau de participation, alors
qu'au Luxembourg, c'est l'état de santé physique qui est la meilleure variable pour prédire le taux de participation. Plusieurs études indiquent que la participation à des activités de loisir peut être
liée au bien-être psychologique (Kelly *et al.*, 1987) mais que le degré
de satisfaction obtenu par des activités de loisir peut être plus
important que le degré de participation (Lawton *et al.*, 1986-87).
Par exemple, l'étude des cadres en France (Poitrenaud *et al.*, 1979)

a permis d'établir un lien entre le taux de participation aux activités de loisir et les attitudes positives concernant la retraite.

TABLEAU III-3. — *Occupation des loisirs*

	Transcendance sensuelle	Activité sexuelle Usage d'agents psycho-actifs Extase religieuse Agression, « action » (combat défensif ou offensif, débats) Jeux ou sports hautement compétitifs Danse intense et rythmée
Très élevée		
Moyennement élevée	Créativité	Création artistique, littéraire, musicale, etc. Altruisme (soin des autres) Discussion, analyse Ornement de l'instrumental (introduction de l'art et du jeu dans le travail)
Moyenne	Epanouissement	Culture physique et sports Acquisition de connaissances (étude, lecture sérieuse) Culture artistique (visite de galeries d'art, musées, etc.) Participation aux activités organisées (clubs, cercles) Visites guidées, voyages Jeux intellectuels et jouets éducatifs
Moyennement basse	Divertissement	Vie mondaine, réceptions Sports comme spectateur Jeux et jouets de toutes sortes Conversations Passe-temps ou violon d'Ingres Lecture Divertissement passif (radio, télévision, etc.)
Très basse	Détente	Solitude Repos Sommeil

Intensité de l'expressivité (cognitive, émotive et physique)

(Selon Gordon, Gaitz et Scott, 1975.)

Avec les progrès de l'instruction et l'élévation du degré de scolarité des personnes âgées, il est probable que l'on assistera à une transformation des loisirs. La participation des personnes âgées devrait s'améliorer, tant au point de vue de la quantité que de la qualité, par suite du développement de ce qu'Atchley nomme « l'aptitude aux loisirs ». Certaines activités que les jeunes considèrent comme une obligation ardue peuvent devenir des loisirs. Par exemple, les universités du Troisième Age en France offrent aux personnes âgées la possibilité de suivre des cours pour satisfaire leur curiosité plutôt qu'aux fins de formation professionnelle (Service documentation ANEP-INRS, 1980). En effet, la cohorte actuelle n'a jamais eu l'occasion d'apprendre ni de pratiquer les activités de loisirs dans la même mesure que la jeunesse actuelle. Celle-ci considère par ailleurs les loisirs comme une nécessité de la vie. Aussi verrons-nous sans doute les cohortes plus jeunes faire une place beaucoup plus importante aux activités de loisirs lorsqu'elles seront elles-mêmes parvenues à l'âge de la retraite. Soulignons que cette évolution aura des incidences sur l'industrie des loisirs ainsi que sur l'utilisation de l'énergie et des autres ressources naturelles peu abondantes.

CHAPITRE IV

Les processus psychologiques et le vieillissement

En vieillissant, toutes nos expériences et tous nos comportements sont déterminés et influencés par des processus psychologiques. Nous commencerons par aborder les processus psychologiques fondamentaux, c'est-à-dire les changements sensoriels et perceptuels, la mémoire et l'intelligence, la métacognition et la créativité. Cette première partie comprend donc ce qu'on appelle la « cognition », soit les fonctions et capacités intellectuelles. Viennent ensuite les émotions, la motivation et les changements de la personnalité, et finalement les traits particuliers aux personnes âgées.

Les changements de la perception sensorielle

Les capacités sensori-perceptuelles ne peuvent échapper à une certaine diminution par suite du vieillissement, diminution qui varie considérablement d'un individu à l'autre. En effet, on observe généralement une réduction dans la capacité de recevoir et de traiter les informations concernant le milieu environnant. Des déficiences comme la presbyacousie (perte de l'ouïe dans la zone des hautes fréquences) et la presbytie (baisse de la plasticité du cristallin et de son pouvoir d'accomodation, qui nécessite le port de verres à double foyer) sont le résultat habituel du vieillissement ; ils influent évidemment sur l'accomplissement du travail quotidien. A ces pertes s'ajoutent des changements psychologiques. Certaines personnes ne veulent pas porter des lunettes et d'autres, encore plus nombreuses, refusent la prothèse auditive, parce qu'elles éprouvent de l'embarras. Il s'ensuit donc que nombre de personnes âgées souffrent de déficits auditifs et/ou visuels pourtant faciles à corriger. Cependant nos tâches journalières, que ce soit à la maison, au travail ou au jeu, nécessitent rarement un maximum de vitesse, de force ou de capacité sensorielle. Or, la plupart des pertes se situent à la limite supérieure de nos capacités, de sorte que nous n'en ressentons guère les effets dans notre vie quotidienne.

La vue

Les études concernant les effets du vieillissement sur la vue indiquent qu'il existe un lien considérable entre l'âge et les dysfonctions visuelles (Corso, 1987 ; Kline & Schieber, 1985 ; Kosnik, Winslow, Kline, Rasenski & Sekuler, 1988). En vieillissant, le cristallin de l'œil épaissit et perd une partie de sa plasticité et de sa capacité d'accommodation. Il s'ensuit qu'on ne peut plus accommoder sur les objets très éloignés ou très rapprochés. La profondeur du champ diminue continuellement jusqu'à ce que le port de verres correcteurs à double foyer s'impose en vue de corriger la vision éloignée ou rapprochée. Si la presbytie s'accentue, des verres à triple foyer peuvent devenir nécessaires afin de compenser la perte d'accommodation pour les objets très rapprochés, rapprochés et éloignés.

Le port de verres à double foyer exige toujours une période d'ajustement. Descendre un escalier, par exemple, s'avère particulièrement difficile puisqu'il est quasi impossible d'apercevoir les marches en regardant par la partie supérieure des verres, qui rapproche les objets éloignés, cependant que les marches sont trop éloignées pour la partie inférieure, qui sert à la lecture. L'obligation de regarder à travers les diverses parties des verres crée une certaine tension. Même lorsqu'on est habitué aux nouvelles lunettes, certaines tâches demeurent difficiles, comme de changer une ampoule électrique, ou d'exécuter un travail rapproché situé au-dessus du plan de vision normal. L'image perçue peut parfois se dédoubler, par exemple lorsqu'au volant d'une automobile on regarde l'indicateur de vitesse et qu'on le voit à la fois à travers la partie supérieure et inférieure des verres.

C'est à la vue que nous devons une grande partie de l'information qui nous parvient sur le monde, et une bonne part au moins de nos plaisirs. Comme la télévision devient le principal divertissement des personnes âgées, le fait de ne plus pouvoir lire ni regarder la télévision peut avoir pour effet de les isoler de plus en plus et de les rendre à la fois indifférentes et inintéressantes. La perte de l'acuité visuelle risque aussi de faire diminuer la participation à la vie sociale et l'intérêt pour les activités récréatives.

Des changements importants dans les zones périphériques et centrales du fonctionnement visuo-perceptif sont associés à l'âge (Fozard, Wolf, Bell, McFarland et Podolsky, 1977). Les modifications périphériques comprennent les modifications dans la capacité d'accommodation et de transmission de l'œil. Nous avons déjà souligné les changements dans l'accommodation (la mise au point). Le changement le plus souvent associé à la transmission consiste dans le développement de cataractes dans le cristallin de l'œil. Les cataractes résultent du jaunissement du cristallin, qui a pour effet de déformer le spectre lumineux et d'obscurcir la vue. Heureusement, le taux de réussite des interventions chirurgicales en cas de cataractes est élevé. Les modifications périphériques apparaissent habituellement vers la fin de la trentaine ou le début de la quarantaine. Elles affectent la perception de la profondeur et la sensibilité à l'éblouissement ; la sensibilité aux couleurs diminue, tandis qu'augmentent les difficultés associées aux tâches visuelles ordinaires comme la lecture et la couture. Les changements de la zone centrale surviennent plus tard dans la vie, en général entre 50 et 70 ans. Ces modifications de la zone centrale sont plus difficiles à améliorer puisqu'elles supposent une perte de fonction totale plutôt qu'une simple diminution fonctionnelle, aisément corrigée. Les modifications centrales comprennent la diminution du champ de vision, l'augmentation du seuil des sensations (minimum d'excitation nécessaire à la sensation, ou différence minimale entre deux stimuli perçus comme différents).

Les désordres de type central sont souvent les effets secondaires de problèmes physiologiques comme l'hypertension, certaines neuropathies, le diabète ; ils cèdent beaucoup moins aux interventions directes. Aussi, plutôt que d'intervenir directement, le médecin prescrit-il souvent un régime, des exercices ou une médication appropriée aux désordres qui sont à l'origine des troubles visuels.

Les changements perceptuels ajoutent aux difficultés d'interaction entre le malade et son milieu. La lecture, par exemple, lui devient pénible puisque les petits caractères, un éclairage trop faible et les menus détails lui causent des difficultés. Divers mécanismes permettent cependant de compenser les déficits perceptivo-sensoriels. Ainsi, un ouvrier qui fait un travail à la chaîne très

astreignant peut compenser la perte d'acuité visuelle par sa fami-
liarité avec la tâche à accomplir. De nombreuses difficultés visuelles
associées au vieillissement peuvent se corriger ou donner lieu à des
mécanismes d'accommodation de sorte que l'activité quotidienne
n'en souffre guère. Les recherches démontrent que des initiatives
relativement simples, comme le fait d'utiliser un meilleur éclairage,
peuvent augmenter l'acuité visuelle des aînés (Fozard, 1990).

L'ouïe

Habituellement, la perte de l'ouïe n'est pas complète, car, dans
la plupart des cas, elle est sélective et n'intéresse que les hautes fréquences, les basses fréquences continuant en général d'être très bien
perçues à moins que n'interviennent d'autres affections. La perte
des sons aigus, lorsqu'elle est accentuée, nuit à la perception de la
parole. En effet, les consonnes comportent des sons aigus et, si elles
ne sont pas perçues, elles donnent l'impression que les mots sont
marmonnés. Le sujet âgé atteint de presbyacousie (déficit auditif)
croit alors que ceux qui l'entourent marmonnent et il les accuse de
ne pas parler assez clairement.

L'incapacité de bien comprendre les paroles peut engendrer la
méfiance et même des tendances paranoïdes. Dans tous les cas,
cette incapacité est gênante pour la personne âgée, qui peut se sentir
moins apte à communiquer. L'affaiblissement de l'ouïe peut aussi
nuire à certaines activités, comme d'écouter de la musique ou la
radio.

Les prothèses auditives rendent de grands services à la plupart
des gens atteints de surdité, mais certains, par gêne, remettent à
trop tard le port de ces prothèses. Tout comme les lunettes à double foyer, le port d'une prothèse auditive exige une certaine adaptation. La plupart des personnes âgées se plaignent que cet instrument rend les sons irréels, ce qui est vrai en partie puisque la
plupart des prothèses auditives prescrites et ajustées par un professionnel n'amplifient pas toute la gamme des fréquences mais seulement celles qui sont perdues. Il en résulte parfois un son métal-
lique assez insolite. La distinction entre les voix féminines et
masculines devient aussi malaisée, car l'amplification des hautes
fréquences altère en effet le timbre du son.

Le timbre est une qualité du son que nous connaissons tous mais
qui se laisse mal définir. Des sources sonores de même fréquence

(ton) et amplitude (intensité) sont différentes à la perception parce que certaines harmoniques de l'onde sonore se trouvent augmentées ou amorties en raison de la nature de la source. La différence entre le *do* moyen d'un piano et d'une clarinette, à intensité égale, est due au timbre. Lorsqu'on perd la capacité de percevoir le timbre, on perd la capacité de reconnaître les sources sonores qui se distinguent principalement par le timbre, mais cela n'empêche pas d'entendre les conversations distinctement même si le son de la voix semble moins agréable. Néammoins, les recherches récentes font état d'une meilleure compréhension par les personnes âgées de messages auditifs qui leur sont familiers, et ce, malgré une diminution de leurs capacités auditives (Fozard, 1990).

La signification des changements sensoriels

Les lignes qui précèdent ne doivent pas faire croire que les personnes âgées sont à demi aveugles, incapables de lire et de se diriger, sourdes, insensibles, incapables de goûter, et le reste. C'est plutôt l'inverse qui est vrai, car la *plupart* des personnes âgées sont parfaitement capables de poursuivre normalement leurs activités ou de compenser au besoin les effets des pertes qu'elles ont pu subir, de sorte que celles-ci sont réduites au minimum. Plusieurs de ces déficits ne sont pas nécessairement associés au vieillissement et peuvent être prévenus. On protégera l'ouïe, par exemple, en se soustrayant aux bruits forts et continus. Il est aussi probable qu'avec l'amélioration de la technologie médicale et de la distribution des services médicaux, même les changements inhérents au vieillissement seront enrayés de façon significative grâce aux progrès des connaissances et des interventions de la médecine.

La rapidité et la coordination

Tout comme les difficultés sensori-perceptuelles augmentent avec l'âge, les difficultés liées à l'utilisation des données sensorielles dans l'accomplissement d'une tâche qui exige de la rapidité et de la coordination s'accroissent aussi. La plupart de ces difficultés proviennent du ralentissement des réactions et d'une diminution de la coordination. L'affaiblissement dû à la perte graduelle de la masse musculaire joue également un rôle. La capacité de se livrer à certaines activités difficiles et fatigantes, et surtout de s'y maintenir, peut donc se trouver affectée. Même si on peut pallier ces inconvénients par la planification et la préparation, il reste que les déficits de la motricité (ralentissement, affaiblissement et perte de coordination) peuvent avoir une incidence sur la vie quotidienne, puisqu'ils nuisent à l'accomplissement des tâches ordinaires.

L'augmentation des temps de réaction et de prise de décision peut cependant être fonction de la situation ou des conditions d'apprentissage. Par exemple, plusieurs recherches ont démontré que la différence dans la vitesse de réponse entre les personnes âgées et les plus jeunes diminue grandement quand l'intensité du stimulus augmente.

Ces recherches ont en effet démontré que les unes et les autres bénéficient de l'amélioration des conditions de l'expérience, mais que les sujets présentant des déficits sont aussi ceux chez qui cette amélioration produit les gains les plus marqués. La plupart des programmes d'aide aux handicapés de tout genre donnent des résultats analogues : les améliorations font diminuer les différences. Les études de Spirduso (1975) et, plus récemment, celles de Spirduso et Clifford (1978) démontrent en effet que les personnes âgées actives sont, dans plusieurs domaines, supérieures aux personnes plus jeunes inactives.

Il est présentement très difficile de savoir à quel point la différence des temps de réponses que l'on observe est due à la différence entre les générations, au manque de pratique ou a quelque autre facteur, car on ne dispose pas des données nécessaires. Certains chercheurs soutiennent que les temps de réaction peuvent être améliorés par le renforcement et la pratique (*e.g.* Hoyer, Labouvie et Baltes, 1973), mais il existe peu d'études systématiques permettant de préciser les variables qui contribuent au maintien, à l'amélioration ou à la rapidité.

Selon une recension de littérature récente effectuée par Welford (1977), la plupart des indications concernant les rapports entre le vieillissement et le déclin de la force musculaire, de la rapidité et de la coordination, portent à croire que ce sont les *limites supérieures* qui s'affaissent. Or comme les efforts exigés par la plupart des tâches ordinaires demeurent bien en deçà de ces limites, l'effet des pertes peut n'être que négligeable. En fait, il peut passer à peu près inaperçu aussi longtemps que la différence avec un état antérieur ne devient pas extrême. Ce fait rappelle l'hypothèse de la discontinuité de Birren, selon laquelle les évolutions graduelles ne se remarquent pas tant qu'elles n'atteignent pas un point critique. Welford (1977) et Bromley (1974) soulignent que c'est moins le ralentissement de la réponse que l'augmentation du temps nécessaire à la décision qui est en jeu. Puisque la plupart des tâches étudiées par Welford et par Bromley n'exigeaient pas un maximum de rapidité ou de force d'une part, et que d'autre part ce sont plutôt les tâches nouvelles que les tâches familières qui risquent de souffrir de l'augmentation du temps nécessaire à la décision, l'effet global sur les tâches habituelles peut être tout à fait insignifiant.

Le temps est une variable critique. Au fur et à mesure que le temps alloué à la planification, à la programmation et à l'interprétation des signaux augmente, les différences entre les personnes jeunes et les plus âgées diminuent ; de fait, les sujets plus vieux deviennent plus précis sinon plus productifs que les jeunes. Par conséquent, le maintien d'un taux de performance souhaitable chez les personnes âgées implique qu'il est nécessaire de prolonger le temps consacré à la planification et à la préparation des tâches. L'augmentation des difficultés de la motricité et de la coordination associées au vieillissement n'est pas généralement reliée à une diminution réelle des signaux ou des éléments de la réponse, mais plutôt au temps requis par le traitement central. Il se peut que ce fait soit imputable pour une bonne part à la tendance à devenir plus prudent et plus conservateur avec l'âge (Botwinick, 1966). Même si les études relèvent presque toujours des différences entre les personnes âgées et les plus jeunes au point de vue de la rapidité et de la coordination dans l'accomplissement des tâches en laboratoire, ces différences ne concernent guère les tâches de la vie quotidienne ; par exemple, la dactylographie d'un texte se fera à la même vitesse.

La mémoire

Les recensions récentes de la recherche sur le vieillissement et la mémoire font état d'un modèle de la mémoire qui comporte trois étapes : l'entrée des données, la mémoire à court terme et la mémoire à long terme (Arenberg, 1973 ; Craik, 1977 ; Elias, Elias et Elias, 1977).

Les pertes de mémoire les plus importantes semblent survenir à l'étape de l'entrée des données ou de la fixation des impressions sensorielles. Cette conclusion se fonde sur les recherches qui montrent que l'augmentation de la vitesse de présentation des objets à mémoriser produit, chez les personnes âgées, un effet extrêmement négatif. Plusieurs chercheurs (*e.g.* Canestrari, 1963 ; Eisdorfer, Axelrod et Wilkie, 1963 ; Arenberg, 1965) ont poursuivi des recherches dans ce sens et trouvé que lorsque le temps de présentation augmente (allure ralentie) les personnes âgées en bénéficient plus que les jeunes.

Eisdorfer (1968) a élaboré un modèle qui a donné lieu à de nombreuses expériences réparties sur une dizaine d'années (Eisdorfer, 1965, 1968 ; Eisdorfer, Nowlin et Wilkie, 1970 ; Wilkie et Eisdorfer, 1977 ; Wilkie, Eisdorfer et Nowlin, 1976). En bref, Eisdorfer soutient que les erreurs d'omission (ne pas répondre ou dire « je ne sais pas ») entrent pour une part importante dans les effets négatifs dus à l'accélération de la présentation chez les sujets âgés. Il se peut que les sujets âgés disent « je ne sais pas » parce qu'ils sont trop impatients de répondre, puisque effectivement l'excitation est plus grande chez eux que chez les plus jeunes. Lorsqu'on fait baisser le niveau d'excitation à l'aide d'inhibiteurs (ce qui est attesté par le taux d'acides gras en circulation dans le sang), les personnes âgées font moins d'erreurs d'omission et leurs résultats s'améliorent.

On peut également étudier la mémoire en considérant séparément la mémoire à court et à long terme. La mémoire à court terme a souvent été considérée comme la victime du vieillissement, alors que celle des événements à long terme était considérée comme moins perturbée. Certains croient effectivement que la mémoire des événements passés chez les personnes âgées semble meilleure que chez les plus jeunes. Mais ce phénomène peut être dû à la pratique et à la différence d'âge au moment de l'expérience. Que grandmère ait gardé vivace le souvenir de votre cinquième anniversaire peut faire croire qu'elle a une meilleure mémoire que vous, mais la différence peut tenir au fait que vous n'aviez pas le même âge lors de l'événement. Il se peut aussi qu'elle ait ravivé ses souvenirs en regardant les photographies dans un album de famille ou en en parlant souvent avec d'autres membres de la famille.

Craik (1977) a examiné trois études détaillées, qui concluent que la mémoire à long terme comme la mémoire à court terme sont inférieures chez les sujets âgés (Schoenfield, 1972 ; Bahrick, Bahrick et Wittlinger, 1975 ; Warrington et Sanders, 1971). Dans l'étude de Schonfield, le rappel des noms des professeurs du lycée passe de 67 % chez les sujets âgés de 20 ans à 45 % chez les sujets de plus de soixante-dix ans. Bahrick et ses collaborateurs (1975) ont trouvé qu'un grand nombre de paramètres reliés à la mémoire, entre autres le rappel libre et la capacité de reconnaître et d'apparier les noms et les visages dans l'annuaire du lycée, diminuent avec l'âge. La preuve semble donc faite que la mémoire baisse avec l'âge pour tous les paramètres : entrée des données, mémoire à court et à long terme.

Dans les études récentes, on ne se contente plus de faire mémoriser une liste de logotypes (syllabes dépourvues de sens) et d'étudier le rappel simple, mais on cherche à analyser la mémoire de reconnaissance et les mécanismes qui rendent compte du fonctionnement de la mémoire. Une approche relativement nouvelle, élaborée en psychophysique et connue sous le nom de « théorie de la détection des signaux », préside à la plupart des travaux dans ce domaine (Green et Swets, 1966). Diverses études utilisant cette approche ont déjà paru (Craik, 1969, 1971 ; Gordon et Clark, 1974), mais leurs résultats ne concordent pas.

La théorie de la détection des signaux permet d'évaluer séparément la puissance mémorielle et le mode de réponse. Par mode de réponse, on entend la forme des erreurs que commet le sujet, selon qu'il est incapable de reconnaître les mots qu'il a déjà vus (erreur) ou qu'il croit reconnaître des mots qu'il n'a pas vus (taux d'affirmation erronée ou TAE). Les études antérieures sur la mémoire et le vieillissement ne tenaient pas compte de l'effet possible des conjectures (mode de réponse) sur les cotes obtenues aux tests de mémorisation par reconnaissance. Harkins, Chapman et Eisdorfer (1979) ont utilisé cette méthode dans une étude menée auprès des femmes âgées et jeunes ; ils ont découvert que, même en tenant compte de la déviation des réponses, le groupe âgé accusait un déficit dans la capacité de reconnaître les mots. Ils ont également découvert que les moyens employés par les sujets âgés sont très différents de ceux qu'utilisent les jeunes. Les femmes âgées présentent une probabilité d'écart moindre, ce qui fait diminuer le nombre d'erreurs commises mais augmenter celui des omissions. Ces résultats confirment l'hypothèse de Botwinick (1966) selon laquelle les personnes âgées hésitent à répondre aussi longtemps qu'elles ne sont pas certaines d'avoir la bonne réponse.

Les recherches récentes sur la mémoire établissent une distinction entre la mémoire « explicite » et la mémoire « implicite ». Dans la mémoire explicite, la personne décide consciemment de se rappeler quelque chose. Dans les recherches en laboratoire sur la mémoire explicite, l'expérimentateur présente aux participants quelque chose dont ils doivent se souvenir dans l'avenir. Alors que, dans la mémoire implicite, il s'agit pour un individu de se rappeler des choses qu'il connaît déjà. Les souvenirs liés à la mémoire implicite peuvent porter sur des événements quotidiens dont la personne n'a pas consciemment décidé de se souvenir dans l'avenir. Les recherches montrent qu'il y a peu de déclin dans les activités relevant de la mémoire implicite chez des sujets âgés bien qu'ils aient des faiblesses en ce qui concerne les habiletés nécessaires à la mémoire explicite (Light et Singh, 1987). Par exemple, Java et Gardiner (1991) ont découvert qu'il y a peu de différences entre un groupe de personnes âgées et un groupe de jeunes étudiants universitaires au point de vue de l'accomplissement des tâches qui relèvent de la mémoire implicite, mais que des différences significatives sont observables quand il s'agit de tâches impliquant la mémoire explicite.

La plupart des recherches sur la mémoire étudient le fonctionnement des individus dans l'environnement artificiel d'un laboratoire de psychologie. Dans leur présentation des recherches sur la mémoire, Hultsch et Dixon (1990) en arrivent à la conclusion qu'en général, pour les personnes âgées les tâches qui mettent en branle la mémoire sont plus faciles lorsqu'elles ont une signification pour elles que les tâches qui portent sur les contenus ou les événements qu'elles connaissent peu. Salthouse (1990), dans sa critique sur l'effet de l'expérience sur les différences entre les personnes âgées et les plus jeunes dans le fonctionnement cognitif, conclut qu'il n'existe pas encore suffisamment de recherches valables qui nous permettent de savoir jusqu'à quel point l'expérience antérieure influence la performance des personnes âgées. Les recherches récentes laissent entrevoir que les problèmes de mémoire des aînés peuvent être influencés par plusieurs facteurs à la fois, notamment la dépression (Kahn, Zarit, Hilbert et Niederhe, 1985), les différences individuelles dans la culture, les processus sociaux, de même que le contexte dans lequel la mémoire est évaluée (Hultsch et Dixon, 1990). Deux recherches récentes (Sunderland, Watts, Baddeleyn et Harris, 1986 ; Rabbitt et Abson, 1990) ont révélé que les plaintes des personnes âgées à propos de leur difficulté à se rappeler certains événements de la vie quotidienne n'avaient aucune corrélation avec des résultats de tests objectifs de mémoire. Dans une étude, McFarland, Ross et Giltrow (1992) comparent les souvenirs que des personnes âgées ont à propos des changements dans leur performance depuis l'âge de 38 ans avec les évaluations de la performance de personnes plus jeunes ayant une moyenne d'âge de 38 ans. Leur étude démontre que les personnes âgées pensent qu'elles avaient une meilleure performance quand elles étaient jeunes que les personnes plus jeunes d'aujourd'hui. Les auteurs mettent en évidence le fait que nos propres théories sur les changements liés au vieillissement influencent notre perception de la modification de nos habiletés avec l'âge.

Depuis quelques années, des chercheurs explorent un nouvel aspect de la mémoire ; il s'agit de cette fonction de la mémoire qui porte sur l'habileté de se rappeler qu'il faut effectuer une tâche dans le futur. C'est ce qu'on appelle la mémoire « prospective ». La mémoire prospective est très importante dans les activités quotidiennes (par exemple, envoyer un message téléphonique à telle personne, prendre un médicament tous les jours, être à l'heure à un rendez-vous, etc.). Harris et Morris (1984) caractérisent ce type de mémoire par le fait qu'on se rappelle devoir faire quelque chose sans indice externe évident. Même si le rappel de l'information peut être facile, la difficulté est plutôt de « se rappeler de se rappeler » de ce qu'il y a à faire plus tard. Harris et Morris postulent que l'habileté de « se rappeler de se rappeler » décline avec l'âge, tandis que l'habileté à se souvenir de ce qu'il y a à faire change très peu avec le temps. Dobbs et Rule (1987) précisent que les problèmes de mémoire prospective correspondent précisément aux types de plaintes que les personnes âgées expriment le plus souvent. Einstein, Holland, McDaniel et Guynn (1992) distinguent deux types de tâches de la mémoire prospective : les tâches « basées sur l'événement » — actions à exécuter lorsqu'un certain événement se produit —, et les tâches « basées sur le temps » — actions à exécuter à un moment précis. Un exemple d'une tâche basée sur l'événement est de se rappeler qu'il fallait adresser un message téléphonique lorsqu'on rencontre la personne à qui le message devait s'adresser. Une tâche basée sur le temps serait de se rappeler de vérifier le gâteau dans le four après 40 minutes de cuisson à une heure précise. Einstein *et al.* (1992) ont observé chez les personnes âgées une diminution plus marquée de la performance pour les tâches de mémoire prospective basée sur le temps que pour celles qui sont basées sur l'événement.

En résumé, la perte de mémoire est démontrable et fortement associée à l'âge. D'autre part, la préparation et l'utilisation de moyens mnémoniques simples (*i.e.* agendas, listes de choses à faire) devraient permettre à la plupart des personnes âgées de vaquer à leurs occupations sans trop d'inconvénients. Les recherches récentes sur l'effet des médicaments sur le fonctionnement de la mémoire des animaux indiquent que certaines substances chimiques peuvent avoir comme effet une amélioration des habiletés (par exemple, Hock, 1987). Néanmoins, il n'existe pas encore suffisamment de recherches pour que nous puissions dire que ces médicaments améliorent la mémoire des humains sans entraîner trop d'effets secondaires néfastes. Certains auteurs (Dean et Morgenthaler, 1991) prétendent qu'il existe un certain nombre de substances chimiques qui peuvent améliorer la mémoire malgré le fait que ces effets ne sont pas étayés par des recherches scientifiques. Dans les prochaines années, d'autres recherches détermineront probablement si certains de ces médicaments ont des effets bénéfiques sur la mémoire, ou s'il s'agit plutôt d'effets psychologiques de placebo.

L'intelligence

L'intelligence, telle que la définissent les tests d'intelligence, décline avec l'âge (à partir du milieu de la vingtaine, voir figure IV-1). La question de la différence d'intelligence due à l'âge, comme à l'origine raciale, soulève plus de controverses qu'autre chose. Pourtant cette différence existe. Si on ne parvient pas à l'expliquer, cela dépend ou bien de la gérontophobie des chercheurs ou bien des erreurs méthodologiques. Les gens âgés ne sont pas tous des diminués et les différences qu'on a pu observer entre sujets jeunes et plus vieux se sont révélées liées à divers facteurs *externes*. La difficulté consiste à cerner la nature exacte de la perte, ce qui contribue à son accélération et à sa réduction, ainsi que les moyens à prendre pour en améliorer les effets négatifs.

Parmi les facteurs externes susceptibles d'affecter les résultats obtenus aux tests d'intelligence, citons : la différence de scolarisation entre les générations, la rapidité des réponses dans les tests chronométrés, le conservatisme, le manque d'habitude des tests, les privations de toutes sortes, les déficits sensoriels ou autres.

Hoyer, Labouvie et Baltes (1973) ont démontré que si l'on renforce l'accélération du temps de réponse (rapidité) chez les person-

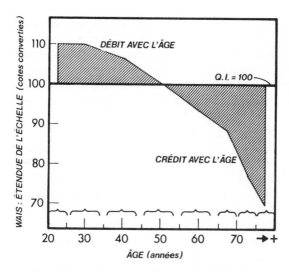

FIG. IV-1. — Côtes converties en fonction de l'âge
(Données obtenues à partir du manuel du WAIS, Wechsler, 1965)

nes âgées leurs cotes s'améliorent. On sait que le ralentissement du temps de réponse chez les personnes âgées est réel ; il peut donc être nécessaire de recourir à des renforcements nombreux lorsque les sujets présentent un temps de réponse très long et que de plus ils hésitent à choisir leur réponse. Les travaux de Schaie sur lesquels nous reviendrons plus loin ont montré que le ralentissement n'est pas entièrement un artifice méthodologique, mais qu'il résulte réellement du vieillissement.

Baltes, Labouvie (1973) et Riegel et Riegel (1971) proposent une autre interprétation de la baisse des résultats aux tests, à partir des études montrant que ces cotes s'affaissent au cours de la période précédant la mort, même en l'absence d'une évolution physique concomitante significative. Les cotes des sujets qui sont morts dans l'espace d'un ou deux ans après l'administration du second test accusent en effet un fléchissement significatif par comparaison à celles des sujets qui ont survécu. Ces résultats autorisent à croire qu'en l'absence de changements pathologiques dus à la maladie l'intelligence tend à demeurer relativement stable tout au long de la vie. C'est cet « effondrement terminal » de l'intelligence qui fait baisser les moyennes de groupe, bien que les seuls sujets qui présentent une diminution réelle soient ceux qui sont parvenus à la phase terminale. Un grand nombre d'études concourent à mettre en évidence l'impact de la maladie sur les états psychiques (*e.g.* Holmes et Rahe, 1967 ; Leshan et Gassman, 1958). Le concept d'effondrement terminal semble donc être soutenu par les travaux de chercheurs appartenant à des domaines très divers.

Schaie, Baltes et les plans séquentiels

Les deux grandes positions théoriques dans ce domaine sont représentées par K. Warner Schaie et Paul B. Baltes d'une part, et par Jack Horn et G. Donaldson (Horn et Donaldson, 1977 ; Baltes et Schaie, 1974 ; Schaie, 1974) d'autre part. Schaie, Baltes et leurs collègues ont fait paraître de nombreuses études sur l'évolution de l'intelligence au cours du vieillissement, ainsi que sur la méthodologie des plans de recherche destinés à évaluer la nature exacte des différences évolutives. Les travaux de Schaie, en particulier, visent à distinguer l'influence de la cohorte, du moment des relevés et de l'âge proprement dit, ainsi qu'à préciser la part qui revient à chacune d'entre elles. Les plans de recherche qu'il a élaborés sont dits « séquentiels » et combinent les éléments propres aux méthodes transversale, longitudinale et rétrogressive (voir l'Appendice). Prise séparément, chacune de ces méthodes présente un inconvénient : les effets du temps, de l'âge et de la cohorte se confondent de telle sorte que l'on ne peut dire exactement ce qui cause les différences que l'on observe ni l'importance relative de chacune. Schaie poursuit ses recherches depuis une trentaine d'années, et comme il ajoute un grand nombre de nouveaux sujets à chaque vérification de son ancien échantillonnage, le corpus sur lequel il travaille présentement est assez vaste.

Le test d'intelligence que Schaie utilise est le « Primary Mental Abilities » (Thurstone, 1938 ; Thurstone et Thurstone, 1950). Ce test présente l'avantage d'avoir été élaboré à l'aide des techniques statistiques de l'analyse factorielle, de sorte qu'il mesure divers aspects de l'intelligence relativement indépendants les uns des autres. Les travaux de Schaie se rapportent donc à plusieurs composantes ou aspects de l'intelligence et non seulement à un ou deux. Nous présentons les données concernant trois composantes analysées par Schaie parce qu'elles intéressent tout particulièrement ceux qui étudient le processus du vieillissement ; ces composantes sont le raisonnement verbal, la rapidité de réponse et les aptitudes à l'instruction.

Le test de raisonnement verbal mesure l'étendue du vocabulaire. Les anciennes analyses transversales révélaient qu'une chute abrupte dans la capacité de raisonnement verbal s'amorce vers la fin de la vingtaine ou le début de la trentaine et se poursuit durant toute la vie. Il suffit d'un peu de réflexion pour conclure que nous nous mettons à oublier des mots dès l'âge de 25 ou 30 ans, ce qui est parfaitement ridicule ! Même si cette conclusion est totalement démentie par l'expérience, de nombreux psychologues ont colporté ces résultats durant des années ; peut-être s'imaginaient-ils qu'ils faisaient exception à la règle ! En réalité, ces données obtenues par la méthode transversale nous induisent en erreur puisque les différences dues à l'âge et à la cohorte se confondent. Ce qu'elles montrent c'est que les jeunes générations plus récentes obtiennent des cotes plus élevées parce que les aptitudes verbales se sont améliorées, sans doute par suite des progrès de la scolarisation. Le tableau change cependant de façon dramatique lorsqu'on élimine les effets de cohorte et les autres artifices contenus dans les données qui ne sont pas directement liés au vieillissement. Selon Schaie, la capacité verbale continue à se développer jusque vers les toutes dernières années de la vie, pour diminuer ensuite lentement. En fait, on s'aperçoit qu'au lieu de dégénérer à partir de 25 ans, les gens parvenus à 70 ans n'ont généralement pas encore régressé jusqu'au niveau qu'ils avaient atteint à 25 ans. Ce tableau est évidemment beaucoup plus optimiste.

La vitesse de réponse, c'est-à-dire le temps nécessaire pour réagir à un stimulus simple, augmente même lorsqu'on l'étudie à l'aide d'un plan séquentiel. Cette série de données pourrait, en fait, aisément s'interpréter comme une différence de cohorte positive ; la stabilité de la vitesse de réponse étant supérieure chez les générations antérieures. Cette interprétation se fonde sur le fait que la baisse des cotes exprimée par les analyses séquentielles récentes est plus forte et plus rapide que celle qui est rapportée dans les études transversales plus anciennes. En compilant les résultats globaux des tests d'intelligence, on constate que la baisse de la vitesse de réponse est compensée par l'augmentation des capacités verbales, ce qui donne des cotes de test d'intelligence stables pendant toute la vie, même quand l'analyse suit un plan séquentiel. La rapidité revêt de l'importance du fait que beaucoup de recherches rapportées dans la littérature employaient des tests collectifs plutôt que des tests individuels. Or les tests collectifs accordent plus de poids au facteur temps. La raison de la baisse rapportée par les études transversales peut donc s'expliquer, en partie du moins, par le fait que les exigences de rapidité constituaient un handicap pour les personnes âgées. Les tests chronométrés donnaient aux personnes âgées des résultats plus faibles aux tests d'intelligence alors que la cause de la chute des cotes ne dépendait pas de l'intelligence mais bien de la vitesse de réponse.

Une des conclusions les plus encourageantes auxquelles aboutissent les recherches de Schaie, c'est qu'il est possible d'apprendre toute sa vie. La réussite dans les études est en rapport direct avec la cote du test de Thurstone, « Educational aptitude », qui se calcule en additionnant la cote du raisonnement à la cote verbale multipliée par deux. Les cotes élevées obtenues par les personnes âgées indiquent qu'elles conservent la capacité d'apprendre jusqu'à un âge avancé. Ceux d'entre nous qui enseignent aux adultes ont été impressionnés par les succès remportés par les personnes d'âge mûr qui retournent aux études après avoir élevé une famille ou pris leur retraite, ou encore parce qu'elles veulent se préparer à une nouvelle carrière. On serait même tenté de reprendre le mot célèbre de George Bernard Shaw, c'est gaspiller la jeunesse que de la laisser aux jeunes, et d'y ajouter : les études également...

L'intelligence cristallisée et l'intelligence fluide : Cattell et Horn

Les travaux de Horn, qui représentent un autre point de vue sur la question, ont suscité des débats très féconds. Ces travaux sont empiriques aussi bien que théoriques, mais nous nous attacherons plutôt à leur côté théorique car c'est lui qui s'éloigne le plus des données présentées par Schaie et Baltes. Ils s'inspirent des études faites par R. B. Cattell à l'Université de l'Illinois (1963). Cattell propose l'existence de deux formes d'intelligence, l'une « fluide » et l'autre « cristallisée ». L'intelligence fluide représente la forme d'intelligence capable de résoudre les problèmes nouveaux, et l'intelligence cristallisée celle qui applique à la situation présente l'accumulation des expériences antérieures. L'intelligence fluide, qui dépend de la capacité d'évoluer et de s'adapter rapidement et efficacement aux situations nouvelles, diminuerait avec l'âge, tandis que l'intelligence cristallisée, liée à l'accumulation de l'expérience, augmenterait avec l'âge (voir fig. IV-2). Horn et Cattell ont publié,

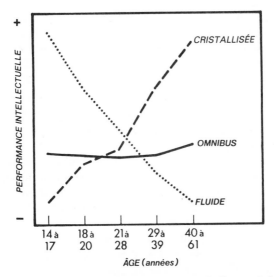

Fig. IV-2. — Performance intellectuelle en fonction de l'âge et de la fluidité
(Selon Horn et Cattell, 1967)

en 1966, une batterie de tests élaborés en vue de mesurer ces capacités différentes (Horn et Cattell, 1966), et, un an plus tard, des données sur les changements imputables à l'âge révélés par cette batterie de tests (Horn et Cattell, 1967).

Il est intéressant de noter que Horn et Schaie, souvent présentés comme les représentants de deux positions diamétralement opposées, utilisent l'un et l'autre des données traitées par la méthode d'analyse statistique factorielle. Horn (1970) présente une analyse des données déjà recueillies par Cattell et lui-même (1967), qui indique l'augmentation, au cours de la vie, des formes cristallisées de l'intelligence, accompagnée de la diminution des formes fluides. Il emploie en outre une mesure appelée « omnibus », c'est-à-dire une combinaison des formes fluide et cristallisée dont l'évolution rappelle celle des cotes d'intelligence globale contenues dans les données de Schaie et Wechsler. La théorie sous-jacente est semblable à celle qui sous-tend la plupart des travaux de Cattell, car elle embrasse à la fois des facteurs psychologiques, biologiques et sociaux. Elle suppose que la baisse des capacités fluides est liée à certaines dimensions neuro-psychologiques sous-jacentes et que ces dernières sont déterminées par la génétique. L'intelligence cristallisée, par contre, est intimement liée à l'expérience qui, elle, se rattache étroitement non seulement au temps vécu mais aussi aux avantages dont le sujet a pu bénéficier. Reprenant l'analyse des données de Schaie et Baltes, Horn et Donaldson (1977) ont émis l'opinion que ces données présentent une diminution des formes fluides négligées par les auteurs ; ils ont aussi exprimé des réserves, pour des raisons d'ordre méthodologique, sur la validité des données recueillies.

Les études plus récentes (Schaie, 1989a, 1989b) mettent l'accent sur la proportion des individus dans un échantillon de sujets qui maintiennent le même niveau de performance intellectuelle quand ils sont évalués plus tard dans leur vie. Schaie (1989b) met en évidence, dans une étude longitudinale, que de 60 à 85 % de tous les participants ne subissent aucune diminution de l'intelligence lorsqu'on compare les résultats du début de l'étude et ceux qui sont observés sept ans plus tard. Peu de sujets subissent un affaiblissement de l'intelligence entre 60 et 67 ans, et seulement un tiers des participants souffrent d'un déclin dans la portion d'âge comprise entre 67 et 74 ans ; parmi les personnes de 81 ans, seulement 30 à 40 % ont vu diminuer leur résultat aux tests d'intelligence.

Les études de Terman sur la vie des enfants surdoués

En 1921, Lewis Terman entreprit une étude des sujets surdoués qui devait durer plusieurs dizaines d'années. Ses deux échantillonnages de départ, choisis en 1921-1923 et en 1927-1928, se composaient d'enfants surdoués, au nombre de 1 528. Terman les suivit pendant de nombreuses années et leur appliqua une batterie de tests exhaustive en 1936, 1940 et 1945. Ses résultats montrent que, d'une façon générale, presque tous les traits souhaitables imaginables (santé physique et mentale, force physique, réussite, renommée, etc.) sont en rapport direct avec le QI. Cette étude a finalement enterré le préjugé voulant que les génies soient des êtres bizarres, affligés de toutes sortes d'anomalies corporelles et mentales.

En 1947, Terman et Oden firent paraître *The Gifted Child Grows Up : Twenty-Five Years' Follow-up of a Superior Group.*

Dans un chapitre de ce livre comportant des statistiques très détaillées, Quinn McNemar analyse la différence entre les résultats obtenus par le groupe lors de la première évaluation et celle de 1945. A partir des résultats du test Stanford-Binet, il constate que le QI baisse en moyenne de 8 à 10 points environ, fait qu'il attribue, pour la plus grande partie, aux erreurs de mesure plutôt qu'à une évolution réelle du QI. Cette conclusion amena Terman à insérer à la fin du chapitre une note dans laquelle il ajoutait que cette chute était moins importante en réalité et que, de toute façon, elle était imputable aux difficultés d'évaluation. C'est ainsi que dès les premières recherches de Terman on n'enregistrait qu'une faible diminution des cotes globales du test d'intelligence Stanford-Binet. En dépit de cela, l'idée que l'intelligence se perd avec le temps a persisté longtemps.

Les difficultés de la recherche sur l'intelligence et le vieillissement

Les recherches dans ce domaine ne se heurtent pas seulement à la difficulté de distinguer les variables telles que l'âge, l'époque des relevés, l'influence de la cohorte, mais aussi aux obstacles que rencontrent les recherches longitudinales en général. L'espace ne nous permet certes pas d'exposer ici toutes les variables susceptibles de nuire à la bonne marche d'une étude destinée à s'étaler sur un grand nombre d'années. Nous examinerons cependant certains problèmes afin de donner une idée de la question au lecteur, qui en trouvera, par ailleurs, un développement plus long dans le chapitre sur la méthodologie de la recherche.

Une étude longitudinale s'étend sur une période de temps très longue, au cours de laquelle surviennent toutes sortes de choses qui ont une incidence sur les expériences mais qui échappent complètement à la volonté du chercheur. L'évolution des tests, les changements de personnel, les événements historiques sont autant de facteurs qui forcent le chercheur à prendre des décisions souvent fort difficiles. Par exemple, il peut choisir un test qui semble excellent au départ, mais celui-ci est plus tard supplanté par un test différent ou une version améliorée du même test. Afin de s'assurer que ses résultats seront comparables, le chercheur devrait choisir de redonner le même test, mais cela veut dire qu'il emploiera peut-être alors un test qui n'est plus en usage. Le personnel varie aussi au fur et à mesure que les étudiants obtiennent leur diplôme et partent. Si le nouveau technicien est un homme plutôt qu'une femme, très beau au lieu d'être ordinaire, chaleureux alors que l'ancien était distant, étranger ou d'une race différente, et le reste, cela aura sûrement une incidence sur les données. La motivation des sujets variera aussi selon que le prestige de l'université et de la recherche sera en hausse ou en baisse.

Parmi les variables qui ont retenu l'attention des auteurs concernés par la recherche sur l'intelligence et le vieillissement, citons l'usure sélective. Avec le temps, certains sujets cessent de participer à l'expérience. Ces abandons peuvent être liés aux variables à l'étude ou leur être parfaitement étrangers. La question se pose alors de savoir s'il convient de remplacer les sujets qui s'éliminent. La réponse n'est pas simple car si la raison de l'abandon est sans rapport avec les variables étudiées, les données ne s'en ressentiront pas. Par contre, si les abandons sont motivés par des raisons liées aux variables étudiées, l'effet peut en être positif ou négatif. Par exemple, si l'on cherche à évaluer l'état de santé au cours de la vie des sujets, on découvrira peut-être que ceux qui cessent de se présenter sont précisément les malades ou ceux qui sont morts. Ce fait constitue un facteur de sélection positif, qui peut fournir des données indiquant une amélioration de la santé avec le vieillissement. Le poids, d'autre part, est en rapport inversement proportionnel avec la longévité de sorte que le poids moyen dans un échantillonnage peut diminuer du fait que les sujets obèses ont un taux de mortalité plus élevé que les autres. La situation se complique encore davantage par le fait que la différence entre les cohortes peut avoir une incidence différentielle sur les variables (voir Baltes, 1968). Les effets de cette nature sont extrêmement complexes et appellent des recherches à long terme et fort délicates.

La résolution des problèmes

Dans une recension des recherches sur la cognition et le vieillissement qu'il rédigea en 1973, Arenberg annonce qu'en dépit du peu de travail effectué dans ce domaine il fera une large place à la résolution des problèmes en raison de l'importance de cette question. Quatre ans plus tard, Rabbit (1977) se plaint encore que trop peu de choses aient été écrites sur la résolution des problèmes et le vieillissement.

Rabbit met en garde contre le simplisme naïf de ceux qui, abordant la question de la résolution des problèmes chez les adultes à la lumière des théories de Piaget, semblent avancer que l'évolution dont s'accompagne le vieillissement n'est ni plus ni moins que l'image spéculaire du développement initial. Cette attitude est celle de Storck, Looft et Hooper (1972), qui maintiennent dans leurs conclusions que le « développement normal » à un âge avancé va dans le sens inverse des acquisitions chez l'enfant.

Le travail de Piaget auprès des enfants est actuellement sujet à controverse, puisque certains des changements qu'il décrit semblent être dus, en partie, à la nature du problème présenté, aux instructions données et au cadre dans lequel se déroulent les expériences. Si ces variables sont de fait la cause principale des différences chez les jeunes enfants, elles pourraient également influer sur les changements ou « inversions » déjà observés au cours de leur utilisation avec des sujets plus âgés.

Un des problèmes que soulève ce type de recherche auprès des gens âgés réside dans le caractère futile ou ésotérique de certains tests. Souvent le sujet âgé reçoit une série de jetons et se voit demander d'accomplir une tâche totalement dénuée d'intérêt. Arenberg (1973) croit que cet artifice de laboratoire explique une grande partie des différences observées entre les sujets jeunes et âgés.

Il est relativement bien établi (Rabbit, 1977) que non seulement les sujets âgés réussissent moins bien que les plus jeunes à résoudre les problèmes posés, mais qu'ils utilisent différemment l'information obtenue et ne profitent pas autant des instructions de départ et de la rétro-information. De fait, ils ne semblent pas capables de filtrer les informations non pertinentes et peuvent poser beaucoup de questions redondantes ou hors de propos. Arenberg (1973) conclut, dans sa recension des ouvrages de Wetherick (1966) et d'autres auteurs, que les personnes âgées font de nombreuses erreurs d'interprétation, prenant les indications négatives pour des indications positives. Cela ne veut pas dire que leur comportement soit rigide mais plutôt que l'interprétation de l'information en retour est fausse. Ce ne sont pas non plus leurs croyances qui sont fixées une fois pour toutes. Il semble plutôt que les sujets ne perçoivent pas les nouvelles indications qui leur feraient normalement changer d'avis en leur démontrant leur erreur. Dans cette optique, c'est l'incapacité de traiter l'information nouvelle qui entraîne la rigidité.

Essentiellement, les recherches effectuées jusqu'à ce jour

démontrent que, comparativement aux sujets plus jeunes, les personnes âgées sont moins aptes à organiser et intégrer l'information ; c'est la principale raison pour laquelle elles réussissent moins bien les tâches de résolution de problèmes. L'absence de motivation due à la futilité des tâches et à l'ennui qu'elles provoquent a aussi un rôle à jouer. Les recherches concernant l'incapacité de modifier après coup le choix d'une tactique tendent à appuyer le concept de la cristallisation de l'intelligence présenté plus tôt.

Métacognition

On appelle métacognition la conscience qu'ont les sujets de leurs fonctions mentales (Flavell, 1979, 1981). Depuis un certain temps, les auteurs commencent à manifester un intérêt croissant pour cette forme de conscience qui s'accompagne du sentiment d'avoir prise sur ses propres fonctions cognitives (Lefebvre-Pinard et Pinard, 1982). La plupart des chercheurs font porter leurs études sur les moyens par lesquels le sujet s'efforce d'améliorer les résultats qu'il obtient dans l'accomplissement des tâches intellectuelles (voir Meichenbaum, 1980). Ces chercheurs supposent que la mémoire et l'intelligence, par exemple, sont reliées au comportement par des mécanismes conscients qui nous permettent de nous rendre compte de la façon dont nous agissons et dont nous pensons, ainsi que d'exercer une certaine forme d'autorégulation. Ils ne voient pas dans l'être humain une victime qui subit passivement les conséquences de ses défauts, soulignant au contraire qu'il est capable de tirer parti de ses avantages et de compenser par des mesures appropriées les effets de ses faiblesses (Lefebvre-Pinard et Pinard, 1982).

La nature de la métacognition et le rôle qu'elle joue dans les conduites donnent lieu d'ores et déjà à des discussions théoriques d'une ampleur considérable. Néanmoins, les recherches sur les applications de la théorie métacognitive n'en sont encore qu'à leurs débuts et portent le plus souvent sur l'acquisition des capacités métacognitives chez les enfants, capacités qui leur permettent d'utiliser des mécanismes autorégulateurs pour améliorer les résultats qu'ils obtiennent dans l'accomplissement de diverses tâches d'ordre cognitif. Les recherches sur la métacognition devraient s'accélérer dans un avenir rapproché et trouver une application dans le développement de techniques propres à permettre aux personnes âgées de compenser les déficits cognitifs dont il a été question dans la première partie de ce chapitre.

La sagesse

Les premiers écrits sur la sagesse datent de l'an 3000 avant J.-C. en Egypte. Selon les Egyptiens, on reconnaît une personne sage à ses connaissances sur la nature de la vie humaine et sur une bonne conduite de vie (Birren et Fisher, 1990). Dans la Bible, la personne sage est celle qui est capable de déterminer ce qui est convenable et approprié, et d'agir selon ses croyances. En français, le mot sagesse est associé à l'idée de modération et de prudence dans la conduite de l'individu ; un enfant sage est docile et tranquille. Jusqu'à récemment, les psychologues ont généralement ignoré le concept de sagesse lorsqu'il a une connotation positive : qualité supérieure de connaissance de la vie, capacité à donner des conseils avisés ou connaissance approfondie de la nature de la vie des êtres humains. Ils ont préféré s'en tenir à des concepts plus « neutres » ou « scientifiques », comme l'intelligence ou la résolution de problèmes. Néammoins, dans toutes les cultures, certaines personnes sont reconnues comme étant des sages, et on a souvent associé la sagesse au vieillissement.

Le seul théoricien qui ait inclus la sagesse dans sa théorie du développement est Erikson (Erikson, Erikson et Kivnik, 1986). Selon lui, la sagesse est une vertu qu'on peut acquérir une fois franchi le stade socio-émotionnel, le conflit entre l'intégrité et le désespoir. Kohlberg, dans sa théorie du développement moral, a ajouté un septième stade du développement, le changement de perspectives que constitue l'étape de vie où le raisonnement moral se manifeste par une identification à l'univers. Récemment les chercheurs en psychologie ont commencé à étudier la sagesse selon deux perspectives. Certaines études ont pour objectif de préciser les caractéristiques des personnes considérées comme sages dans une culture donnée ; d'autres sont menées pour permettre d'évaluer les caractéristiques que les chercheurs ont reconnues comme étant des qualités de sagesse et d'étudier l'utilisation de ces caractéristiques.

Selon les recherches permettant de qualifier les personnes de sages, le concept de « sagesse » se modifie au cours du développement adulte (Clayton et Birren, 1980). Chandler et Holliday (1986) considèrent comme « sages » des personnes dotées d'une compréhension exceptionnelle, d'un bon jugement, d'une large polyvalence, d'habiletés interpersonnelles et d'une grande discrétion dans leurs affaires sociales. Sternberg (1985) a dressé une liste de tous les comportements que les professeurs d'art, de philosophie et de physique croyaient être caractéristiques d'une personne idéalement intelligente dans leur spécialité et dans la population en général. Cette recherche et d'autres études montrent que la définition de la sagesse varie selon les professions (Chi, Glaser et Rees, 1982 ; Cronbach, 1984 ; Keil, 1984). Il y a aussi une énorme différence d'interprétation du concept de sagesse dans les cultures occidentale ou orientale. La sagesse dans le bouddhisme est conçue comme contemplative, passive et intuitive (Thomas, 1991 ; Taranto, 1989). Selon les bouddhistes, le sage cultive généralement le détachement social et la vie intérieure, sans souci du quotidien, dans l'acceptation de la mort. Dans la culture occidentale, la sagesse est définie comme une capacité pratique d'agir d'une manière réfléchie dans la vie quotidienne ou de conseiller les autres avec discernement.

L'équipe de recherche qui a le plus étudié la sagesse est celle de Baltes et de ses collègues à l'Institut Max Planck de Berlin (Baltes et Smith, 1990 ; Maciel, Sawarka, Smith, Stolinger et Baltes, 1993 ; Baltes et Stolinger, 1993 ; Dittman-Kohli et Baltes, 1990 ; Smith et Baltes, 1990). Baltes et Smith définissent la sagesse comme l'expérience acquise dans les domaines pragmatiques de la vie, tels que la planification et la réflexion sur la vie. La sagesse est une qualité qui requiert de vastes connaissances pratiques des aspects quotidiens de la vie. La sagesse peut être associée au vieillissement, en ce sens qu'avec l'âge on accumule de plus en plus de connaissances sur la vie. Dans une recherche « typique » de cette équipe (Staudinger, 1992), les chercheurs présentent l'histoire d'un personnage fictif qui réfléchit sur la propre évolution des choix qu'il a faits, par exemple celui d'une vie familiale traditionnelle au détriment d'une carrière professionnelle. Le chercheur demande aux participants de livrer leurs réflexions par rapport à cette situation. Les réactions des sujets sont ensuite cotées selon une grille de sagesse qui utilise cinq critères : 1 / connaissance de la nature de la vie humaine, et différences dans les trajectoires de vie, 2 / connaissance des stratégies utilisées pour prendre des décisions ; notamment l'analyse des dépenses par rapport aux bénéfices, et celle des objectifs par rapport aux moyens de les atteindre ; 3 / intégration dans un contexte ou modèle de développement ; 4 / approche relativiste selon laquelle l'objectif, la valeur, etc., sont liés au contexte individuel et culturel et 5 / l'incertitude — une conscience qu'il existe une partie de la vie qu'on ne peut pas prévoir ou déterminer. Cette recherche a révélé que, quand un personnage fictif dans une histoire est une personne âgée, les sujets âgés réagissent à l'histoire de façon plus sage.

Auparavant, l'accumulation des expériences pouvait facilement aider un individu à mieux maîtriser les situations de la vie. Aujourd'hui, on peut se demander si la sagesse dans la vie professionnelle et dans celle des gens d'affaires est moins liée à l'accumulation des expériences à cause des changements rapides de la technologie. De nos jours, ce sont des jeunes qui ont généralement une meilleure connaissance des nouvelles technologies et les personnes âgées peuvent sentir que leurs capacités sont dépassées par le progrès technologique. Si nous définissons la sagesse plutôt d'après les situations de vie et les capacités de résoudre des problèmes de vie, d'après la connaissance de différents contextes, valeurs et priorités et en fonction de la nature incertaine de la vie humaine, on peut concevoir que la sagesse soit associée au vieillissement. Jusqu'à présent, la plupart des études ont utilisé des situations fictives et l'évaluation psychologique pour étudier la sagesse. Un vrai sage devrait être capable d'agir de façon réfléchie dans sa vie personnelle ou de donner des conseils aux autres avec une grande sagesse. Il serait intéressant de savoir comment la sagesse s'exprime dans la vie quotidienne en dehors des critères des laboratoires de psychologie. L'intérêt accru des recherches dans ce domaine nous apportera dans les prochaines années une meilleure connaissance des personnes considérées comme étant sages ainsi que des comportements de sagesse dans différentes sociétés.

Créativité

Les recherches relatives à la créativité au cours de la vie ont porté plus souvent sur la *quantité* des œuvres produites que sur leur qualité. Lehman (1953) a fait œuvre de pionnier en s'intéressant à la qualité plutôt qu'à la quantité. Dans son étude sur le pourcentage des œuvres de qualité produites par des personnages célèbres à divers moments de leur vie, il a découvert que les années les plus productives sont celles de la trentaine, après quoi la qualité de la production diminue assez régulièrement.

Utilisant un autre mode d'approche, Dennis (1966) compte le *pourcentage de la production totale*, par décennie de personnages célèbres regroupés selon leurs champs d'intérêts et obtient les résultats de la figure IV-3.

FIG. IV-3. — Pourcentage de la production globale en fonction de l'âge
(Les humanités, les sciences et les arts
sont représentés par certaines disciplines)
(Adapté et reproduit avec l'autorisation de Dennis, *Journal of Gerontology*, 1966)

Dans le domaine des arts et les sciences, la courbe présente un sommet initial suivi d'une chute, tandis qu'elle s'élève de façon à peu près constante dans le domaine des humanités. Ce phénomène est attribuable en partie au fait que la période de préparation nécessaire avant de pouvoir accomplir un travail valable est plus longue pour les scientifiques. Il se peut aussi que les chercheurs connus trouvent plus facilement à faire publier leurs travaux que les jeunes, qu'il leur soit plus facile de s'imposer après leur premier succès. Il est cependant important de considérer les vastes différences individuelles qui doivent exister dans ces données. Que l'on songe à Picasso et à l'énorme production de la fin de sa vie. Churchill et bien d'autres ont aussi été productifs jusqu'à 80 ou 90 ans. La créativité est certes un produit du cerveau, mais elle est aussi un état d'esprit.

Emotions, motivation et personnalité

Les clichés concernant l'affectivité, la motivation et la personnalité des personnes âgées sont nombreuses. Les personnes âgées sont-elles plus ou moins émotives, plus ou moins motivées par le travail que les jeunes ? Leurs sentiments intérieurs et la structure de leur personnalité diffèrent-ils de ceux des jeunes ?

Les réponses à ces questions sont intrinsèquement limitées par la nécessité de distinguer la différence entre les cohortes ou générations d'une part, et l'évolution due à l'âge ou à la maturation d'autre part. Malheureusement, ces importantes questions ont rarement été soumises à un examen scientifique rigoureux, et la différence entre les cohortes demeure un champ qu'il sera important d'explorer dans l'avenir. Cependant, l'état présent des connaissances dans ce domaine est encourageant puisque peu d'effets néfastes sont rapportés dans la littérature.

L'émotion

Quoique l'affectivité occupe une place importante en psychologie, les principales recensions de rapports de recherche en gérontologie parues récemment n'en font mention qu'en passant. Le livre de Birren et Schaie (1977) et celui d'Eisdorfer et Lawton (1973), qui totalisent 1 500 pages, n'en font état que très brièvement. Il est cependant facile d'évoquer tout un ensemble d'images peu flatteuses représentant les personnes âgées comme difficiles, irritables, et souvent désagréables ou d'humeur triste. De même, la dépression (qui est un état affectif aussi bien qu'un syndrome) et l'humeur labile (humeur changeante parfois associée au syndrome cérébral organique) sont fréquentes chez les personnes âgées. Elias et Elias (1977) ont consacré pas mal de temps au thème de l'« émotion », mais ils ont défini celle-ci comme un état d'excitation physiologique, ce qui ne correspond pas exactement à ce que nous entendons par « émotion » puisque l'amour, la haine, la joie, etc., peuvent être considérés comme des émotions semblables au point de vue de l'excitation. La différence qualitative entre les divers sentiments ne semble pas avoir été étudiée.

L'image des vieilles personnes irritables et tristes est-elle bien vraie ? Si l'on considère plutôt ce qu'elles disent elles-mêmes, il semble au contraire que les états affectifs négatifs diminuent tandis que les états plus positifs tendent à se stabiliser.

Jusqu'à présent il n'existe aucune preuve que la vie affective des personnes âgées soit meilleure ou pire que celle des personnes plus jeunes. Il se peut que les plus importants facteurs en cause soient semblables à ceux qui déterminent la satisfaction générale, la santé et le revenu. La remarquable pauvreté des recherches dans le domaine de l'affectivité et de son expression chez l'adulte appelle un effort concerté au cours des prochaines années, parce que de nombreux états négatifs sont étroitement associés aux désordres psychosomatiques, voire même au cancer. Concernant ce dernier point, plusieurs chercheurs (Greene, 1954 ; Leshan et Worthington, 1955, 1956 ; Schmale et Iker, 1966 ; Kissen, 1963, 1969) ont présenté des données tendant à prouver que le stress prolongé, la répression des émotions et la dépression sont associés à l'apparition du cancer. Cependant, il est impossible de déterminer si ces états sont à l'origine de la maladie ou bien s'ils en sont la conséquence naturelle. Birren et Renner (1977) ont fait rapport sur ces études et concluent qu'elles sont importantes, mais soulèvent des problèmes méthodologiques. Il reste que l'étude la plus récente est vieille de dix ans, et qu'aucun chercheur ne semble avoir recueilli les données nécessaires pour résoudre les problèmes méthodologiques associés aux études antérieures. C'est dans le domaine de l'affectivité, peut-être plus encore que dans tout autre domaine abordé dans ce livre, que l'insuffisance des recherches se fait le plus cruellement sentir.

Motivation

L'étude de la motivation porte habituellement sur trois éléments, à savoir : *a* / le mobile ou le but du comportement, *b* / le niveau d'excitation de l'organisme et *c* / l'état physiologique ou psychologique qui stimule l'organisme et le pousse à tendre vers un but. Voici comment Elias et Elias (1977) imaginent ce processus : un besoin psychologique fait naître une pulsion (une poussée) qui donne lieu à des activités dirigées vers des buts spécifiques.

Bien qu'on puisse espérer que les études sur la motivation trouvent de nombreuses applications pratiques, comme par exemple les effets de la motivation sur la productivité au travail, peu de recherches appliquées auprès des êtres humains ont été entreprises à ce jour, et la plupart des chercheurs dans ce domaine se sont contentés d'étudier les fonctions essentielles chez les animaux. Dans sa recension des recherches sur le vieillissement des animaux, Jakubzak (1973) a fait remarquer que ces recherches manquent d'organisation.

Le niveau d'excitation

La première étape de toute étude sur la motivation consiste à examiner le niveau d'activité générale ou niveau d'excitation. Il semble assez certain qu'avec l'âge celui-ci s'affaisse de façon assez marquée chez les animaux et les êtres humains. Elias et Elias (1977) ont recensé la littérature sur la psychologie animale et ont trouvé que la course dans la roue, très employée pour estimer le niveau d'activité général des rats, accusait une diminution à partir de la maturité, soit vers l'âge de 2 ans. Cependant, ils ne sont parvenus à tirer que fort peu de conclusions des nombreux rapports qu'ils ont étudiés, en raison de la diversité des méthodes et des positions théoriques, et parce qu'un trop grand nombre de variables n'avaient pas été contrôlées au moment des expériences. Les études sur le niveau d'activité générale chez les êtres humains révèlent que les jeunes sont plus actifs au travail et dans les activités obligatoires hors de la maison que ne le sont les personnes âgées. Celles-ci tendent également à passer plus de temps que les jeunes à se reposer, à lire et à regarder la télévision (Chapin et Brail, 1969). L'interprétation de ces résultats soulève des problèmes considérables puisqu'ils proviennent d'études « transversales » et peuvent de ce fait révéler une différence entre les cohortes plutôt qu'une évolution due à l'âge. Même les études longitudinales peuvent être difficiles à interpréter puisque les niveaux d'activité sont étroitement liés à la condition socio-économique, à l'instruction, ainsi qu'à d'autres variables, plutôt qu'au vieillissement proprement dit.

Le niveau d'activité générale se mesure habituellement par l'observation directe et l'interrogation des sujets concernant le genre et le nombre de leurs comportements. Le niveau d'excitation, par ailleurs, est généralement considéré comme un *état interne*. On suppose qu'un affaissement général du niveau d'excitation est à l'origine de la diminution de l'activité chez les sujets âgés. Il existe cependant une hypothèse contraire : Eisdorfer (1967), pour sa part, croit que les déficits de l'activité chez les personnes âgées sont imputables à l'élévation du niveau d'excitation ou surstimulation.

Un certain nombre de rapports de recherche confirment l'hypothèse d'une insuffisance excitatoire. Plusieurs d'entre eux font état d'une diminution de la capacité d'apprendre de nouveaux comportements sous l'effet du conditionnement classique. D'autres formes d'expérience, comme celles qui consistent à faire apprendre au sujet à modifier son réflexe psychogalvanique (RPG) et son rythme cardiaque, révèlent également un ralentissement avec l'âge. Dans l'hypothèse de la *surstimulation* les chercheurs croient que le niveau d'activité du système nerveux autonome (SNA) se démontre en mesurant l'acide gras libre présent dans le sang (AGL) (voir Bogdonoff, Estes, Friedberg et Klein, 1961). En utilisant l'AGL comme indicateur de l'activité du SNA, Eisdorfer (1967) a élaboré une théorie voulant que la diminution de l'activité chez les personnes âgées soit due en grande partie à la *surstimulation* du SNA. Peut-être la théorie de l'insuffisance excitatoire et celle de la surstimulation sont-elles vraies toutes les deux. Il se peut en effet que le niveau d'excitation *général* et *potentiel* des personnes âgées soit inférieur, mais qu'elles « sur-réagissent » à certaines formes de stress plus que ne le font les jeunes. Il est également possible que ces interactions fassent augmenter l'AGL et qu'elles portent l'excitation à un niveau supérieur au niveau général ou habituel.

On semble généralement s'entendre pour dire que le niveau d'excitation de même que le niveau d'activité générale est inférieur chez les sujets âgés, mais ce dont nous avons besoin, c'est une série complète d'études afin d'intégrer les données relativement disparates et isolées dont nous disposons à l'heure actuelle. La théorie d'Eisdorfer appelle de nouvelles études afin qu'on sache, d'une part, si la stimulation est relative ou générale et, d'autre part, si la différence dans l'utilisation des lipides qui se manifeste avec l'âge peut expliquer en partie certains des résultats obtenus.

Le genre d'activité

Nous avons mentionné plus haut que les personnes âgées tendent à avoir des activités différentes de celles des jeunes. De nombreuses études indiquent que les personnes âgées ont moins d'activités dans l'ensemble et qu'un plus haut pourcentage de celles-ci se range dans la catégorie des « loisirs » par opposition au « travail » ou aux « obligations ». Dans quelle mesure les différences rapportées sont-elles dues à l'occasion ou à son absence ? La question est délicate. Les personnes jeunes profiteraient sans doute davantage de leurs loisirs si elles en avaient le temps et l'argent, et les personnes âgées travailleraient peut-être davantage si elles n'étaient pas obligées de prendre leur retraite, si elles ne risquaient pas de perdre leurs prestations de sécurité sociale ou, dans d'autres cas, si elles étaient en meilleure santé. Quoi qu'il en soit, le rapport entre le niveau d'activité et la satisfaction n'est pas parfait. Certaines personnes actives sont malheureuses tandis que certaines personnes inactives sont relativement heureuses. Le fait est que la satisfaction et le mécontentement sont à peu près également répartis parmi les personnes actives et les personnes inactives.

Jusqu'à ce qu'on connaisse mieux les rapports qui existent entre les effets de la cohorte, du moment des relevés et de l'âge, il est probablement raisonnable de dire que l'excitation générale et l'activité décroissent avec l'âge, du moins en ce qui concerne la présente cohorte de personnes âgées. Des recherches plus poussées sont nécessaires si on veut connaître la nature des déficits et leurs rapports aux autres déficits, notamment aux modifications du comportement rapportées dans la littérature sur le vieillissement.

Changements de la personnalité avec le vieillissement

La personnalité se définit de bien des façons. La définition la plus courante est celle d'Allport, qui remonte à plus de quarante années et se lit comme suit : « l'organisation dynamique interne des systèmes psychologiques de l'individu qui déterminent son ajustement propre à son environnement » (1937)*. C'est à la suite d'une minutieuse étude de 49 acceptions des mots « persona » et « personnalité » qu'Allport est arrivé à cette définition, ce qui explique sans doute qu'elle fasse encore autorité.

Les théories de la personnalité se répartissent en trois groupes, à savoir, les théories psychodynamiques (y compris celle des freudiens et des néo-freudiens), les théories behavioristes et les théories humanistes. En simplifiant beaucoup, nous pouvons dire que les partisans de la théorie psychodynamique insistent sur les déterminants inconscients et historiques de la personnalité ; les behavioristes, sur les conditions d'apprentissage et l'environnement ; enfin, les humanistes, sur la liberté et les objectifs de la personne. Jusqu'à

* C'est nous qui traduisons.

présent, peu d'auteurs ont écrit sur la personnalité des personnes
âgées, sauf peut-être Freud, dont les interprétations sont passable-
ment pessimistes, et qui estimait que la personnalité adulte est
envahie par le matériel inconscient à un point tel que les personnes âgées sont incapables d'évoluer ou de profiter d'une intervention thérapeutique. Malgré que les théories de la personnalité accordent peu de place à la personne âgée, elles vont néanmoins nous
permettre d'examiner les éléments que chacune met en évidence.

Allport concevait le développement de la personnalité comme
un processus de différenciation continue (voir la figure IV-4). Il
reprend la formule de Lewin (1931), qui représentait la nature des
structures internes à l'aide d'illustrations graphiques. Notons que
la personnalité âgée est caractérisée par une complexité ou différenciation plus grande que celle des jeunes. Cette différenciation
croissante s'explique par la plus grande expérience des personnes
âgées et une meilleure maîtrise des pulsions.

PETITE ENFANCE   ENFANCE   AGE ADULTE

FIG. IV-4. — Différenciation des appareils fonctionnels selon Allport, 1937.

Depuis l'ouvrage classique de William James (1890), psychologues et sociologues se sont intéressés au concept de la multiplicité des Soi. Chacun possède la capacité de présenter différents Soi,
selon la situation dans laquelle il se trouve. Le Soi qui se manifeste
dans une situation donnée dépend en grande partie de la perception qu'a le sujet de son rôle ainsi que des normes qui gouvernent
ce rôle. Par exemple, même les personnes qui sont généralement
silencieuses parlent plus que les autres lorsqu'elles se voient assi-
gner le « rôle » d'animateur dans un groupe. Ce qui convient à une
situation ne convient pas nécessairement à une autre. Si un professeur donne un cours à ses étudiants, ce qu'ils attendent de lui,
son comportement sera perçu et considéré comme normal, mais s'il

se met à discourir sur la recherche expérimentale au beau milieu d'un repas de famille (ce qui, malheureusement, peut se produire dans les familles de professeurs !), sa conduite risque d'être mal accueillie et même de donner lieu à des comportements de fuite ou d'hostilité de la part de la famille. Les personnes âgées ont en général moins de rôles qu'auparavant et ces rôles leur confèrent aussi moins de pouvoir et d'importance, ce qui modifie leur comportement et leur perception d'elles-mêmes. Il en est ainsi parce que la conception de notre Soi provient en grande partie de la façon dont autrui réagit à notre égard dans les divers rôles que nous assumons, c'est-à-dire à notre « Soi spéculaire », selon l'expression de George Herbert Mead (1953). L'idée que nous nous faisons de notre Soi est donc influencée par notre histoire personnelle ainsi que par les circonstances particulières qui déterminent en partie les rôles que nous jouons et les réactions d'autrui.

Etant donné que la personnalité adulte diffère de la personnalité jeune, il convient d'examiner la nature de cette différence. Dans l'une de ses premières tentatives pour définir la *personnalité mature*, Allport (1937 et 1961) a isolé six traits qui semblent caractéristiques de la personnalité « mature », par opposition avec ce qu'on pourrait appeler simplement la personnalité âgée.

Ces traits sont les suivants :

1 / un sentiment de soi bien développé ;
2 / la capacité d'entretenir des rapports chaleureux avec autrui, que la relation en soit une d'intimité ou non ;
3 / une sécurité émotive foncière alliée à l'acceptation de soi ;
4 / une disposition à percevoir, à penser et à agir avec enthousiasme à l'égard de la réalité extérieure ;
5 / l'auto-objectivation, la pénétration *(insight)* et le sens de l'humour ;
6 / une vie accordée à une philosophie unifiante de la vie.

Notons que cette image de la personnalité est liée à certaines valeurs et représente un idéal plutôt que la réalité. Ces traits peuvent se trouver réunis chez certaines personnes jeunes tandis qu'ils sont absents chez certaines personnes âgées.

Si nous admettons que les personnes âgées sont plus différenciées et ont une plus vaste expérience que les jeunes, nous devons supposer que leurs personnalités sont d'autant plus singulières et que la différence de personnalité entre les personnes âgées doit être plus marquée que chez les jeunes. Mais, même là, la différence des cohortes risque d'intervenir. Peut-être les personnes qui sont vieilles aujourd'hui ont-elles connu des expériences plus diversifiées au cours de leur jeunesse, ce qui expliquerait la grande différence des personnalités qu'on observe parmi la génération actuelle des personnes âgées. La jeune génération actuelle a parcouru le monde, ne serait-ce qu'en regardant la télévision, et entendu parler de choses qui n'effleuraient même pas l'esprit de leurs grands-parents ; les voyages et tant d'autres expériences se multiplient, et même si le monde change sans doute trop vite au goût des vieux, cette évolution rapide semble parfaitement naturelle aux jeunes. Ces expériences fort variées sont cependant partagées par toute la jeune génération, ce qui la rend, de fait, plus homogène.

Les trois écoles de pensées, à savoir psychodynamique, behavioriste et humaniste, peuvent interpréter différemment les causes de la différence de personnalité entre les jeunes et les vieux. Les unes et les autres sont en présence d'un même ensemble de fait ; simplement, elles les regardent à travers des verres différents et attachent plus d'importance à telle cause plutôt qu'à telle autre. Dans la perspective psychodynamique, le théoricien soulignerait la grande quantité de matériel inconscient résiduel présent chez la personne âgée et ferait l'hypothèse que le manque d'énergie est imputable au refoulement et au maintien de l'équilibre général du système. Le behavioriste, pour sa part, insisterait sur l'histoire du conditionnement qui, étant plus longue, a pu donner lieu à l'acquisition d'un comportement en réponse à telle situation alors qu'il instaurait un comportement stéréotypé en réponse à telle autre. L'humaniste enfin considérerait l'avenir qui fuit et le sens du Soi diminué, et expliquerait le comportement présent en fonction des perspectives d'avenir. Mais chacune de ces écoles étudie le même organisme avec sa longue histoire et son faible taux de réponses. Les sociologues et les théoriciens d'orientation sociale, qui appartiennent à l'une ou l'autre de ces écoles, s'empresseraient de souligner la perte des rôles joués par les personnes âgées et le sentiment d'anomie qui se développe dans une situation qui ne comporte pas de normes.

Pour être complète, l'étude de la personnalité âgée devrait couvrir trois sortes de changements : *1* / évolution interne (états émotifs, pensées et conception de soi) ; *2* / comportement externe (réponses ou absence de réponses dans les situations nouvelles et anciennes), et *3* / milieu externe (rôles et autres formes de pression).

Lawton (1970) a présenté un tableau hiérarchisé de l'organisation individuelle (voir figure IV-5), qui permet de croire à l'existence d'une interaction précise entre le milieu et la santé physique et mentale. Si le comportement nécessaire au maintien de la vie diminue ou si la santé fonctionnelle s'affaiblit, les éléments supérieurs du schéma en seront affectés. Nous aimerions souligner que l'individu peut également présenter une diminution des éléments situés à gauche du diagramme par suite de défaillances survenant du côté droit. Par exemple, si le sujet se voit privé des moyens d'exprimer un leadership créateur et d'aimer, il risque de présenter un plus grand nombre de symptômes physiques, et de perdre du même coup la volonté de prendre soin de lui-même.

Holmes et Rahe (1967) ont démontré que le stress provenant du milieu peut causer des difficultés physiques. Or les facteurs de stress augmentent avec l'âge. Ces observations s'accordent avec ce que nous avons déjà dit concernant les rapports entre l'affectivité et le cancer. Il est à supposer qu'en vieillissant les gens auront davantage d'expériences négatives ou de crises qui affecteront leur santé générale. A son tour, celle-ci peut s'altérer, ce qui entraîne une diminution de la capacité d'exprimer les éléments situés du côté droit du diagramme de Lawton. Nous ne devons cependant pas oublier que le fait d'isoler ainsi la personnalité, le milieu, les rôles et le reste, comporte quelque chose d'extrêmement artificiel. En fait, c'est l'interaction continuelle de tous ces facteurs qui produit la personne humaine dans sa totalité.

Introversion, intériorité et vieillissement

Freud a très peu à dire à propos de la personnalité adulte et ce n'est que récemment que ses successeurs les plus orthodoxes se sont aventurés dans cette sphère (*e.g.* Berezin et Cath, 1965 ; Levin et Kahana, 1967). Les psychanalystes des premiers temps se contentaient d'observer les événements psychosexuels survenus après la puberté et leur effet sur le Moi (*e.g.* Deutsch, 1944, 1945 ; Bibring, 1959 et Benedek, 1950, 1959 et 1970). Carl Gustav Jung (Jung, 1933) fut cependant une exception notable dans ce domaine, de même que dans bien d'autres. C'est lui en effet qui postula que le développement de la personnalité a pour objet d'intégrer les différents sous-systèmes de la personnalité en un tout significatif à l'aide

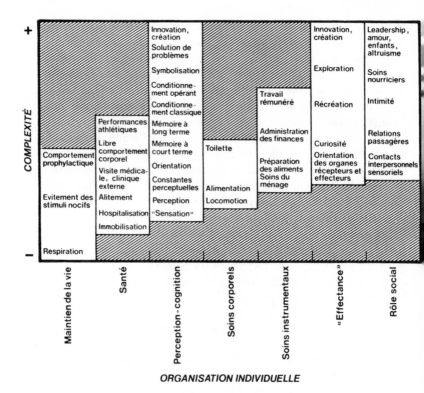

FIG. IV-5. — Représentation schématique hiérarchisée de l'organisation individuelle
(Adapté et reproduit avec l'autorisation de Lawton, *Gerontologist*, 1970)

du principe transcendant du Soi. La tendance à l'intégration
serait largement innée; c'est pourquoi Jung la range parmi les
« archétypes ».

Pour Freud, l'inconscient était, pour ainsi dire, la source de tous
les maux. C'est lui qui renfermait les pulsions inacceptables pour
l'homme et la société, de même que le matériel refoulé hors de
la conscience en raison de son caractère répugnant. Jung, par
contre, voyait dans l'inconscient la source de la connaissance bien
plus que son antithèse. Ses « archétypes » résident dans l'inconscient collectif, ils sont présents chez tous les êtres humains et proviennent de l'hérédité génétique. Ils ne sont pas étrangers au
concept d'« idéos », ou forme pure des idées, rencontré chez

Platon. Puisque 1 / la source de toute sagesse est contenue dans l'inconscient et que 2 / la cohérence interne et l'intégration sont les objectifs du développement de la personnalité. Avec l'âge, l'être humain, selon Jung devient de plus en plus attentif à ce qui se passe en lui-même. Jung appelle ce processus l'« introversion ».

Neugarten et ses collaborateurs (1964) ont trouvé des preuves empiriques de ce changement d'orientation qui va du monde extérieur vers l'univers intérieur et qu'ils appellent l'« intériorité ». Les sujets âgés tolèrent mieux certains aspects de leur personnalité, jusque-là négligés ou supprimés. Les résultats sont cependant différents chez les hommes et chez les femmes. Les femmes deviennent plus tolérantes envers leurs tendances égocentriques et agressives et les hommes envers leurs sentiments tendres, tels que l'attachement et le besoin de prendre soin d'autrui. Cette transformation correspond à l'image des jeunes et des personnes âgées que présentent les études effectuées à Kansas City.

Le dernier stade d'Erikson (1963), l'intégrité du Moi, qui s'oppose au désespoir, s'accorde également avec le concept d'une augmentation de la réflexion et de l'attention tournée vers le monde intérieur. Sa conception, tout comme celles des analystes les plus orthodoxes mentionnés plus haut, se fixe sur les événements qui jalonnent la vie de l'individu, évènements qu'il nomme crises épigénétiques. Il est, de plus, intéressant de noter qu'Erikson parle de la *capacité* de se détacher, plutôt que du fait d'être détaché pour désigner la valeur ou l'issue favorable de cette crise. Cette subtile différence entre la *capacité* de se détacher et le fait d'*être* détaché (désengagé) peut se rapporter aux problèmes soulevés par la théorie du désengagement dont les résultats sont discutables.

La stabilité dans les traits de personnalité

Les résultats de plusieurs études longitudinales sur les changements de personnalité effectuées par Costa et McCrae (1987 ; 1988 ; 1989 ; 1990 ; 1992) indiquent qu'il y a cinq traits de personnalité qui sont en général relativement stables. Ils dénombrent cinq traits qui caractérisent la personnalité des individus : extravertie, ouverture aux expériences, aimable ou consciencieuse (« neuroticism, extraversion, openness to experience, agreableness, consciensciousness »). Les résultats des études menées sur différents échantillons, utilisant des instruments de mesure différents (par exemple, Norman, 1963 ; Tupes et Christal, 1961 ; Costa et McCrae, 1988 ; Conley, 1984, 1985) indiquent que ces cinq traits de personnalité sont faciles à repérer et sont généralement stables selon les études longitudinales d'une durée de 3 à 45 ans, même lorsque l'on compare les tests de personnalité des individus et les évaluations de personnalité effectuées par le conjoint. En se basant sur ces résultats, Costa et McCrae (1983 ; 1984 ; 1988) soutiennent que peu de changements développementaux de la personnalité se produisent avec le vieillissement et que les changements dus à l'âge sont peu importants si on les compare au niveau de stabilité des traits de personnalité.

Typologie des personnalités âgées

Ainsi que le fait remarquer Neugarten (1977) dans sa recension des travaux sur la personnalité, il existe des centaines d'études qui contiennent des données concernant les sujets âgées, mais ces études tendent à être ponctuelles, transversales et sans lien avec une théorie ou un plan de recherche cohérent. Nous suivrons son exemple et laisserons de côté la plupart d'entre elles pour examiner plutôt deux typologies largement connues qui tendent vers des objectifs et s'inscrivent dans un plan de recherche cohérent.

Avant d'aller plus loin, nous tenons à mentionner notre désappointement du fait que si peu de matériel concernant la personnalité soit inclus dans les études longitudinales en cours et que très peu de données longitudinales sur la personnalité soient accessibles (*e.g.* Maas et Kuypers, 1974, de l'Institute of Human Development à Berkeley ; Palmore, 1974, de Duke ; Birren, Butler, Greenhouse, Sokoloff et Yarrow, 1971, et Granick et Patterson, 1971, sur les onze années de suivi de l'échantillonnage du National Institute of Mental Health). L'étude longitudinale de Bonn, rapportée dans le livre de Thomae (1976), constitue cependant une notable exception, malgré qu'il soit trop tôt pour se prononcer à son sujet.

Reichard *et al.* (1962), dans une étude fréquemment citée, définissent cinq types généraux de personnalité à partir de leur analyse portant sur 86 hommes âgés de 55 à 84 ans. Trois personnalités sont considérées comme étant bien adaptées et reflétant une acceptation de soi correspondante. La personnalité la plus saine et la mieux adaptée est dite *mature*. Elle est constructive dans ses interactions et ses relations avec autrui. Les sujets acceptent également bien leur Soi et leur situation passés et présents. Ils semblent avoir de bonnes relations interpersonnelles et présentent peu ou pas de traits névrotiques. Les personnalités de type *pantouflard** s'acceptent tout comme les personnalités matures, mais sont plus passives et tendent à considérer le troisième âge comme dégagé de toute responsabilité ; leurs relations avec autrui sont caractérisées par la dépendance. Les personnalités *blindées* sont bien adaptées elles aussi, mais rigides ; elles ont constamment recours à des mécanismes de défense afin de maintenir leur adaptation. Par conséquent, les sujets sont assez rigides malgré qu'ils poursuivent une vie active. C'est parmi ce groupe que se rencontre la plus haute probabilité d'une mauvaise adaptation.

Deux des personnalités définies dans cette étude sont mal adaptées. Ce sont les personnalités *mécontente* et *autophobique (self-hater)* caractérisées par l'amertume, l'agressivité et la dépression. Les mécontents sont cependant extra-punitifs (ils punissent les autres) tandis que les autophobiques sont intra-punitifs (ils se punissent eux-mêmes).

Une autre typologie des personnalités vieillissantes provient du Groupe de Chicago (Neugarten, Havinghurst et Tobin, 1968). Selon cette typologie, les personnalités se répartissent en quatre grandes classes, qui se subdivisent en huit sous-catégories. Le *type A*, ou *réorganisateur*, compris dans la classe des personnalités intégrées, est manifestement très semblable à la personnalité mature de Reichard *et al.*, puisqu'il comprend des personnes actives mais qui ont su remplacer les anciennes formes d'activités par de nouvelles plutôt que de rester attachées au passé ou de tenter de se soustraire au présent. Ces personnes tendent à s'intéresser aux activités communautaires, au travail bénévole, et ainsi de suite.

Le type de personnalité intégrée *focalisé* est celui du sujet qui abandonne une partie des activités liées aux rôles qu'il remplissait pour se concentrer désormais sur un nombre restreint de rôles. Les activités dont il s'est retiré sont celles qui étaient liées à son travail, ce qui le laisse libre de consacrer ses loisirs aux distractions et à sa famille. Il ne recherche pas de nouveaux rôles à remplir mais se concentre sur les anciens rôles et leur consacre beaucoup plus de temps.

* En anglais, *rocking chair type*, c'est-à-dire « qui se berce dans un fauteuil à bascule ».

Le type *désengagé* est semblable au type « pantouflard » de Reichard en ce sens que le sujet renonce aux activités liées à ses rôles, mais demeure néanmoins suffisamment satisfait de sa vie. Tous ces types de personnalité intégrée sont semblables dans la mesure où le sujet éprouve un sentiment de satisfaction suffisant, mais ils se distinguent par le mode et le nombre des activités et des rôles. Il apparaît donc faux de dire que l'activité ou le désengagement constitue l'unique moyen de réussir sa vieillesse. Nous sommes cependant de l'avis de Havinghurst (1961) qui affirme que la personnalité est l'élément clé d'une vieillesse réussie et que la vie est bien plus un développement continu qu'une suite discontinue de phénomènes.

Au type « blindé » de Reichard *et al.* correspond celui du *blindé-défensif*, dans lequel chaque sous-catégorie, soit le type *conservateur* et le type *contracté*, est défensive dans son orientation. Le sujet de type conservateur tente de garder les rôles et les modes d'activité de sa maturité, moyennant un coût personnel parfois élevé. Le type contracté tend à se retirer de certains rôles, évitant ainsi de confronter directement ses pertes, mais sans faire l'effort nécessaire pour les anticiper ou les éviter. Dans l'ensemble, on constate que le sentiment de satisfaction diminue à mesure qu'on s'éloigne de la personnalité intégrée.

La personnalité *passive-dépendante* est en réalité une combinaison complexe réunissant plusieurs types définis par Reichard *et al.* Ce sont des personnalités dépendantes, comme le type « pantouflard », mais, au contraire de ce dernier, elles ne permettent guère au sujet d'être satisfait de sa vie. Selon une des modalités observées, le sujet réclame activement secours et appui, alors que selon une autre modalité le sujet devient en quelque sorte tout à fait passif et se laisse dominer plutôt que de chercher activement à se placer dans la dépendance d'autrui. Ces deux derniers types de personnalité sont respectivement celui de l'*appel au secours* et de l'*apathie*.

Restent les types *désorganisés*, qui comportent un faible degré d'activités et de satisfaction. Ajoutons que rien ne semble correspondre aux types mécontent et autophobique de Reichard et ses collaborateurs, caractérisés à la fois par la colère et l'hostilité.

Le Groupe de Chicago propose encore une autre typologie pertinente au regard des études sur le vieillissement. Guttman (1964) a en effet isolé trois manières d'agir sur le milieu qui vont de la maîtrise active à la maîtrise magique en passant par la maîtrise passive. La maîtrise magique comporte le recours aux rites, des attitudes défensives, le repli sur soi-même et une attention tournée vers la vie intérieure plutôt qu'extérieure. Il est évident que ces manières entretiennent des rapports avec les personnalités mentionnées plus haut et que les pressions provenant du milieu peuvent hâter une adaptation négative. D'un autre côté, la fortune, la santé et l'appui offert par le milieu social peuvent contribuer au maintien d'une adaptation pendant plus longtemps. Par exemple, Back et Moriss (1974) ont découvert que le changement d'emploi était important pour les hommes, tandis que l'évolution du cycle de la vie familiale avait plus d'importance pour les femmes. Les hommes déchus de leur position parmi les membres de la population active présentent des symptômes indépendamment des changements survenant dans leur famille, tandis que les femmes ont tendance à éprouver des difficultés au moment des changements radicaux dans leur famille. Une fois de plus, il convient de tenir compte de l'appartenance à telle ou telle cohorte, car les hommes commencent à s'intéresser davantage à la vie familiale en même temps que les femmes prennent une part de plus en plus importante dans la vie à l'extérieur de la famille. Il reste qu'il existe sans doute une différence significative entre les sexes, non seulement quant au moment mais également quant à la cause et au mode d'évolution du moi, spécialement en ce qui concerne la cohorte actuelle des personnes âgées.

La prudence s'impose dans l'interprétation des différences observées, car on ne saurait encore affirmer si elles sont liées à l'âge ou à la cohorte. Neugarten et Datan (1973) soulèvent un point important, à savoir que le développement individuel comporte trois dimensions : chronologique, sociale et historique. Si on regarde l'histoire de l'humanité, on s'aperçoit que ce n'est qu'assez récemment que l'enfance est apparue comme une période distincte de la vie, et que l'adolescence n'a fait son apparition que beaucoup plus tard. Sans doute la vieillesse, à son tour, est-elle en train de devenir une époque distincte plutôt qu'uniquement la fin de la vie.

Une approche de style perceptuel : différences individuelles chez les personnes âgées

Dans notre recension des recherches tant expérimentales que théoriques en gérontologie, nous avons noté que la plupart des articles traitent avant tout des traits communs à la population vieillissante, alors que les différences individuelles y sont généralement négligées. Par ailleurs, il existe un nombre considérable de rapports sur les effets, chez les jeunes adultes, des différences individuelles entre les modes cognitifs ou perceptuels, c'est-à-dire les comportements et les perceptions du monde. Ces études commencent par supposer qu'il existe des caractéristiques individuelles fondamentales, non seulement dans le comportement et le mode de vie, mais aussi dans la façon de percevoir le monde extérieur.

Une étude de ce genre a été entreprise auprès des personnes âgées ; c'est celle des différences individuelles dans la modulation de l'intensité du stimulus (MIS). Cette étude de la MIS reprend les hypothèses présentées par Mishara et Baker (1980, 1977), Petrie (1967), Sales (1972) et Silverman (1968). Ces chercheurs supposent que certains sujets, appelés « réducteurs », atténuent l'intensité de l'excitation. En d'autres termes, ils perçoivent une quantité donnée d'excitation venant de l'extérieur comme étant relativement moins intense qu'elle ne l'est réellement. D'autres, au contraire, appelés « augmentateurs », amplifient l'intensité de l'excitation. Pour vérifier leur hypothèse, ces chercheurs ont utilisé le test de l'effet kinesthésique consécutif (EKC), qui sert à mesurer le jugement tactile des largeurs et leur a permis de classer les sujets selon leur tendance individuelle à l'augmentation ou à la réduction (Baker, Mishara, Parker et Kostin, 1978 ; Baker, Mishara, Kostin et Parker, 1976). La première, Petrie a d'abord observé l'individualité dans la douleur et la souffrance (Petrie, 1967 ; Petrie, Collins et Soloman, 1958) ; à sa suite, d'autres (*e.g.* Ryan et Foster, 1967 ; Sweeney, 1966) ont obtenu des résultats confirmant l'hypothèse voulant que les réducteurs tolèrent mieux la douleur que les augmentateurs.

Dans d'autres situations où la stimulation extérieure est minimale, on peut s'attendre à ce que les augmentateurs réussissent mieux, puisqu'ils « amplifient » le peu de stimulation présente, et que les réducteurs tolèrent mal les conditions de privation de stimulus, puisqu'ils perçoivent la stimulation extérieure minimale comme étant encore moins intense qu'elle ne l'est. Les études de privation sensorielle entreprises en vue de confirmer cette hypothèse ont démontré que les augmentateurs (sélectionnés par l'EKC) sont plus aptes à tolérer la privation sensorielle (Petrie, Collins et Soloman, 1958) et qu'ils ont moins tendance à augmenter la stimulation perceptuelle (Sales, 1971).

Dans des circonstances normales, les réducteurs se trouvent, subjectivement, plus privés de stimuli que les augmentateurs. On peut donc supposer qu'ils requièrent plus de stimulation dans leur vie quotidienne afin de compenser cette privation. Quant aux augmentateurs, ils sont généralement submergés d'excitation et évitent donc la stimulation. Ce mécanisme d'augmentation-réduction opère également dans des situations où la stimulation extérieure est extrême. Par exemple, dans les études où les réducteurs et les augmentateurs identifiés par l'EKC sont placés dans un environnement « psychédélique », où la stimulation visuelle et auditive est très forte et très complexe, les réducteurs réagissent plus favorablement (Sales, 1971).

La théorie de la MIS veut que les différences individuelles concernant la façon dont les sujets modulent la stimulation extérieure affectent aussi bien le caractère esthétique (agréable ou désagréable) de la perception que la quantité de stimulation recherchée. Les augmentateurs préfèrent une stimulation de faible intensité et évitent l'augmentation d'excitation. Les réducteurs, au contraire, préfèrent généralement les situations où la stimulation est intense et tendent à rechercher la stimulation. Cependant, la théorie ne prétend pas que tous les choix soient basés sur les différences individuelles dans la modulation de l'intensité du stimulus.

L'utilité de l'approche du MIS a été démontrée à l'aide d'une étude auprès de deux groupes de personnes âgées (Mishara et Baker, 1981). Les auteurs ont en effet pu constater que, tant dans la population active que dans le groupe des pensionnaires d'un foyer pour personnes âgées, les différences individuelles de la MIS mesurées par le test de l'effet kinesthésique consécutif étaient reliées de façon significative à l'engagement social, à la perception des difficultés, ainsi qu'à trois autres comportements précédemment étudiés chez les jeunes adultes (privation de sommeil et durée du sommeil, planification de l'avenir, fumer). Conformément à ce que l'on attendait, comparés aux réducteurs, les augmentateurs étaient moins engagés et percevaient leur vie comme plus difficile, ils tendaient à dormir davantage, à moins planifier et à moins fumer.

Les auteurs croient que la MIS peut être particulièrement utile en gérontologie, puisqu'elle met en évidence la différence entre les réactions individuelles au même milieu social et physique. Cette différence doit être interprétée comme autre chose qu'une simple préférence d'ordre social. Elle semble en effet refléter un trait organismique stable qui sous-tend une dimension perceptuelle-cognitive et un mode de vie.

Ils estiment que la théorie peut trouver des applications utiles dans la planification sociale et l'intervention auprès des personnes âgées. L'évaluation de la MIS des sujets intéressés peut servir à la conception de cadres spatio-temporels assez souples pour tenir compte des différences individuelles. On pourrait également prévoir des interventions de nature à apparier les situations thérapeutiques aux différences individuelles dans la MIS.

Vers une théorie de la personnalité du vieillissement

Avec une hardiesse d'esprit tout à fait remarquable, Thomae (1970) jette les fondements d'une théorie de la personnalité des personnes âgées. Constatant qu'on sait encore très peu de choses sur la psychologie et la théorie de la personnalité des personnes âgées, et fidèle à la position de l'école de psychologie cognitive, qui tente d'expliquer la manière dont l'individu perçoit le monde qui l'entoure, il estime que la conscience est un des facteurs essentiels dans la détermination du comportement et propose les postulats suivants :

Postulat   I : L'évolution du comportement est liée à la perception du changement objectif.

Postulat   II : Tout changement dans la situation de l'individu est perçu et évalué à la lumière des préoccupations et des attentes du sujet.

Postulat III : L'adaptation au vieillissement est fonction de l'équilibre entre les structures cognitive et motivationnelle du sujet.

La conception de Thomae est présentée sous forme de résumé sommaire à la figure IV-6. Tout événement peut figurer parmi les changements survenant dans le milieu et considérés comme des changements objectifs, depuis le fait d'assumer le rôle de grands-parents (qui peut être perçu positivement ou négativement) jusqu'au fait de prendre sa retraite (qui peut aussi être perçu positivement ou négativement). C'est la motivation du sujet, ses préoccupations et ses attentes du moment qui déterminent sa perception, et c'est le changement perçu, plutôt que le changement objectif, qui rendra compte du comportement, manifeste ou implicite, qu'adoptera le sujet.

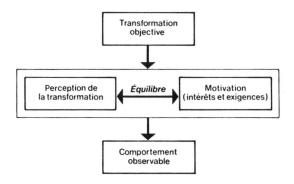

Fig. iv-6. — Modèle cognitif de la personnalité adulte selon Thomae, 1976

Adler (1927) a conceptualisé cette perspective, il y a plusieurs années déjà, à l'aide du concept de « mode de vie ». Le comportement s'explique toujours à la lumière du mode de vie, même si, en fait, ce comportement semble dépourvu de sens du point de vue de la « situation objective ». Ainsi, lorsqu'une personne âgée réagit à l'ensemble des attitudes qui prévalent autour d'elle en préférant se retirer plutôt que de lutter, sa conduite est comparable à celle d'une jeune personne qui évite la compétition par suite de la piètre idée qu'elle a d'elle-même, obtenant ainsi des résultats qui sont inférieurs à son potentiel — considéré objectivement — mais qui s'expliquent par son mode de vie personnel. Thomae résume sa position en disant que, de plus en plus, dans notre société, la personne âgée doit maintenir l'équilibre entre ses systèmes cognitifs et motivationnels en opérant des révisions de ses systèmes cognitifs plutôt que de ses systèmes motivationnels et de son milieu. C'est peut-être ce que font les sujets de Guttman (1964) lorsqu'ils passent de la maîtrise active, par la lutte contre le milieu extérieur, à la maîtrise passive, pour aboutir enfin à la maîtrise magique à travers le repliement. Il n'est donc pas étonnant que Guttman ait pu observer cette progression dans plusieurs sociétés différentes (Guttman, 1969, 1971, 1974, 1975).

CHAPITRE V

La sexualité et le vieillissement

Si vous aviez à compléter la phrase suivante à l'aide des premiers mots qui vous viennent à l'esprit, vous seriez peut-être porté à dire que : « Chez les personnes âgées, la sexualité c'est... sans importance », « une chose du passé » ou « de bons souvenirs ». Vous vous joindriez donc à la majorité des étudiants pour qui la sexualité des gens âgés n'est qu'une chose du passé (Golde et Kogan, 1959). Les jeunes gens ne sont pas seuls à croire que l'activité sexuelle diminue avec l'âge. Les gens âgés eux-mêmes croient que la vieillesse est une période asexuée (Burnside, 1975). De nombreuses personnes âgées chez qui le désir sexuel est intense en éprouvent un sentiment de culpabilité et de honte ou se croient même anormales. Les études médicales démontrent qu'en dépit de ces préjugés culturels la majorité des gens âgés sont capables d'avoir des rapports sexuels et de prendre plaisir à toute la gamme des activités sexuelles auxquelles se livrent les gens plus jeunes.

Les rapports sexuels sont-ils uniquement réservés aux jeunes ?

Notre société semble croire que la sexualité est réservée aux jeunes. D'où lui vient ce préjugé ? On pourrait être tenté de répondre qu'il est enraciné dans les croyances religieuses qui associent la sexualité exclusivement à la reproduction. S'il en était ainsi, la femme qui ne peut plus procréer parce qu'elle a atteint la ménopause n'accorderait plus aucune importance à la sexualité.

Pourtant, même ceux qui ne partagent pas cette croyance religieuse pensent que la sexualité est l'apanage des jeunes.

Felstein (1973) a identifié les cinq grandes « idées » sur lesquelles se fonde la croyance selon laquelle la sexualité et les rapports sexuels seraient réservés aux jeunes gens. La première, c'est que la fonction sexuelle ne sert qu'à la procréation et se limite donc à ceux qui en sont capables, c'est-à-dire les jeunes. La seconde veut que la tension sexuelle se manifeste en réponse à l'attrait physique. Admettant que cela soit vrai, il n'en demeure pas moins que la beauté est affaire d'opinion. Et même s'il était impossible de trouver de la beauté aux vieilles personnes, cela n'empêcherait pas les vieux de voir et d'apprécier la beauté des jeunes. La troisième, c'est que la tension sexuelle, qui atteint son maximum chez les jeunes gens, diminue rapidement jusqu'à l'âge mûr pour devenir quasi inexistante chez les gens âgés. La quatrième idée veut, d'une part, que l'on aime seulement quand on est jeune, et, d'autre part, que les rapports sexuels soient en quelque sorte inextricablement liés à l'amour romantique. Selon la cinquième et dernière idée, le niveau de fonctionnement optimum est atteint au cours de la jeunesse, tandis qu'une incapacité croissante est le propre de la vieillesse.

Notre impuissance à reconnaître l'existence d'émotions et d'activités sexuelles chez les vieux provient peut-être de nos impressions d'enfance. Les parents sont sans doute parvenus à persuader leurs enfants, avec beaucoup de sérieux, que la sexualité constitue un interdit. En vieillissant, il devient ensuite difficile d'imaginer que les parents puissent, à leur âge, connaître les mêmes frivoles désirs sexuels que nous avons éprouvés au cours de notre enfance et de notre adolescence. Une interprétation plus freudienne de ce phénomène veut que les enfants répriment la sexualité des parents. Les enfants repousseraient, en effet, dans leur subconscient toute pensée concernant la sexualité de leurs parents, car cet aspect de leur vie présenterait une menace trop grave à la stabilité de leur Moi pour qu'ils en prennent conscience.

Il existe une autre interprétation à ce préjugé, selon laquelle la différence des mœurs sexuelles s'explique par la différence entre les générations. En examinant la culture à laquelle appartient la génération de nos grands-parents, on s'aperçoit que la majorité d'entre eux ont vécu à l'époque de la grande révolution sexuelle.

La plupart des personnes qui ont présentement 80 ou 90 ans sont en effet ces jeunes qui, dans les années 20, scandalisaient leurs aînés par leur conduite licencieuse. Les études sur le comportement sexuel indiquent que le degré d'intérêt pour les activités sexuelles change peu au cours de la vie (Pfeiffer *et al.*, 1968 ; Schover, 1986). Selon les recherches, les femmes s'intéressent davantage à la sexualité dans la trentaine et leur niveau d'intérêt diminue peu par la suite. Les hommes ont généralement plus d'intérêt entre 17 et 25 ans mais cet intérêt diminue graduellement ensuite.

Le refus de la sexualité gériatrique semble faire partie d'un stéréotype culturel très répandu voulant que les gens âgés soient perçus comme laids, impuissants, malheureux et impotents. Les média de masse présentent les objets sexuels les plus désirables comme des individus jeunes, beaux et parfaits. La publicité nous dit que pour attirer et séduire les membres les plus désirables du sexe opposé il faut acheter des produits qui nous rajeunissent et nous rendent donc « beaux ». Bien que certains estiment que la beauté réside dans le regard de l'autre, ou encore que la beauté intérieure soit plus importante que les traits physiques, il n'en demeure pas moins que les membres de notre société sont endoctrinés dès leur enfance par l'idéologie de la jeunesse et de la beauté.

On trouve dans le commerce des produits qui servent à camoufler les moindres signes de vieillissement tels que les rides, les cheveux gris et la calvitie. L'endoctrinement culturel qui en résulte est probablement à l'origine de notre perception des aînés, que nous considérons comme dépourvus de sexualité, ainsi que de la conception qu'ils ont d'eux-mêmes, se croyant asexués, et se sentant coupables devant leurs désirs sexuels. En bref, la beauté et la puissance sont réservées à la jeunesse.

Ce stéréotype engendre, dans l'institution, la ségrégation des hommes et des femmes âgés, même dans le cas des couples mariés, question sur laquelle nous reviendrons plus loin. Des conflits entre enfants et parents surviennent souvent dès que les parents âgés songent à se remarier, sans doute parce que les enfants ne peuvent pas s'imaginer que la sexualité pourrait être un facteur déterminant de cette décision. Bien des personnes âgées vivent aussi des relations interpersonnelles difficiles parce qu'elles se croient conformes à cette image stéréotypée.

Le vieillissement et la réponse sexuelle

C'est à Masters et Johnson (1966, 1970, 1992) que l'on doit les études les plus détaillées sur les aspects physiologiques de la sexualité humaine. Leur premier livre, *Human Sexual Response*, s'appuie sur onze années de recherche, comportant des entrevues détaillées et des expériences en laboratoire sur des sujets d'âges divers. La mise à jour de leur livre en 1992 (Masters, Johnson et Kolodny, 1992) confirme dans l'ensemble les données sur la sexualité et le vieillissement. Les études en laboratoire consistaient à obtenir des mesures complexes des réactions physiologiques chez l'homme et la femme à diverses formes de stimulation sexuelle. Bien qu'on ne puisse entièrement généraliser les conclusions de leurs études parce que leurs sujets étaient tous des volontaires, ce sont leurs données qui offrent, malgré tout, le tableau le plus fidèle des capacités sexuelles au cours de la vieillesse.

Même si ces études ont montré que les réactions sexuelles des personnes âgées sont différentes de celles des jeunes gens par certains aspects, leurs conclusions n'en démontrent pas moins qu'en général le vieillissement ne signifie pas nécessairement la fin de l'activité sexuelle. En ce qui concerne la femme, Masters et Johnson affirment que « la sexualité féminine ne connaît pas de limite d'âge ». Pour ce qui est de l'homme, ils en concluent que, placé dans des conditions physiques et émotives convenables, celui-ci conserve « assez fréquemment sa capacité sexuelle jusqu'à quatre-vingts ans et même au-delà ».

Masters et Johnson ont découvert certaines différences spécifiques entre leurs sujets âgés et les plus jeunes. Ils ont observé, chez les femmes âgées, un fléchissement du taux de réponse concernant certaines réactions physiques au cours des rapports sexuels : diminution du rougissement sexuel ou érubescence cutanée due à la vasoconstriction en réponse à la tension, diminution des contractions du sphincter rectal liées à l'orgasme, diminution de la coloration et réduction de l'épaississement des petites lèvres avant l'orgasme, ainsi que d'autres différences dont la signification nous est encore inconnue. Cependant, fait important, le clitoris des femmes âgées demeure très sensible bien que la lubrification vaginale se fasse plus lentement que chez les sujets plus jeunes. Certaines femmes âgées connaissent un amoindrissement de la lubrification vaginale et éprouvent une diminution des contractions du vagin et de l'utérus lors de l'orgasme (voir tableau v-1).

Masters et Johnson en déduisent que les femmes âgées sont en pleine possession de leurs capacités sexuelles et capables d'atteindre l'orgasme. A leur avis, il n'existe aucune raison physiologique susceptible d'empêcher les femmes âgées de poursuivre leur activité sexuelle au même rythme qu'avant la ménopause, en supposant évidemment que leur fonction sexuelle ne soit pas altérée par l'effet des médicaments ou par certaines conditions débilitantes.

La ménopause et la sexualité féminine

La ménopause désigne la période au cours de laquelle se produit la climatérique féminine, c'est-à-dire à laquelle la femme cesse de pouvoir enfanter. La ménopause survient en moyenne vers l'âge de 49 ans, bien qu'elle puisse se présenter beaucoup plus tard chez certaines femmes. La ménopause semble inquiéter davantage les femmes jeunes que leurs aînées qui en approchent. Bien que certaines femmes ressentent des malaises durant cette période, 10 à 15 % d'entre elles seulement seront suffisamment incommodées pour devoir consulter un médecin. En fait, 40 % des femmes ne présentent aucun symptôme. Les principaux effets de la ménopause sur la fonction sexuelle sont dus à une diminution des sécrétions ovariennes de l'hormone sexuelle féminine appelée œstrogène. La diminution de la quantité d'œstrogène ne semble pas influer sur la pulsion sexuelle, mais elle occasionne un amincissement des tissus du vagin et des lèvres, ainsi qu'une diminution de la lubrification vaginale. L'amincissement du vagin peut diminuer la protection des organes adjacents tels l'urètre et la vessie. La réduction de la lubrification peut rendre les rapports sexuels douloureux, inconvénient auquel il est facile de parer en utilisant un lubrifiant soluble dans l'eau ou une crème à base d'œstrogène (Novak, 1975). Certains traitements hormonaux à base d'œstrogène peuvent compenser l'amincissement des tissus vaginaux et les difficultés de lubrification. Kantor, Milton et Ernest (1978) ont en effet démontré que l'œstrogène administré à des femmes âgées, vivant en institution et hors d'institution, avait permis de constater l'amélioration de divers symptômes pyschologiques (*e.g.* névroses, humeurs, moral). La différence s'est avérée positive chez les deux groupes, mais plus marquée chez les sujets vivant en institution.

TABLEAU V-1. — *Evolution de la réponse sexuelle en fonction de l'âge selon Masters et Johnson*

	Jeunes femmes	Femmes plus âgées
Seins	— érection du mamelon — augmentation de la taille, engorgement aérolaire, rougissement préorgasmique	— même érection — diminution de l'intensité des réactions
Erubescence sexuelle	— réponse épidermique vasocongestive	— diminution
Myotonie	— accroissement de la tension musculaire	— diminution de la réponse
Appareil urinaire	— dilatation minimale du méat urinaire au cours de l'orgasme	— le méat demeure béant lors d'un orgasme de grande intensité ou lors d'orgasmes répétés
Rectum	— contractions du sphincter rectal lors de l'orgasme	— diminution de la réponse
Clitoris	— sensibilité bien développée	— même réaction
Grandes lèvres	— aplasissement, séparation et élévation par suite de l'augmentation de la tension sexuelle	— diminution de la réponse
Petites lèvres	— épaississement vasocongestif, changement de couleur du rouge vif au bourgogne avant l'orgasme	— affaiblissement de l'épaississement vasocongestif et diminution d'intensité des changements de couleur
Glandes de Bartholin	— faibles sécrétions de la muqueuse lors du plateau	— diminution de la réponse
Vagin	— parois nettement striées, violet-rouge, la lubrification vaginale survient entre 10 et 30 secondes après la stimulation	— parois minces comme du papier, non striées, rosées ; le vagin se raccourcit et ses possibilités d'expansion diminuent, la lubrification peut prendre de 1 à 3 minutes ou plus
	— engorgement du vagin extérieur lors du plateau, rétrécissement du vagin — contractions (5-6) au cours de l'orgasme — affaissement lent de la portion dilatée du vagin lors de la résolution	— l'engorgement est plus faible mais la réponse de rétrécissement continue — diminution du nombre des contractions — affaissement rapide
Utérus	— soulèvement de l'utérus lors de l'excitation et du plateau — contractions (3-5) d'expulsion lors de l'orgasme	— réaction différée et élévation moins forte — diminution du nombre des contractions

	Jeunes hommes	Hommes âgés
Mamelons	— érection du mamelon	— diminution de la réponse
Myotonie	— tension musculaire accrue ; contractions musculaires involontaires	— diminution possible de la réponse
Rectum	— contractions du sphincter rectal au cours de l'orgasme	— diminution de la fréquence
Pénis	— érection au bout de 3 à 5 secondes de stimulation, érection complète tôt dans le cycle	— à partir de 50 ans, délai 2 ou 3 fois plus long ; l'érection n'est complète qu'immédiatement avant l'orgasme
	— maîtrise éjaculatoire variable	— érection soutenue plus longtemps sans éjaculation
	— peut obtenir et perdre partiellement l'érection complète plusieurs fois au cours du cycle	— difficulté de recouvrer une érection complète à la suite d'une perte partielle
	— coloration du gland du pénis	— diminution ou absence
	— éjaculation puissante ; contractions d'expulsion au cours de l'orgasme	— affaiblissement, diminution possible de la sensation
	— phase de réfraction variable	— après l'orgasme, phase de réfraction prolongée ; détumescence rapide du pénis
Ejaculation	— en deux étapes, selon un processus bien différencié	— expulsion du liquide séminal en une seule étape
	— contractions prostatiques	— inaperçue par l'observation clinique
	— conscience de la pression et de l'émission du fluide	— écoulement plutôt qu'expulsion chez certains sujets ; spermes moins viables et moins nombreux que chez les hommes plus jeunes
Scrotum	— effacement du plissement du scrotum sous l'effet de la tension sexuelle	— diminution de la réponse
Testicules	— élévation testiculaire vers la fin de l'excitation ou au début du plateau, augmentation de volume	— diminution de la réponse
	— abaissement des testicules lors de la résolution	— abaissement rapide

La ménopause engendre, chez certaines femmes, une intensification des désirs et des réponses sexuels. Ce fait peut s'expliquer par la disparition de la crainte des grossesses, qui pouvait exister avant la ménopause quelle qu'ait été la méthode contraceptive employée. Kinsey, Pomeroy et Martin (1948), et Kinsey, Pomeroy, Martin et Gebhard (1953) n'ont constaté aucun effet du vieillissement sur les capacités sexuelles. En fait, les études de Kinsey indiquent plutôt que les femmes perdent leurs inhibitions en vieillissant et que ce sont les femmes jeunes qui déclarent le plus souvent qu'elles ne veulent pas avoir de rapports sexuels avec leur mari.

Une bonne part des effets de la ménopause sur la sexualité dépend de l'attitude de la femme. Neugarten (1968) a découvert que certaines femmes s'intéressaient davantage à la sexualité après la ménopause (14 % de 21 à 30 ans ; 27 % de 31 à 44 ans ; 35 % de 45 à 55 ans et 21 % de 56 à 65 ans). Certaines des personnes interrogées ont même répondu que la plupart des femmes « aimeraient avoir une aventure lors de leur ménopause. » Le lecteur notera que le taux de réponse le plus élevé provient du groupe des femmes qui traversent la ménopause, suivi de celui des femmes qui en approchent.

La régularité des activités sexuelles, qu'il s'agisse de la copulation ou de la masturbation, a une forte incidence sur le niveau de la réponse sexuelle féminine. Masters et Johnson notent que les femmes âgées dont les rapports sexuels sont rares ou qui se masturbent peu ont souvent un coït difficile et douloureux. Les femmes dont la vie sexuelle est régulière et active connaissent au contraire peu de difficultés de lubrification vaginale ou de distension du vagin, même s'il y a amincissement de la doublure vaginale et rétrécissement des lèvres vaginales externes. Selon Masters et Johnson, l'un des meilleurs moyens de prévenir la diminution des réponses sexuelles à un certain âge pourrait bien être la régularité des activités sexuelles, y compris la masturbation.

Aucun facteur physiologique relié au processus normal du vieillissement ne permet de croire à une diminution de la pulsion sexuelle ou libido, tant chez les femmes que les hommes âgés puisque les composantes physiologiques de la pulsion sexuelle sont liées à la sécrétion d'androgène provenant des glandes surrénales chez les femmes et ne sont absolument pas influencées par la ménopause et/ou l'hystérectomie.

Si l'on veut bien comprendre la sexualité féminine, il ne faut surtout pas négliger un des aspects importants de la question, soit la pénurie relative des partenaires masculins parmi les personnes âgées. Les femmes survivent aux hommes et ont tendance à épouser des hommes plus âgés qu'elles, de sorte qu'il y a plus de veuves que de veufs ou de célibataires masculins. C'est pourquoi bien des femmes âgées, dont la pulsion et le désir sexuels se maintiennent au même niveau que pendant la jeunesse, éprouvent des difficultés à trouver un partenaire. Aussi longtemps que le mariage de la femme à un homme plus jeune qu'elle ne sera pas entré dans les mœurs, les femmes ne disposeront pas d'autres moyens que la masturbation et l'homosexualité pour exprimer leurs désirs sexuels. Comme des préjugés culturels s'attachent à ces pratiques, il est compréhensible que les femmes âgées hésitent à s'y livrer ou ressentent de la honte et de la culpabilité devant ces modes d'expression de la sexualité. Le tableau V-2 présente le taux de probabilité de veuvage selon l'âge et la différence d'âge entre le mari et la femme aux Etats-Unis. La probabilité qu'une femme sera seule et incapable de trouver un partenaire de sexe opposé est très élevée surtout si l'on tient compte du fait que la population âgée actuelle compte moins de deux hommes pour trois femmes et que cet écart s'accroît continuellement.

TABLEAU V-2. — *Probabilité du veuvage*

Age de la femme	Age du mari par rapport à la femme (différence exprimée en années)								
	− 5	− 3	− 1	0	1	3	5	10	15
	Probabilité (en pourcentage)								
15				65	67	70	74	81	87
18		59	63	65	67	70	74	81	87
20	55	59	63	65	67	70	74	81	87
21	55	59	63	65	67	70	74	81	87
23	55	59	63	65	67	70	74	81	87
25	55	59	63	65	67	70	74	81	87
30	54	59	63	65	67	70	74	81	87
35	54	58	63	65	67	70	74	81	87
40	54	58	63	65	67	70	74	81	87
45	54	58	63	65	67	70	74	81	87
50	54	58	63	65	67	70	74	81	87
55	54	58	62	64	66	70	74	81	87
60	54	58	62	64	66	70	74	81	86
65	53	58	62	64	65	69	73	80	86
70	52	56	60	62	64	68	71	79	85
75	51	55	59	61	62	66	69	77	84

(Source : *Statistical Bulletin of the Metropolitan Life Insurance, Company,* 1977.)

La physiologie de la sexualité chez l'homme âgé

Masters et Johnson ont observé des changements plus nombreux dans le comportement sexuel de l'homme âgé que dans celui de la femme âgée. Mises à part certaines modifications mineures, comme une faible diminution de l'érubescence cutanée et la réduction des contractions du sphincter anal lors de l'orgasme, on observe en effet que les hommes âgés prennent fréquemment de deux à trois fois plus de temps que les jeunes pour obtenir une érection et qu'ils la maintiennent plus longtemps sans éjaculation. La force d'éjaculation diminue en vieillissant, et le délai nécessaire à l'obtention d'une deuxième éjaculation après l'orgasme est plus long chez les hommes âgés. Certains éprouvent aussi une diminution des sensations voluptueuses lors de l'éjaculation.

Masters et Johnson sont plus prudents dans leurs conclusions sur la sexualité des hommes âgés. Ils estiment que les hommes âgés qui *a* / maintiennent une activité sexuelle régulière, *b* / demeurent en bonne santé et *c* / conservent une « saine » orientation psychologique peuvent dans de nombreux cas poursuivre leur activité sexuelle jusqu'à 80 ans et au-delà.

La fréquence des érections nocturnes constitue un indice de l'activité sexuelle chez l'homme. C'est dans la phase du rêve que les érections nocturnes tendent à se produire, ce qui indiquerait la fréquence d'un contenu onirique sexuel. Au cours d'une étude faite au laboratoire du sommeil du Mont-Sinaï à New York, le nombre d'érections nocturnes enregistrées chez 18 sujets masculins âgés de 70 à 96 ans était le même que chez les jeunes adultes.

L'une des études les plus détaillées que nous ayons sur le vieillissement et la sexualité est le résultat d'une recherche longitudinale entreprise au Duke University Center for Study of Human Aging and Development (Pfeiffer, Verwoerdt and Wang, 1968), qui réunissait, au début, deux cent soixante volontaires âgés de plus de 60 ans. Ceux-ci furent soumis à des entrevues détaillées par des psychiatres expérimentés qui recueillirent des renseignements précis sur l'activité sexuelle des sujets vieillissants. Dans l'ensemble, la fréquence des rapports sexuels diminue graduellement avec l'âge : le pourcentage des sujets de 60 à 71 ans qui avaient encore des rapports sexuels variait de 40 à 65 %, contre 10 à 20 % chez ceux de 78 ans et plus. Précisons toutefois que ces moyennes peuvent marquer des différences individuelles importantes. En effet, treize des sujets interrogés ont déclaré qu'ils avaient connu une augmentation de leur activité sexuelle en vieillissant, alors que 15 % d'entre eux avaient vu leur intérêt pour la vie sexuelle croître avec l'âge. Au cours de l'étude, 63 hommes et 70 femmes cessèrent d'avoir des rapports sexuels ; cet arrêt se situe en moyenne à 68 ans chez les hommes et à 60 ans chez les femmes. Hommes et femmes s'entendaient pour dire que l'interruption des rapports sexuels était imputable au partenaire masculin. Cette recherche confirme donc les observations physiologiques de Masters et Johnson selon lesquelles le vieillissement affecte davantage la vie sexuelle de l'homme que celle de la femme.

Un certain nombre de chercheurs ont tenté d'expliquer le déclin notoire de l'activité sexuelle de l'homme vieillissant. Ce déclin ne saurait s'expliquer par la baisse du taux d'androgène car, même si cette hormone sexuelle diminue jusqu'à 60 ans, elle tend par la suite à demeurer plutôt stable. Certaines études effectuées sur des animaux révèlent une perte de la pulsion sexuelle avec l'âge (Rubin, 1970). Mais des facteurs autres que le seul déclin physiologique sont sans doute en cause. Par exemple, l'activité sexuelle a souvent tendance à augmenter temporairement lorsque des animaux mâles sont mis en présence de nouvelles partenaires. A ce sujet, Kinsey parle de « fatigue psychologique » ou de perte d'intérêt à l'égard des activités sexuelles répétées de façon monotone entre les mêmes partenaires.

Masters et Johnson proposent six facteurs qui peuvent expliquer l'affaiblissement de la réponse sexuelle avec l'âge :

1. *La monotonie des relations sexuelles répétitives.* Ils estiment que les couples qui pratiquent pendant des années les mêmes activités sexuelles, sans y apporter le moindre changement, finissent par s'en lasser.

2. *Les préoccupations d'ordre professionnel ou économique.* Pour la plupart des gens, et spécialement les hommes de notre société, l'âge mûr, la cinquantaine et la soixantaine sont des périodes de fortes préoccupations économiques et professionnelles. La tension qui caractérise certains emplois et certains postes de commande peut contaminer les relations interpersonnelles et familiales. Or la tension et l'anxiété peuvent inhiber le bon fonctionnement sexuel.

3. *La fatigue psychologique et physique.* Bon nombre de personnes ont l'habitude d'avoir des rapports au moment de se coucher après une dure journée de travail. Si la journée a été psychologiquement ou physiquement épuisante pour l'un des partenaires, l'énergie nécessaire aux rapports sexuels satisfaisants peut manquer.

4. *L'abus de nourriture et d'alcool.* Masters et Johnson estiment que la plus grande partie des impuissances secondaires qui

apparaissent vers la fin de la quarantaine et le début de la cinquantaine sont associées à la consommation excessive d'alcool
plus directement qu'à tout autre facteur. Si l'alcool peut stimuler
le désir sexuel, l'abus de l'alcool agit sur l'organisme de manière
à inhiber les fonctions sexuelles chez l'homme. L'abus de nourriture nuit également à l'activité sexuelle.

5. *Les infirmités physiques et psychologiques aggravées par les
   mauvais conseils des médecins.* Bien que certaines infirmités nuisent aux fonctions sexuelles chez les personnes âgées, la plupart
   des difficultés de la vieillesse sont compatibles avec une vie
   sexuelle normale. Or les médecins négligent souvent de mettre
   leurs malades au courant des effets qu'une maladie et/ou son
   traitement peuvent avoir sur les relations sexuelles, ou bien ils
   ne donnent que de mauvais conseils qui sont de nature à décourager le malade. Bien que la médecine ait fait de grands progrès dans le traitement des problèmes sexuels, la plupart des
   médecins ne s'inquiètent guère de l'incidence d'une thérapeutique sur le fonctionnement sexuel de leurs malades.

6. *La crainte de l'échec sexuel associée à l'un ou l'autre des cinq
   facteurs précédents ou à leurs effets.* Masters et Johnson soulignent le fait que la crainte de l'échec sexuel peut entraîner l'impuissance chez les hommes. A la suite d'un premier épisode
   d'impuissance, quelle que soit la situation dans laquelle il se produit, de nombreux sujets préfèrent renoncer à toute activité
   coïtale plutôt que de s'exposer à de nouveaux échecs, trop
   menaçants pour leur Moi (Masters et Johnson, 1970). Les hommes âgés temporairement atteints d'impuissance pour quelque
   raison que ce soit, abus d'alcool, anxiété, surmenage ou maladie récente, peuvent éprouver des craintes et des angoisses à la
   pensée qu'ils sont « devenus » impuissants en raison de leur
   âge. Si cette anxiété est présente lors des rapports sexuels
   subséquents, la prophétie risque de se réaliser. L'anxiété engen-
   drée par la crainte de l'impuissance suffit en effet pour la réaliser et la faire reparaître de façon chronique. Cependant, la présence d'une partenaire compréhensive, l'explication des causes
   de l'impuissance, éventuellement les conseils d'un thérapeute
   peuvent enrayer l'impuissance sexuelle liée à la crainte de
   l'insuccès.

Les déficiences hormonales sexuelles sont rares chez les hommes. Il s'ensuit qu'une thérapeutique hormonale sera rarement efficace dans les cas de perte de désir sexuel, à moins que celui-ci ne soit réellement causé par une déficience des hormones mâles. Encore que le bien-fondé de ce genre de traitement soit sujet à controverse, car certains chercheurs croient que le regain du désir sexuel résulte plutôt de l'amélioration de la santé générale sous l'effet des hormones que de leur action directe sur la sexualité. Par ailleurs, l'efficacité des traitements à base d'hormones semble parfois imputable à l'effet d'un placebo : le sujet, étant persuadé de l'efficacité du médicament, agit en conséquence, même en l'absence de toute cause physico-chimique.

La plupart des chercheurs s'entendent pour affirmer que la régularité des rapports sexuels constitue le meilleur moyen de conserver la puissance sexuelle jusqu'à un âge avancé. Masters et Johnson recommandent donc aux hommes et aux femmes de poursuivre régulièrement leur activité sexuelle, peu importe la nature de cette activité (*e.g.* coït ou masturbation), car c'est l'une des meilleures façons de s'assurer une vie sexuelle prolongée. Il arrive que les gens âgés interrompent leurs rapports sexuels à la suite d'une maladie ou d'une intervention chirurgicale. Dans cette éventualité, il leur est recommandé de ne pas prolonger indûment leur abstinence forcée (Rubin, 1970). En d'autres termes, ce qui est vrai de toute forme d'activité physique ou intellectuelle l'est également de l'activité sexuelle : mieux vaut s'y livrer que s'en priver (Huyck, 1974).

L'homosexualité et le vieillissement

Jusqu'à très récemment la question de l'homosexualité n'était guère abordée dans la presse à grand tirage. Depuis l'avènement des mouvements de libération des personnes dites « gaies », le sujet a cessé d'être tabou et on estime que le nombre des homosexuels est suffisant pour justifier l'appellation de « minorité sociale », minorité qui vivrait dans un isolement relatif.

S'il est vrai que les personnes âgées et les homosexuels sont victimes d'une image stéréotypée, faut-il croire que les homosexuels âgés ont doublement à souffrir des préjugés courants ? Oui, répondent Kelly (1977) et Laner (1978) dans leur étude sur les homosexuels masculins vivant en Californie ; et ils tracent le portrait classique, fort peu favorable, de l'homosexuel tel que le représente l'esprit populaire, portrait qui ne correspond pas aux découvertes des chercheurs. Selon cette image, l'homosexuel vieillissant aurait une vie sexuelle peu satisfaisante et serait incapable d'entrer dans une relation stable avec un partenaire sexuel. Cette image se trouve démentie par les résultats de la recherche. Kelly ajoute qu'il est faux que les homosexuels âgés régressent au point de s'attaquer aux jeunes enfants. Il est également faux que la brièveté des relations entre homosexuels leur fasse plus craindre la vieillesse qu'aux hétérosexuels. La notion d'une hiérarchie des valeurs attachée à l'âge, chez les homosexuels, ne se trouve pas confirmée par les données recueillies par Kelly et Laner, non plus que par les études qu'ils ont recensées.

Les résultats de recherche ne semblent pas indiquer que les homosexuels âgés préfèrent les jeunes gens, et l'effet du vieillissement sur les hommes « gais » est à peu près semblable à ce qu'il est chez les autres hommes. Aux Etats-Unis, les homosexuels masculins étudiés par Kelly continuent de fréquenter les bars en vieillissant (63 %). Avec l'âge, la crainte d'être découvert semble s'atténuer, car cette crainte est souvent liée à la sécurité de l'emploi et à l'avancement dans la carrière ; elle disparaît donc avec la retraite.

D'autre part, Gagnon et Simon (1973) font remarquer que les vieux homosexuels sont privés de certaines ressources qui leur fourniraient un appui moral. En effet, ils n'ont pas d'enfant dont la carrière leur assurerait le sens de la continuité dans l'avenir, et ils ne connaissent pas non plus la stabilité qu'offre le mariage. Selon Gagnon et Simon, l'impact de la vieillesse se fait sentir plus tôt chez les homosexuels, souvent avant que d'autres signes, comme la retraite, ne deviennent évidents.

Quant aux homosexuels qui jouissent d'une relation permanente avec leur partenaire, d'autres difficultés les attendent. Ils sont en effet exposés au deuil, comme quiconque perd un ami ou un parent mais, selon certains auteurs, ils éprouvent plus de difficulté à nouer de nouveaux liens. A cela s'ajoutent des difficultés d'ordre juridique. Les assurances, le droit à la copropriété, et un testament, même établi avec précaution, sont souvent l'objet d'attaques de la part de la famille du défunt, sous prétexte que ce dernier a subi une influence indue ; et le partenaire qui survit peut n'avoir aucun recours en justice.

Le tableau que peignent Kelly (1977) et Laner (1978) est évidemment moins sombre que celui de leurs prédécesseurs, mais il reste que nous savons encore très peu de choses sur la vie des homosexuels contemporains ; par ailleurs, les temps changent si vite qu'on n'ose avancer de généralisations concernant l'avenir.

Kimmel (1974, 1978), qui a recensé la littérature scientifique jusqu'à ce jour et fait paraître les résultats d'une recherche portant sur 15 homosexuels new-yorkais, écrit que l'un des principaux facteurs de l'évolution des homosexuels vieillissants réside dans la coïncidence de certains événements historiques avec les époques du développement individuel. Par exemple, la cohorte de 1900 se composait d'adultes lors de l'effondrement du marché des valeurs, celle de 1920 atteignait l'âge du lycée pendant la Crise ; la cohorte de 1940 est née pendant la seconde guerre mondiale, et celle de 1950 se composait des enfants du *baby boom*.

Kimmel (1978,1974) a également comparé les étapes du développement décrites par Levinson *et al.* (1978) avec les événements marquants dans la vie des lesbiennes et des homosexuels décrits par Riddle et Morin (1977). Il en conclut que l'image stéréotypée du vieil homosexuel solitaire, déprimé et frustré dans sa vie, n'est pas valable. Il déplore par la même occasion l'absence d'études portant sur les homosexuels âgés, les lesbiennes et les homosexuels provenant de groupes minoritaires et défavorisés. Il est probable que les lesbiennes et les homosexuels âgés ont des besoins spécifiques mais, en l'absence de données concrètes, on en est réduit aux conjonctures.

La vie en institution et la sexualité

La probabilité de vivre dans une institution augmente avec l'âge ; elle dépasse actuellement les 20-25 %, de telle sorte que bien des personnes âgées passeront sans doute quelques années sinon plusieurs dans une institution à la fin de leur vie.

Jusqu'à présent, peu de choses ont été dites ou écrites sur la vie sexuelle dans les foyers d'accueil. Puisqu'il est déjà difficile de penser à la sexualité des gens âgés, il est encore plus malaisé de penser à celle des pensionnaires dans les foyers d'accueil. Miller (1975) affirme qu'en raison de la situation qui prévaut actuellement les établissements de soins à long terme pour personnes âgées se voient forcés de choisir parmi au moins cinq lignes de conduite acceptables :

1 / L'institution peut adopter une politique de non-ingérence, suivant le principe que les rapports sexuels concernent la vie privée des seuls intéressés et ne doivent dépendre que de ceux-ci, quelle que soit leur capacité intellectuelle, et que l'administration n'a pas à intervenir.

2 / L'institution peut adopter une politique de laissez-faire, laissant les pensionnaires « faire ce que doit ». Selon la philosophie et les origines ethniques et sociales de la direction, cette méthode aura pour effet d'encourager ou de décourager, de façon tacite quoique passive, l'activité sexuelle des pensionnaires.

3 / L'institution peut agir *in loco infantis*. Dans ce cas, ce sont les désirs exprimés par les enfants des pensionnaires qui prévalent en ce qui a trait à la vie sexuelle de leurs parents. Les opinions varient d'une famille à l'autre ainsi qu'au sein d'une même famille, et les enfants n'ont pas toujours la même attitude envers la sexualité de leur mère qu'envers celle de leur père.

4 / L'institution de soins à long terme peut considérer la satisfaction sexuelle des pensionnaires comme un important moyen de communication et comme une activité propre à humaniser la vie au foyer d'accueil. Si le but qu'on se propose est de procurer aux vieillards une vie riche et remplie, il convient en effet de s'employer à faciliter leur vie sexuelle.

5 / Le foyer peut chercher à réglementer la vie sexuelle des pensionnaires sous prétexte que les rapports sexuels chez les gens âgés ne sont pas naturels et que ce qui sort du naturel n'est pas bon. Parfois, seuls les actes sexuels accomplis en public sont interdits ou encore ce sont les pensionnaires atteints de sénilité qui se voient interdire toute vie sexuelle (Miller, 1975, p. 31).

Wasow et Loeb (1979) ont interrogé 63 résidents et 17 membres du personnel d'un foyer d'accueil à l'aide d'un questionnaire conçu en vue d'évaluer les attitudes suivantes à l'égard de la sexualité, à savoir : 1 / les rapports sexuels sont destinés principalement à la procréation ou à la récréation ; 2 / des normes différentes s'appliquent aux hommes et aux femmes ; 3 / qui devrait avoir droit aux rapports sexuels ? *e.g.* les gens âgés, les adolescents, les malades mentaux, les retardés mentaux, les homosexuels, les célibataires ;

4 / la masturbation est normale ou non, bonne ou mauvaise ?
5 / existe-t-il une différence entre les mœurs d'aujourd'hui et celles de leur jeunesse et, le cas échéant, que penser des mœurs actuelles ? Tous les pensionnaires interrogés avaient plus de 60 ans et la
moitié d'entre eux avaient dépassé le cap des 80 ans.

Les résultats de cette étude confirment l'idée que les hommes
âgés sont *considérés* comme plus désirables au point de vue sexuel
que les femmes âgées, mais qu'en *réalité* leur capacité sexuelle est
plus diminuée que la leur. Ils en concluent que les pensionnaires
âgés des centres d'accueil ont des pensées et des sentiments d'ordre sexuel et qu'ils les extériorisent par certains comportements. Le
personnel des centres en est fréquemment embarrassé et ne sait
quelle conduite adopter. Latorre et Kear (1977) ont constaté qu'il
existe chez le personnel des centres d'accueil une attitude négative
devant les comportements sexuels des gens âgés, notamment devant
la masturbation. Maggie Kuhn, chef de file d'un groupe d'activis-
tes, les « Gray Panthers », a un jour dénoncé cette attitude en portant un écriteau sur lequel se lisaient les mots : « Touchez-moi, les
rides ne sont pas contagieuses ». L'absence de chaleur et de
contacts tactiles dans les foyers d'accueil fait naître un profond sentiment de solitude chez les pensionnaires, que Donna Swanson
(1978) exprime de façon touchante dans un de ses poèmes :

« Mon Dieu que mes mains sont vieilles. Je ne l'ai jamais dit tout
haut auparavant mais elles le sont.
J'en étais tellement fière auparavant. Elles étaient douces comme
le velours d'une pêche ferme. Maintenant leur douceur ressemble
plutôt à celle de draps usés ou de feuilles desséchées. Quand ces
mains gracieuses et minces sont-elles devenues des griffes noueuses
et contractées ? Quand mon Dieu ? Elles sont étendues sur mes
genoux, comme détachées de ce corps usé qui m'a trop bien servi !
Depuis combien de temps quelqu'un m'a-t-il touchée ? Vingt ans ?
Vingt ans ? Je suis veuve depuis vingt ans. Respectée. Une personne
à qui l'on sourit. Mais jamais touchée. Jamais tenue de près pour
que la solitude s'efface.
Je me souviens de la façon dont ma mère me tenait, mon Dieu.
Lorsque j'étais blessée dans mon corps ou dans mon âme, elle me
prenait contre elle, caressait mon dos et mes cheveux soyeux de ses
mains chaudes. Oh mon Dieu, je suis tellement seule !
Je me rappelle le premier garçon qui m'a embrassée. C'était tellement nouveau pour nous ! Le goût des lèvres jeunes et du maïs souf-
flé, l'impression de mystères à venir.
Je me souviens de Hank et des bébés — comment puis-je me les

rappeler autrement qu'ensemble ? Ce sont de tentatives gauches, maladroites des nouveaux amants que sont venus les bébés. Notre amour a grandi en même temps qu'eux. Et, mon Dieu, Hank ne semblait pas s'inquiéter de voir mon corps épaissir et se faner un peu. Il m'aimait toujours. Et il me touchait aussi. Cela ne nous importait pas de n'être plus beaux. Et les enfants me serraient tant contre eux. Oh Dieu que je suis seule !

Mon Dieu, pourquoi n'avons-nous pas appris aux enfants à être fous et affectueux aussi bien que dignes et convenables ? Voyez-vous — ils font leur devoir. Ils arrivent dans leurs belles voitures ; ils viennent à ma chambre me présenter leur respect. Ils bavardent gaiement et rappellent des souvenirs. Mais ils ne me touchent pas. Ils m'appellent MAMAN, MÈRE ou GRAND-MÈRE.

Jamais Minnie. Ma mère m'appelait Minnie. Mes amis aussi. Hank m'appelait Minnie aussi. Mais ils sont partis. Et Minnie aussi. Seule reste la grand-mère. Et Dieu qu'elle est seule ! »*

La sexualité et les problèmes médicaux chez les gens âgés

Les problèmes de la prostate. — La prostate est élargie chez à peu près 50 % des hommes qui atteignent l'âge de 80 ans. L'hypertrophie de la prostate peut diminuer le débit de l'urine, causer des problèmes à la miction, et quelquefois peut provoquer des douleurs aux testicules et au bout du pénis. Aujourd'hui, l'intervention chirurgicale est recommandée seulement quand les symptômes sont très graves ou qu'il y a un cancer de la prostate. Les hommes craignent souvent qu'une intervention chirurgicale dans la région de la prostate ne signifie la fin de leur vie sexuelle, et les chirurgiens ne savent pas toujours renseigner leurs patients sur les effets de ce type d'intervention chirurgicale. Dans la plupart des cas, le malade doit signer une déclaration à l'effet que « cette intervention peut entraîner l'impuissance ». Bien que ce ne soit là qu'une possibilité de complication parmi bien d'autres, le fait d'en voir l'énoncé en toutes lettres sur l'avis de consentement et d'avoir à y apposer sa signature rend la situation traumatisante. Or, nombreux sont les hommes qui conservent intactes leurs fonctions sexuelles après l'opération. Certains en prennent cependant prétexte pour mettre fin à leur vie sexuelle simplement parce qu'ils se croient devenus trop vieux. Une intervention chirurgicale grave en présence du can-

* C'est nous qui traduisons.

cer risque d'avoir une incidence sur les fonctions sexuelles, mais, même dans ce cas, un certain nombre de sujets sont capables de reprendre leur vie sexuelle après l'opération. Aujourd'hui les traitements par médicaments ainsi que les nouvelles méthodes d'intervention chirurgicale ont réussi à diminuer de façon significative les risques d'effets sur le fonctionnement sexuel des problèmes reliés à la prostate.

Le diabète. — Les diabétiques ont un taux d'impuissance supérieur aux autres hommes. En fait, l'impuissance est parfois le premier symptôme qui porte le diabétique à consulter son médecin.

Les vaginites de sénilité. — On appelle vaginite de sénilité l'ensemble des modifications du vagin et de l'utérus causées par l'abaissement du niveau d'œstrogène qui fait suite à la climatérique féminine. Les cas graves sont souvent traités à l'aide d'œstrogène et les chances de réussite de cette thérapeutique sont généralement assez bonnes. Dans les cas bénins, les crèmes lubrifiantes suffisent, cependant qu'une vie sexuelle régulière constitue la meilleure thérapeutique préventive.

Les troubles cardiaques. — A la suite d'une crise cardiaque, le malade craint souvent de reprendre ses activités sexuelles. Or, dans la majorité des cas, cette crainte est sans fondement, encore qu'il soit essentiel de suivre les conseils du médecin. Les cardiologues constatent souvent que le retour à la vie sexuelle après un épisode coronarien est d'un grand secours (Griffith, 1973), et les recherches se poursuivent autour des observations récentes indiquant que l'hypertension causée par la frustration sexuelle constitue un danger plus grave pour les cardiaques que les rapports sexuels fréquents. Le coït pratiqué avec le partenaire habituel et d'une durée relativement courte, soit de 10 à 16 minutes, représente une dépense d'énergie inférieure à celle qu'entraîne la conduite d'une voiture (Hellerstein et Freidman, 1970). Enfin, la consommation d'oxygène au moment de l'orgasme est généralement inférieure à celle qui est nécessaire pour marcher rapidement ou gravir un escalier. Néanmoins, de nombreux cardiaques craignent de mourir subitement pendant le coït.

Au cours d'une étude qui portait sur 1 559 cas de mort subite causée par des troubles cardiaques (Ueno, 1963), on a découvert que 6,6 % des morts subites, soit 34 personnes, étaient associées à l'activité sexuelle. Il est en outre intéressant de noter que 80 % des morts subites reliées à l'activité sexuelle sont survenues au cours de relations illicites. Ces découvertes et d'autres laissent supposer que la mort subite se produit rarement lorsque les rapports sexuels ont lieu entre partenaires qui entretiennent des relations sexuelles de longue date.

La probabilité de mort subite ou de rechute après un épisode coronarien diminuera si l'on a soin de prendre certaines précautions (Fowler, 1976 ; Koller *et al.*, 1977). On pourra, par exemple, adopter une position moins fatiguante au cours des rapports sexuels, et s'y préparer par une bonne nuit de sommeil ainsi qu'en s'abstenant de faire au préalable des exercices comme de monter un escalier. Les médecins peuvent aussi prescrire un programme d'exercices progressifs et doser les médicaments en conséquence. Masters et Johnson ont bien insisté sur le fait que les résultats de leurs études en laboratoire indiquent que ce ne sont pas les efforts physiques associés aux rapports sexuels qui sont de nature à augmenter le rythme cardiaque et la pression sanguine mais bien les émotions qui accompagnent l'acte sexuel. Ces découvertes impliquent, entre autres, que la variable critique dans la réduction de la probabilité d'incidents coroniens lors du coït n'est pas nécessairement l'effort physique.

L'impuissance. — L'impuissance est rarement causée par des problèmes physiologiques (Masters, Johnson et Kolodny, 1992). La majorité des problèmes que connaissent les hommes, difficulté d'obtenir une érection, absence d'éjaculation ou éjaculation prématurée, ainsi que les difficultés éprouvées par les femmes, diminution d'intensité de la réponse sexuelle ou de l'orgasme, sont de nature psychologique. Masters et Johnson ont été des pionniers dans le domaine de la thérapeutique des dysfonctions sexuelles. On trouvera un résumé de leurs travaux dans le livre *Human Sexual Inadequacy* (Masters, Johnson et Kolodny, 1992). Malgré qu'ils n'aient traité qu'un nombre plutôt restreint de clients âgés, Masters et Johnson ont obtenu des résultats satisfaisants grâce à l'application de leurs techniques thérapeutiques.

Il y aurait lieu d'instruire davantage les gens âgés sur leur capacité sexuelle et les changements que l'âge peut y apporter. Les dysfonctions sexuelles peuvent en effet résulter de l'attitude à l'égard du vieillissement et des stéréotypes sociaux qui veulent qu'un partenaire âgé soit peu attirant. On doit aussi savoir qu'il est possible de ranimer un désir flageolant simplement en recourant à une technique appropriée (Butler et Lewis, 1977).

Pour augmenter les chances de réussite, il importe en effet de comprendre la nature de la sexualité masculine chez l'homme âgé, et de modifier certaines pratiques et attitudes. Les hommes d'un âge avancé peuvent éprouver quelque difficulté à obtenir une érection en réponse aux stimulations cérébrales ou mentales (Masters, Johnson et Kolodny, 1992). Cette difficulté peut être compensée par le massage et la manipulation du pénis. L'application de ces techniques nécessite cependant la pleine coopération du partenaire sexuel. Les hommes peuvent aussi apprendre à faire des manipulations orales, manuelles et digitales qui leur permettront de satisfaire leur partenaire sans avoir à éprouver l'angoisse liée à la crainte de ne pouvoir s'acquitter convenablement de leur tâche. Certaines techniques employées dans le traitement de l'impuissance et de la frigidité sont centrées sur la communication : les partenaires doivent s'ouvrir librement sur la nature des activités qui leur procurent du plaisir. Ils doivent également s'intéresser à l'ensemble des activités sexuelles plutôt qu'aux seuls moments consacrés au coït.

Préjugés et idées fausses

Le livre *Study Guide on Sexual Life in the Later Years* (Rubin, 1970) réfute quelques-uns des préjugés les plus communément associés à la sexualité.

1 / L'impuissance précoce n'est aucunement associée à une usure sexuelle prématurée. Il n'existe en effet aucun rapport évident entre le niveau d'activité antérieur et, même si elle existe, la fin de la vie sexuelle. Kinsey affirme au contraire que ses données autorisent à penser que ceux qui abordent leur vie sexuelle tôt ont tendance à y mettre fin plus tard que les autres.

2 / Les rapports sexuels et tout spécialement l'émission du sperme n'affaiblissent pas et ne hâtent pas l'avènement de la vieillesse ou de la mort. Cette croyance était assez répandue aux cours des siècles précédents, mais elle est fausse. L'émission du sperme peut se comparer à la perte de la salive lorsqu'on crache et ne produit aucun effet physiologique néfaste sur quelque aspect du fonctionnement humain que ce soit.

3 / La ménopause n'entraîne pas nécessairement une diminution de la satisfaction sexuelle. Au contraire, la crainte de la grossesse ayant disparu, les rapports sexuels s'en trouvent amélio-

rés. Les difficultés reliées à la baisse d'œstrogène, dont il a été question plus haut, peuvent faire problème, mais elles peuvent être soulagées par un traitement approprié. S'il y a quelque amoindrissement de la satisfaction sexuelle après la ménopause, les causes en sont imputables bien plus aux attentes qu'aux effets physiques.

4 / L'hystérectomie, opération qui implique généralement l'ablation de l'utérus et parfois celle des ovaires, est source d'anxiété pour certaines femmes. Les recherches indiquent qu'en général, si la femme obtient au préalable l'assurance qu'elle retrouvera une vie sexuelle satisfaisante après l'opération, ses attentes se trouvent ensuite confirmées. Il n'y a à cela qu'une exception, l'ablation des ovaires ; celle-ci déclenche en effet une ménopause artificielle, puisque ce sont les ovaires qui produisent l'œstrogène. Il peut donc être nécessaire de prévoir une thérapeutique propre à pallier la déficience en œstrogène afin d'enrayer les symptômes de la vaginite de sénilité.

5 / Ce sont rarement les hommes de plus de 60 ans qui se livrent à des attentats à la pudeur contre les enfants. En fait, toutes les études qui portent sur la question démontrent que c'est au sein de ce groupe d'âge qu'on rencontre *le moins* de sujets susceptibles de s'attaquer aux enfants. Les exhibitionnistes, dont le modèle classique est le promeneur dans un parc qui montre son corps nu de dessous un imperméable, ont rarement plus de 40 ans et la plupart d'entre eux sont dans la vingtaine. Presque toutes les enquêtes menées à l'occasion de l'arrestation de personnes âgées accusées d'attentats à la pudeur contre des enfants ont démontré qu'il y avait eu malentendu. Lorsqu'une personne âgée recherche un contact humain, son geste risque en effet d'être mal compris et de passer pour une ouverture sexuelle.

6 / Il n'existe pas d'aphrodisiaques. Bien que certains produits chimiques puissent irriter légèrement les voies urinaires ou causer des sensations étranges, ils n'ont aucun effet direct sur le désir ou la capacité sexuels. Un prétendu aphrodisiaque peut produire l'effet d'un placebo — c'est la confiance qui stimule le désir ou fait taire la crainte de l'impuissance. Seuls les aphrodisiaques prescrits par Kinsey sont susceptibles de faciliter l'accomplissement de l'acte sexuel : une bonne santé, assez d'exercice et beaucoup de sommeil.

CHAPITRE VI

La santé mentale
et le vieillissement

Ce chapitre traite de la santé mentale chez les gens âgés. Bien que les catégories qui suivent ne s'excluent pas mutuellement, nous trouvons commode de considérer séparément : *a* / les pathologies sociales, *b* / les troubles psychiques et *c* / les troubles cérébraux organiques. Dans la pratique, ces trois catégories sont souvent difficiles à distinguer parce qu'une difficulté peut se superposer à une autre ou encore en provoquer une autre. Nous terminerons par des considérations sur les méthodes de traitement et le progrès des techniques de prévention.

Les pathologies sociales

Les gens âgés vivent en général dans un milieu social différent de celui des groupes plus jeunes. Ainsi, de 24 à 28 % des personnes de plus de 65 ans vivent seules (Busse et Pfeiffer, 1977). Busse et Pfeiffer estiment que 9 % des gens de plus de 65 ans vivent dans un état d'isolement social qui ne leur permet pas de connaître l'intimité. Les recherches indiquent qu'il existe un rapport entre la fréquence des contacts sociaux et le sentiment de satisfaction à l'égard de la vie. Si l'on présume que ce chiffre de 9 % est valable, il faut conclure qu'un fort pourcentage de la population âgée se trouve dans un état de privation sociale extrême dont les incidences sur la santé mentale sont considérables.

Il est important, à ce point de l'exposé, de distinguer l'isolement de la solitude. La solitude a rapport à la réaction ou au sentiment personnel qui peut survenir même lorsqu'on se trouve au milieu d'une foule. Il n'est pas nécessaire d'être seul pour se sentir solitaire. Ainsi, au moment d'acheter des cadeaux de Noël pour ses enfants qui ne vivent plus chez elle, une mère de famille peut se sentir solitaire malgré qu'elle se trouve dans un magasin bondé de monde. Certaines personnes qui vivent seules ne se sentent pas solitaires tandis que d'autres souffrent de la solitude même au milieu de la foule. En général, ce ne sont pas les individus qui ont une longue expérience de l'isolement et de la solitude qui présentent des troubles psychiques au cours de la vieillesse, mais ceux qui voient diminuer la fréquence de leurs rapports avec autrui pour quelque cause que ce soit : décès du conjoint, des amis ou des proches parents, éloignement des membres de la famille, infirmités qui rendent difficiles les visites et les communications, problèmes financiers et difficultés de transport qui réduisent la fréquence des contacts.

Tout ce qui contribue à diminuer l'estime de soi et la valeur sociale de l'individu peut favoriser l'apparition de troubles psychiques chez les gens âgés. Nous traiterons ailleurs de cette diminution de l'estime de soi et de la valeur sociale des gens âgés dans notre culture. La retraite obligatoire alliée à un profond respect du travail peuvent faire naître des sentiments négatifs tant à l'égard de soi-même que de la situation, sentiments qui peuvent susciter des difficultés physiques et psychiques. Les difficultés émotives peuvent également avoir pour cause d'autres problèmes sociaux fréquents, comme la perte des revenus, l'impression de ne plus être maître de son sort, le changement de domicile ou l'altération de la santé.

Le principal résultat de ces changements semble être un sentiment de solitude, car tous ces éléments contribuent à la diminution des contacts sociaux. La perte de l'estime de soi-même entraîne en effet l'impression de n'avoir plus de rapports en tant que personne humaine. La solitude peut se définir comme l'état ou le sentiment personnel qu'on éprouve lorsqu'on *estime* que le niveau des rapports sociaux est insuffisant ou que ceux-ci ne sont pas satisfaisants.

La solitude peut être liée à une certaine timidité qui empêche de prendre l'initiative des contacts sociaux à la suite d'un changement de milieu ou de conditions (Conti, 1970). Les personnes âgées qui se sentent dépréciées par suite de la retraite ou d'une diminution de revenu, ou encore parce qu'elles ont dû abandonner la maison familiale pour un simple appartement ou une habitation à loyer modique, peuvent connaître ce type d'isolement ainsi qu'un profond sentiment de solitude.

Les personnes âgées qui vivent seules passent souvent une grande partie de leur temps à songer à leurs enfants éloignés et/ou à regretter leur conjoint disparu. Ce type d'isolement peut facilement mener à la dépression et nuire au bon fonctionnement social.

Lopata (1969) a étudié le phénomène de la solitude qui accompagne le veuvage. Elle le décrit comme ayant trois dimensions : le passé, le présent et l'avenir. La première est une tendance à vivre dans le passé et à considérer le présent sous un jour défavorable par rapport au passé. Elle qualifie de nostalgie ce type de solitude. La seconde désigne la tendance à se sentir vide, incomplet et isolé. Quant à la troisième, c'est la crainte de voir augmenter la solitude. Lopata a identifié dix composantes de la solitude chez les veuves qu'elle a observées :

1 / perte du sentiment d'être un objet d'amour ;
2 / perte d'un être à soigner ;
3 / absence d'un être avec qui partager ;
4 / privation d'une présence ;
5 / privation d'une aide dans l'accomplissement des tâches quotidiennes ;
6 / nostalgie des activités familières ;
7 / impression de déchoir de son rang ;
8 / altération des relations sociales ;
9 / incapacité de lier de nouvelles amitiés ;
10 / combinaisons diverses des neuf facteurs précédents.

Notons qu'il s'agit là d'impressions subjectives, susceptibles de s'améliorer sous l'effet d'interventions appropriées se produisant en temps opportun. Le fait de redonner à un veuf ou à une veuve le sentiment d'être utile et nécessaire, et de participer à la vie sociale, enfin lui rendre un sentiment de plénitude, peut en effet contribuer à faire diminuer son impression de solitude.

Townsend (1973) a élaboré une méthode pour calculer le degré d'isolement des personnes âgées en évaluant le nombre de contacts sociaux de toutes sortes auxquels elles ont accès pendant une période donnée. Les 203 sujets de son échantillonnage se répartissent en trois catégories : non isolés, plutôt isolés et isolés. La plupart des sujets, soit 77 %, étaient compris dans le groupe des « non-isolés ». Parmi ces derniers, 3 % souffraient de la solitude, tandis que 18 % ont déclaré se sentir seuls par moments. Le nombre de sujets souffrant de la solitude était évidemment plus élevé parmi les isolés (10 % de l'ensemble) ; cependant, 60 % de ces derniers ont affirmé qu'ils *ne* se sentaient *pas* seuls. Cette étude démontre une fois de plus que la correspondance entre les impressions subjectives et les conditions objectives est réelle, mais imparfaite.

Ces données autorisent à penser que le fait de procurer des contacts sociaux aux personnes âgées constitue un moyen important de vaincre leurs sentiments de rejet et de solitude. En tout état de cause, il ne faut cependant pas s'attendre à ce que toutes les personnes âgées apprécient ces interventions. Certaines d'entre elles peuvent aussi craindre de manifester leur gratitude par crainte d'entrer dans une nouvelle relation de dépendance, qui pourrait se terminer comme toutes les autres. La dimension future de la solitude identifiée par Lopata, la peur de voir augmenter la solitude, que l'on pourrait appeler « angoisse de la solitude », peut nuire à l'établissement de bonnes relations dans le présent par crainte de les voir se rompre fatalement dans l'avenir.

L'effet du stress sur la maladie et la santé mentale au cours de la vieillesse constitue une importante source de difficultés reliées à la situation sociale. Les recherches (*e.g.* Rahe, McKean et Arthur, 1967) ont fait apparaître un rapport direct entre le nombre des changements importants dans la vie d'un sujet et les épisodes de maladie subséquents. En effet, le veuvage, le divorce, la perte d'un emploi, ainsi que le mariage, des modifications survenant dans les fréquentations entre hommes et femmes, le fait de contracter une dette hypothécaire importante, et même des changements moindres tels qu'un congé ou des vacances ont un effet cumulatif et peuvent augmenter le risque de mort ou de maladie grave.

Les recherches récentes sur l'effet du stress sur la maladie et la santé mentale indiquent que les mécanismes d'adaptation (« coping ») utilisés pour faire face aux situations stressantes peuvent déterminer les conséquences de ces situations (Lazarus et Folkman, 1984). Selon l'approche de Lazarus et Folkman, les conséquences des situations stressantes sont déterminées par l'évaluation cognitive de leur importance (« l'évaluation primaire ») ainsi que par l'utilisation des mécanismes d'adaptation. L'évaluation primaire est la façon dont l'individu mesure l'importance de la situation. Une situation peut être perçue par un individu comme une menace importante à son bien-être et comme un défi intéressant par un autre. Selon le modèle de Lazarus et Folkman, les mécanismes d'adaptation ont deux objectifs : 1 / essayer de modifier ou de changer les problèmes engendrés par la situation stressante ou 2 / diminuer les sentiments négatifs suscités par cette situation. Les mécanismes d'adaptation qui ont pour fin de changer les problèmes créés par la situation sont les suivants : demande de conseils aux amis, adoption de comportements propres à changer la réalité créée par la situation stressante, etc. Les mécanismes d'adaptation qui ont pour fin de diminuer les sentiments négatifs sont les suivants : expression de sentiments aux amis, consommation d'alcool ou de drogues, distractions ou diversion de la pensée, etc. Les mécanismes d'adaptation varient d'un individu à l'autre ; la même personne peut recourir à différents mécanismes d'adaptation selon la nature de la situation stressante.

Les troubles psychiques (psychopathologie)

Le nombre de personnes âgées atteintes de maladies mentales ou, du moins, reconnues comme telles et confiées aux soins d'un thérapeute, est relativement peu élevé. Cependant, lorsque des troubles psychiques se présentent, le malade âgé se verra plutôt interné que traité en clinique externe ou dans le cadre d'un programme communautaire. En Amérique du Nord, la proportion des personnes âgées de plus de 65 ans qui vivent en institution psychiatrique est de 1 % environ. La majorité d'entre elles touchent à la fin de leurs jours, et la probabilité d'être hospitalisé après l'âge de 65 ans dépasse largement 1 %. Si l'on compare la population des hôpitaux, on constate que les malades de plus de 65 ans forment 30 % de la population des hôpitaux publics contre 11 % de la population des centres hospitaliers privés. Ces taux s'opposent au faible pourcentage, soit 2 %, des personnes âgées soignées en clinique externe. Environ 50 % des malades de plus de 65 ans internés à l'hôpital psychiatrique sont réputés atteints d'un « syndrome cérébral organique », expression qui correspond en langage technique à ce que le profane appelle « sénilité ». L'autre moitié se répartit entre les diverses « psychoses » ou, autrement dit, les maladies mentales graves comme la schizophrénie. Un certain nombre de « psychotiques » âgés ont passé leur vie à l'hôpital psychiatrique. Cependant, on tend de plus en plus à traiter les personnes âgées dans les centres communautaires, ce qui aura vraisemblablement pour effet de faire baisser les taux d'hospitalisation.

Le Système de classification international des maladies et le Manuel diagnostique et statistique des troubles mentaux (DSM-III-R)

La Classification internationale des maladies (CIM) a été mise au point par l'Organisation mondiale de la santé (OMS) pour la classification statistique des maladies mentales, autres maladies et conditions morbides, accidents, etc. La version la plus récente, la CIM-9, constitue une liste des maladies, traumatismes et causes de décès relevés dans la collecte et utilisés dans la diffusion des données sur la mortalité et la morbidité qui sont comparables à l'échelle mondiale. Un glossaire et un guide de classification des troubles mentaux sont inclus avec la CIM-9. La CIM-9 constitue un système utile quand il s'agit de comparer les statistiques sur l'incidence et la prévalence des maladies physiques et mentales aux quatre coins du monde. Néanmoins, certains cliniciens croient que la CIM-9 n'a pas une assez grande spécificité pour être utilisée dans les pratiques d'intervention auprès des personnes atteintes de maladie mentale. Récemment, une version plus détaillée de la CIM-9, la CIM-9-MC (modification clinique) a été faite aux Etats-Unis. Mais, en Amérique du Nord, les cliniciens utilisent généralement le DSM-III-R (American Psychiatric Association ; publié en français par Masson, 1989).

Le DSM-III-R est plus élaboré que la CIM-9 dans la façon de classifier les troubles mentaux. Une évaluation selon le DSM-III-R est faite selon cinq « axes », chacun se rapportant à une classe d'information différente :

— **AXE I : syndromes cliniques ;**
— **AXE II : troubles de développement, troubles de personnalité ;**
— **AXE III : affections et troubles physiques ;**
— **AXE IV : gravité des facteurs de stress psychosociaux ;**
— **AXE V : évaluation globale du fonctionnement.**

Le degré de gravité d'un trouble est spécifié après le diagnostic comme étant : faible, moyen ou élevé.

Selon le DSM-III-R, chaque catégorie d'un axe est déterminée par la présence de certains troubles ou symptômes. Dans le présent chapitre, nous résumerons les critères diagnostiques du DSM-III-R avant d'aborder en détails les troubles mentaux que l'on observe plus souvent chez les personnes âgées.

Les troubles d'humeur. — Les troubles de l'humeur, qu'on appelle aussi troubles thymiques, sont les désordres de l'affectivité ou de l'émotivité. Ils peuvent être divisés en troubles bipolaires et troubles dépressifs. La caractéristique essentielle des troubles bipolaires est la présence d'un ou de plusieurs épisodes maniaques (habituellement, avec antécédents d'épisodes dépressifs majeurs). Un épisode maniaque est essentiellement une période durant laquelle l'humeur prédominante est exaltée, gaie, expansive ou irritable. Le trouble est suffisamment grave pour entraîner un handicap marqué du fonctionnement professionnel, des activités sociales ou des relations interpersonnelles habituelles. Un épisode dépressif est une (ou plusieurs) période de dépression sans antécédent d'épisodes maniaques ou hypomaniaques. Un épisode dépressif majeur est soit une humeur dépressive, soit une perte d'intérêt et de plaisir pour presque toutes les activités et persistant au moins deux semaines. Chez les personnes âgées, quelques-uns des symptômes de la dépression, par exemple une désorientation ou une perte de mémoire, peuvent entraîner un diagnostic de démence. Il peut parfois être difficile de faire la différence entre la « pseudo-démence », qui est provoquée par la dépression, et la démence véritable.

Selon le DSM-III-R, le diagnostic d'un épisode dépressif majeur est basé sur la présence d'au moins cinq des symptômes suivants pendant une même période d'une durée d'au moins deux semaines, et doit représenter un changement par rapport au fonctionnement antérieur. Au moins un des symptômes est soit 1 / une humeur dépressive soit 2 / une perte d'intérêt et de plaisir :

- humeur dépressive, présente pratiquement toute la journée, presque quotidienne ;
- diminution marquée de l'intérêt ou des plaisirs dans toutes ou presque toutes les activités, pratiquement toute la journée, presque quotidiens ;
- perte ou gain significatif de poids, en l'absence de régime ou diminution ou augmentation de l'appétit presque quotidienne ;
- insomnie ou hypersomnie presque quotidienne ;
- agitation ou ralentissement psychomoteur, presque quotidien ;
- fatigue ou perte d'énergie presque quotidienne ;
- sentiment d'indignité ou de culpabilité excessive ou inappropriée presque quotidien ;
- diminution de l'aptitude à penser ou à se concentrer ou indécision presque tous les jours ;

— pensée récurrente de la mort (pas seulement crainte de mourir),
idées suicidaires récurrentes sans plan précis, tentative de suicide, ou plan précis pour se suicider.

Cinquante pour cent des personnes ayant plus de 60 ans qui
sont admises en hôpital psychiatrique reçoivent un diagnostic d'épisode dépressif majeur ; mais un tel diagnostic est donné à seulement 10 % des personnes de tout âge qui sont admises en hôpital
psychiatrique.

Ce qui précède exige que nous précisions la distinction entre la
dépression et le deuil. Ce dernier est une réaction provoquée par
une perte spécifique et identifiable ou par un nombre restreint de
pertes spécifiques et identifiables. Bien que la dépression et le deuil
soient à peu près semblables en ce qui concerne l'humeur et les
composantes physiologiques, la dépression peut survenir en l'absence de toute perte, voire en présence d'une réussite ou d'un gain.
Par contre, le deuil peut précipiter une dépression hors de proportion par rapport à la perte subie. Si, pour les besoins de l'analyse,
la distinction entre les deux se fait aisément, elle est cependant presque impossible à établir dans la réalité. On distingue encore parfois les dépressions de type endogène (dépression) et les dépressions
de type exogène (deuil). Le deuil étant courant pendant la vieillesse,
nous y reviendrons au chapitre VIII, pour ne traiter ici que de la
dépression proprement dite, qui est de type endogène.

On peut ramener à quatre types les approches théoriques de la
dépression, soit les types freudien ou dynamique, behavioriste,
cognitif et social. Mais quelle que soit l'école de pensée à laquelle
elles appartiennent, toutes les théories prédisent la recrudescence
des difficultés au cours de la vieillesse, ce qui n'a rien d'étonnant
puisque toute théorie s'appuie sur l'observation et que la dépression est l'un des problèmes les plus communs de la vieillesse.

Théorie psychanalytique de la dépression. — C'est la communication de Freud intitulée *Deuil et Mélancolie* (1915) qui sert de
base à la plupart des hypothèses psychanalytiques concernant la
dépression. Freud avait observé que, si la dépression était souvent
précipitée par une perte, il y avait cependant une différence entre
les réactions de deuil normales et les réactions dépressives *pathologiques*. Dans le deuil, le sujet trouve le monde vide mais ne perd
pas pour autant l'estime de soi-même. Au contraire, les déprimés
éprouvent un sentiment de vide intérieur, perdent l'estime d'eux-

mêmes et voient leurs rapports avec autrui se détériorer avec le temps. Par contre, les rapports sociaux extérieurs de la personne en deuil s'améliorent avec le temps.

Selon Freud, la dépression est une réaction à la perte qui s'accompagne de sentiments de culpabilité. Ceux-ci conduisent à l'introjection de l'objet perdu (la personne disparue) et à des sentiments d'hostilité envers soi-même. Comme les personnes âgées ont généralement subi de nombreuses pertes tant physiques que financières ou sociales, elles ont des raisons de se sentir coupables. L'effet cumulatif de ces pertes peut être de hâter chez elles l'apparition d'un état dépressif même en l'absence de toute prédisposition. Avec chaque nouvelle perte, la culpabilité, l'hostilité et la dépression s'accentuent, au point que l'avenir ne renferme plus pour les personnes âgées aucun espoir de soulagement. Cette vision pessimiste se complique encore chez Freud par l'imperméabilité relative de la psyché vieillissante et le fait que le pronostic d'une thérapie d'orientation psychanalytique est décourageant.

Théories behavioristes de la dépression. — Les behavioristes ont traditionnellement associé la dépression à une perte de renforcements (Ferster, 1974). Selon eux, une personne qui se voit privée de renforcements positifs, tant physiques que sociaux, se déprime, ce qui entraîne une chute du taux d'activité, suivie d'une nouvelle baisse du taux de renforcements, et ainsi de suite, de sorte que le malade déprimé se trouve enfermé dans un cercle vicieux. Il n'est donc pas difficile de comprendre que la théorie behavioriste prédise une élévation du taux de dépression au moment de la vieillesse puisque les personnes âgées subissent une perte de renforcements positifs conséquents à la privation d'activités, aux difficultés financières et à l'isolement social.

Dans une autre perspective, la théorie behavioriste examine le « résultat anticipé », c'est-à-dire la mesure dans laquelle le sujet s'estime capable de diriger les contingences du renforcement souhaité (Rotter, 1966). La théorie dite de l'instance de direction ou encore des contingences de la réponse explique la dépression en attribuant à l'individu le sentiment d'être gouverné par des forces extérieures (personnes humaines ou forces inhérentes à l'environnement) ou bien d'être seul responsable des satisfactions qu'il obtient (Seligman, 1974 ; Seligman, 1975a, et Seligman, Klein et Miller, 1976).

Théories cognitives de la dépression. — Beck (1967) a formulé une théorie voulant que la dépression soit largement basée sur une triade cognitive négative (un groupe de trois éléments). Le thème central de cette triade s'organise autour des représentations 1 / du soi, 2 / du monde extérieur, et 3 / de l'avenir, et le déprimé passe son temps à en ruminer les aspects négatifs. Ces représentations négatives naissent d'une série de distorsions logiques qui présentent l'individu comme un perdant qui continuera toujours à perdre.

Théories sociales de la dépression. — C'est le nom de Harry Sullivan qui se présente le premier à l'esprit lorsqu'on veut parler des aspects sociaux et interpersonnels de la dépression. Selon Sullivan (1953), notre personnalité dépend en grande partie du « soi spéculaire », concept qu'il emprunte à George Herbert Mead (Mead, 1933 ; 1934). Selon ce concept, nous aurions tendance à nous voir à travers les yeux des autres ainsi qu'à nous saisir dans leurs réactions et interactions à notre égard. Si leurs réactions sont toujours favorables, nous aurons une bonne « image spéculaire » de notre soi, mais si, au contraire, leurs réactions sont défavorables ou manquent de suite, l'« image spéculaire » de notre soi sera négative. Ce concept de l'estime de soi fondée sur la perception des perceptions d'autrui signifie que tous nos comportements sont orientés en fonction de cet « autre généralisé », qu'il soit présent ou non.

Les personnes âgées dont l'interaction est limitée et parfois négative peuvent se dire : « C'est peut-être une bonne chose que je ne fréquente plus beaucoup de gens parce qu'ils me trouveraient probablement vieille, infirme et bête. » De telles pensées les incitent à éviter les contacts avec autrui, ce qui ne fait qu'augmenter leurs idées négatives à l'égard d'elles-mêmes.

Traitement des troubles de l'humeur. — Le traitement des désordres affectifs se ramène à quatre types d'intervention : 1 / psychothérapie ; 2 / modification de l'environnement (*e.g.* on placera la personne âgée dans un milieu où elle aura davantage d'amis, et on lui procurera un travail ou des activités qui ont un sens) ; 3 / utilisation d'agents thérapeutiques tels les antidépresseurs tricycliques, les principaux tranquillisants et le lithium ; et 4 / sismothérapie (électrochoc). On trouvera un complément d'information sur les techniques d'intervention dans Mishara et Patterson (1979).

L'hypocondrie. — L'hypocondrie se manifeste par une préoccupation angoissée concernant certaines parties du corps que le sujet croit lésées ou malades. Dans le DSM-III-R, l'hypocondrie est appelée un « trouble somatoforme ». Les critères diagnostiques de l'hypocondrie sont les suivants :

— le patient est habité par la crainte ou croyance d'être atteint d'une maladie grave, fondée sur une interprétation erronée de certaines sensations ou signes physiques, tenus pour symptômes de cette maladie ;

— un examen physique minutieux ne permet de faire le diagnostic d'aucun trouble physique en rapport avec les sensations ou les signes allégués par le sujet, et les symptômes décrits ci-dessus ne sont pas simplement des symptômes d'attaques de panique ;

— malgré les examens médicaux rassurants, la crainte ou la croyance d'avoir une maladie persiste ;

— la durée de la perturbation est d'au moins six mois ;

— la croyance d'être atteint d'une maladie grave ne revêt pas une intensité délirante.

On pense que les hypocondriaques trouvent souvent dans ces symptômes un prétexte pour échapper à leurs obligations sociales puisqu'un malade est réputé incompétent et incapable de prendre soin de lui-même. La maladie sert donc à justifier le besoin de dépendance envers autrui. La maladie étant plus menaçante pour les gens âgés, ceux-ci finissent souvent par convertir leur inquiétude en réaction d'angoisse exagérée, c'est-à-dire en hypocondrie.

Les hypocondriaques concentrent habituellement leur attention sur eux-mêmes plutôt que sur les autres. Ce phénomène s'explique en partie par le fait que l'angoisse reportée sur leur corps semble moins menaçante que celle qui provient des autres. Il se peut en effet que les individus incapables de tolérer l'angoisse causée par les conditions extérieures de leur existence déplacent inconsciemment la source de cette angoisse. Selon une autre interprétation cependant, les hypocondriaques trouveraient dans la maladie une punition ou un moyen d'expier les fautes dont ils se sentent coupables.

Lorsque l'on veut aider un hypocondriaque, il est généralement inutile de tenter de le persuader qu'il n'a pas les maladies dont il croit souffrir. Les médecins qui font valoir clichés de rayons X et résultats d'analyse en affirmant à leurs malades qu'ils sont en excellente santé sont souvent frustrés par l'incrédulité de ces derniers, qui consulteront éventuellement de nouveaux médecins parce qu'ils sont absolument certains de présenter un désordre médical. Mieux vaut habituellement accepter de s'occuper du malade, en le soignant au besoin ou en lui administrant un « placebo » (médicament qui n'a, en réalité, aucun effet mais donne aux gens l'illusion qu'on s'occupe d'eux). Il n'est pas non plus recommandé de dire à la parenté que le malade « se fait des idées ». En fait les hypocondriaques s'améliorent parfois lorsqu'on essaie réellement de les aider, et l'on peut obtenir de bons résultats en récompensant leurs comportements sains par de l'attention, des encouragements et des félicitations.

Les réactions paranoïdes. — La paranoïa est un sentiment de méfiance à l'égard des personnes ou des forces extérieures perçues comme capables de nuire. La paranoïa est traitée dans le chapitre « Troubles délirants (paranoïaques) » du DSM-III-R. Les critères diagnostiques du trouble délirant (paranoïaque) sont les suivants :

— idée(s) délirante(s) non bizarre(s) (c'est-à-dire de situations rencontrées dans la réalité, telles que être poursuivi, empoisonné, contaminé, aimé à distance, atteint d'une maladie, trompé par le conjoint ou le partenaire) d'une durée d'au moins un mois ;
— hallucinations auditives ou visuelles qui ne relèvent pas de la schizophrénie ;
— en dehors de l'idée (des idées) délirante(s) ou de ses (leurs) ramifications, pas de singularité ou de bizarreries manifestes du comportement ;
— dans le cas de la présence d'un syndrome dépressif majeur ou d'un syndrome maniaque en même temps que le trouble délirant, brièveté de la durée totale de tous les épisodes ou perturbations d'humeurs par rapport à la durée totale du trouble délirant.

Le DSM-III-R dénombre cinq formes cliniques de paranoïa, selon le thème prédominant qui les caractérise :

— type érotomaniaque : le sujet entretient l'idée délirante qu'une personne est amoureuse de lui ;
— type mégalomaniaque : le sujet entretient l'idée délirante exagérée de sa propre valeur, de son pouvoir, de ses connaissances, de son identité, d'une relation exceptionnelle avec une divinité ou des personnes célèbres ;

— **type de jalousie** : le sujet entretient l'idée de l'infidélité de son partenaire sexuel ;

— **type de persécution** : le sujet entretient l'idée qu'on se conduit d'une façon malveillante envers lui ou envers une personne qui lui est proche ;

— **type somatique** : le sujet entretient l'idée qu'il est atteint d'une imperfection, d'un trouble ou d'une maladie physique ;

— **type non spécifié** : qui ne correspond à aucune des catégories précédentes.

La paranoïa peut être très légère, comme lorsqu'un homme d'affaires se laisse parfois aller à penser qu'on veut profiter de lui. Mais elle peut revêtir une forme grave et se manifester par la sensation que de purs étrangers essaient d'attaquer le malade. Les réactions paranoïdes augmentent pendant la vieillesse. Cette augmentation peut s'expliquer par le fait que la surdité et les troubles de la perception sont fréquents chez les personnes âgées. Peut-être les personnes qui n'entendent pas très bien finissent-elles par mal interpréter certains propos et prêter aux autres des intentions hostiles ou agressives.

La paranoïa vise habituellement les personnes connues du malade, comme des voisins, le laitier, etc. Les psychoses paranoïdes représentent 10 % des admissions dans les hôpitaux psychiatriques, encore que la plupart des paranoïaques soient des jeunes. (Ne sont pas compris dans ce pourcentage les malades atteints de sénilité ou de syndromes cérébraux organiques, dont la paranoïa peut être un symptôme.)

Le traitement des réactions paranoïdes nécessite généralement une diminution de l'angoisse. La psychothérapie peut consister à donner au sujet une explication valable des événements qu'il trouve menaçants ainsi qu'à lui redonner l'estime de soi. Les médicaments peuvent aussi contribuer au soulagement de l'anxiété bien que leur utilisation chez les gens âgés qui prennent déjà des remèdes exige de sérieuses précautions afin d'éviter les interactions nocives.

On peut également intervenir sur l'environnement afin de le rendre moins menaçant en aidant le malade à mieux comprendre son milieu. Par exemple, le port de verres correcteurs ou d'une prothèse auditive, ou encore la présence d'une aide ménagère peuvent suffire à faire tomber l'angoisse en redonnant au sujet une saine perception de ce qui se passe dans son univers. La paranoïa se développe à la faveur de l'étrangeté, son apparition est donc moins probable lorsque le sujet vit entouré d'amis dans un contexte qui lui est familier.

Les réactions d'angoisse ou troubles d'anxiété généralisée. — Les réactions d'angoisse se manifestent par la crainte et l'anticipation anxieuses d'un mal lors même qu'il est difficile de déterminer de quoi l'on a peur. Dans le DSM-III-R, les réactions d'angoisse sont appelées troubles d'« anxiété généralisée » et peuvent différer des états phobiques où l'anxiété est éprouvée quand la personne fait face à un objet ou à une situation redoutés. Dans les troubles d'anxiété généralisée, l'objet de l'angoisse est en effet généralement mal défini. L'angoisse s'accompagne de sensations corporelles telles la tension musculaire, les palpitations ou une sudation excessive. Les réactions d'angoisse proviennent souvent d'un sentiment d'impuissance devant la vie. On peut craindre l'avenir, la mort ou la difficulté de vivre.

Il est parfois utile, en présence des réactions d'angoisse, de permettre au malade d'exprimer librement ses craintes. Une fois leur objet déterminé, il sera en effet plus facile d'adopter des mesures palliatives, mais il est au contraire difficile d'intervenir aussi longtemps que les causes de l'angoisse demeurent générales et nébuleuses. Les tranquillisants peuvent soulager l'angoisse temporairement, mais ils tendent à engendrer la tolérance, si bien que des doses croissantes deviennent nécessaires, ce qui risque de faire apparaître des effets secondaires graves ainsi que de développer des toxicomanies. La relaxation et l'entraînement à la maîtrise du stress peuvent aussi s'avérer très utiles.

La schizophrénie. — La schizophrénie est un désordre émotif grave, caractérisé par le caractère superficiel ou labile des affects (émotions inappropriées ou absence d'émotions), le retrait et la dépersonnalisation. Le délire et les hallucinations sont courants, et l'hospitalisation s'avère nécessaire lorsque ces désordres deviennent graves. Le critère diagnostique de la schizophrénie selon le DSM-III-R est la présence de symptômes « psychotiques » répertoriés ci-dessous dans les catégories 1, 2 ou 3, pendant au moins une semaine (sauf quand la personne répond favorablement au traitement).

1 / Deux des manifestations suivantes :
    a / idées délirantes,
    b / hallucinations,

    c / incohérences ou relâchement net des associations,
    d / comportement catatonique,
    e / affect (émotion) abrasé ou grossièrement inapproprié.

2 / Idées délirantes, bizarres.
3 / Hallucinations avec présence d'une voix sans relation apparente avec une dépression ou une voix qui commente en permanence le comportement ou les pensées du sujet, ou dans lesquelles deux ou plusieurs voix conversent entre elles.

De plus, au cours de la perturbation, la performance du sujet dans des domaines tels que le travail, les relations sociales, les soins personnels est nettement moins bonne qu'avant l'apparition de la perturbation. Le diagnostic de schizophrénie est celui qui est le plus fréquent chez les malades des hôpitaux psychiatriques. Cependant, depuis l'avènement, en 1954, du premier tranquillisant important, la chlorpromazine (connu dans le commerce sous le nom de Largactil, de Thorazine, etc.), la population des schizophrènes internés dans les hôpitaux a considérablement diminué. En dépit des bienfaits de la chlorpromazine et des découvertes subséquentes, la plupart des schizophrènes continuent de faire des séjours réitérés dans les hôpitaux.

La schizophrénie se déclare typiquement à l'adolescence ou au début de l'âge adulte. Les schizophrènes âgés sont donc des malades atteints depuis de nombreuses années, qui ont vieilli dans cet état. Si les malades âgés sont souvent des schizophrènes, il ne s'agit pourtant pas là d'un phénomène conséquent au vieillissement, mais simplement du fait que de nombreux sujets déclarés atteints de schizophrénie ont atteint l'âge de la vieillesse. Dans une étude longitudinale de 1 642 schizophrènes réalisée en Suisse, Ciompi (1980) a découvert que, en vieillissant, au moins la moitié des personnes diagnostiquées comme schizophrènes plus tôt dans la vie, ont vu leur état s'améliorer et ont vécu par la suite avec relativement peu de problèmes.

Les mécanismes de défense chez les personnes âgées. — Les mécanismes de défense sont des mécanismes d'adaptation très répandus. Butler et Lewis (1977) les considèrent comme des moyens de maîtriser l'angoisse, les impulsions agressives, le ressentiment et les frustrations. Ces mécanismes sont des schèmes de comportement automatiques et traditionnels qui gouvernent nos sentiments intérieurs et qui sont si bien ancrés que nous y avons souvent recours sans même en être conscients. Ainsi en est-il du *déni* de la vieillesse et de la mort, qui sont courants, ainsi que de la prétention d'être encore jeune et de la *rationalisation* du sentiment d'immortalité (*e.g.* je ne vais pas mourir comme les autres parce que j'ai réduit ma consommation journalière de sel et que je fais mon jogging tous les jours).

Le mécanisme de défense appelé *projection* consiste à attribuer ses propres sentiments à autrui. Par exemple, telle personne qui soupçonne les autres de lui vouloir du mal peut en fait nourrir elle-même un sentiment de colère et vouloir faire du mal aux autres. La *fixation* désigne un arrêt de l'évolution personnelle dans un domaine quelconque. Parmi les exemples de fixation chez les personnes âgées, citons le refus de la perte du conjoint ou l'incapacité d'admettre l'affaiblissement qui survient fatalement à ce stade de la vie. Le retour à un état d'adaptation antérieur et à des comportements dits enfantins se nomme la *régression*. Les personnes âgées sont souvent plus dépendantes qu'autrefois au point de vue émotif et même parfois au point de vue physique ; elles peuvent, dans certains cas, « régresser » et revenir aux anciens comportements dépendants qu'elles avaient adoptés dans l'enfance. Le *déplacement* se définit comme le fait de reporter son angoisse sur un objet qui sert de substitut à la véritable source d'angoisse. Par exemple, tel vieillard qui a l'impression de perdre sa force physique et ses capacités intellectuelles peut porter son angoisse au compte de la pollution de l'air par les jeunes ou de la guerre qui fait qu'on s'entretue ; il est alors libre de se préoccuper de ces événements extérieurs plutôt que des changements qui se produisent en lui.

Les *comportements contrephobiques* font que le sujet affronte le danger dans l'espoir de le vaincre, comme le cardiaque qui passe outre aux avertissements de son médecin à l'effet que le surmenage risque de provoquer une crise fatale, et qui se met à pelleter la neige pendant des heures, défiant ainsi le danger et la mort.

L'*idéalisation* est un mécanisme de défense par lequel on exalte le passé perdu. C'est le moyen de donner un sens au présent en se persuadant qu'on a donné un sens à sa vie. Dans les cas extrêmes, cela peut aller jusqu'au dégoût du présent au profit d'un passé considéré comme parfait, alors qu'en réalité le passé n'était peut-être pas si rose que cela. Les recherches sur la *rigidité* ont montré que celle-ci n'était pas très fréquente chez les gens âgés en dépit des préjugés à l'effet du contraire. Les études ont en effet démontré que les gens âgés ne sont pas plus figés dans leurs habitudes que les plus jeunes. La rigidité peut servir de défense à tout âge lorsqu'une crise menace l'intégrité de la personne. La *mémoire ou attention sélective* est la défense par laquelle on refuse de voir ou d'entendre les choses que l'on ne veut pas savoir. On peut par exemple fermer le volume de sa prothèse auditive ou refuser de porter ses lunettes.

Les troubles mentaux organiques (démences)

Les troubles mentaux organiques, aussi appelés « démences », englobent les désordres que le profane nomme souvent « sénilité » dans leurs manifestations extrêmes. Autrefois les troubles mentaux organiques étaient indifférenciés. On présentait ou bien on ne présentait pas une démence, mais il est maintenant établi qu'il faut distinguer deux grandes catégories de démences *aigu* ou *réversible* (TMR) et les troubles mentaux chroniques (TMC). Tous les troubles mentaux se reconnaissent à cinq traits distinctifs : 1 / perturbation et détérioration de la mémoire ; 2 / altération du fonctionnement intellectuel ou entendement ; 3 / altération du jugement ; 4 / altération de l'orientation par rapport au temps, à l'espace et aux personnes ; 5 / affects superficiels ou labiles — par quoi l'on entend que le sujet ne manifeste guère d'émotions ou bien présente des sautes d'humeur (affect labile). Ces cinq traits ne sont pas obligatoirement présents en même temps, ni dans la même proportion, mais ils sont d'autant plus fréquents que le TMC est plus prononcé.

Ajoutons qu'il est important de distinguer les symptômes du TMC lui-même et les réactions du malade atteint du TMC. Dans certains cas, le malade souffre seulement des perturbations caractéristiques causées par le TMC mais ne présente aucun changement fondamental du comportement ou de la personnalité. Il peut admettre qu'il connaît certaines difficultés et modifier sa conduite en conséquence. Ainsi, les gens qui commencent à perdre la mémoire placeront devant la porte les effets qu'ils doivent emporter au travail de manière à les voir au moment de sortir, ce qui est une façon de compenser l'amnésie.

Certains TMC sont effectivement causés par la détérioration du cerveau lui-même ; ce sont les prétendues démences séniles. Ces cas présentent des désordres psychotiques graves de la pensée et des émotions, dus à la détérioration du cerveau lui-même.

La troisième façon de réagir au TMC consiste à développer une réaction émotive en réponse aux difficultés éprouvées et à recourir à divers mécanismes de défense et d'adaptation. Ces réactions émotives sont sans doute très courantes. Ainsi, les sujets qui souffrent d'amnésie progressive et de désorientation occasionnelle peuvent se déprimer ou tenter de nier leurs difficultés. On constate parfois une curieuse réaction appelée relâchement. Il s'agit de la perte des inhibitions qui empêchaient l'apparition de divers comportements dont le désir latent était cependant présent. Le sujet fera alors des choses auxquelles il avait souvent pensées sans jamais oser passer à l'acte. Par exemple, une femme âgée plutôt prude atteinte par le SOC pourra tenir en public des propos fort libres. Ses amis conviendront qu'elle avait toujours été quelque peu portée à se comporter ainsi ; cependant, ce n'est qu'avec l'apparition du SOC que cette tendance commencera à se manifester aussi directement.

Certains cliniciens croient voir dans une forte réaction émotive au SOC un signe encourageant qui indiquerait que les fonctions intellectuelles du sujet ne sont probablement pas touchées au point d'altérer ses affects ou sentiments et le contenu de sa pensée. Dans tous les cas de SOC, il est essentiel de déterminer si l'on a affaire à un syndrome cérébral réversible (SCR), parfois appelé syndrome cérébral aigu, ou à un syndrome cérébral chronique (TMC).

Les troubles mentaux réversibles. — Au cours d'une étude récente sur les désordres cérébraux organiques chez les personnes âgées, on a découvert que 13 % des cas présentaient un syndrome cérébral réversible (TMR) et 33 % un tableau mixte composé de syndromes cérébraux réversibles et chroniques. Les symptômes du SCR comportent la fluctuation du niveau de conscience : le malade est tour à tour lucide ou confus ou halluciné. La désorientation — le fait de prendre quelqu'un pour un autre par exemple — ainsi que la perte de la mémoire récente et passée sont possibles. Parmi les symptômes moins fréquents, citons l'agitation, l'expression hébétée, l'agressivité, la peur résultant de la désorientation, les hallucinations, le délire de persécution et l'angoisse.

Ces symptômes paraissent très graves et sont souvent perçus, à tort, comme les signes irréversibles d'un syndrome cérébral chronique. Néanmoins le TMR est généralement dû à une cause spécifique, souvent identifiable et, dans bien des cas, il est complètement guérissable ou réversible.

La cause la plus commune du TMR est la déficience cardiaque congestive. Ce terme désigne les désordres résultant d'un affaiblissement progressif du cœur, qui affecte la circulation sanguine et prive le cerveau d'oxygène ainsi que des divers éléments nutritifs qui lui sont nécessaires. Treize pour cent des infarctus aigus du myocarde sont diagnostiqués lorsque le malade vient consulter pour cause de confusion, car c'est alors qu'on constate que l'état de confusion est dû à un désordre cardiaque aigu qui doit être traité.

L'anémie causée par la malnutrition est une autre cause fréquente du TMR. Certaines carences alimentaires sont spécifiques et proviennent de la privation d'éléments nutritifs particuliers, comme la thiamine ou la niacine, alors que d'autres sont le résultat d'une alimentation insuffisante. Une personne âgée mal nourrie développe un syndrome qui se confond souvent avec le syndrome cérébral chronique irréversible. Les symptômes disparaissent généralement dès que le malade reçoit les soins médicaux appropriés et se remet de son anémie et de sa malnutrition. D'autre part, les infections causées par la maladie peuvent engendrer la fatigue et la déshydratation ; celles-ci provoquent à leur tour un état de confusion transitoire, qui disparaît dès que le malade est reposé et absorbe des liquides en quantité suffisante.

Les accidents cérébraux vasculaires (ACV) constituent une autre cause du TMR. Ces accidents résultent de l'arrêt momentané de l'irrigation sanguine du cerveau (attaque ischémique) ou de l'insuffisance d'oxygénation (hypoxie). Les accidents cérébrovasculaires peuvent engendrer ce que l'on appelle une attaque d'apoplexie, c'est-à-dire un coma provoqué par l'insuffisance dans l'alimentation en sang ou en oxygène. Les effets des ACV sont nombreux et dépendent de l'importance, de la nature et de la localisation de la perte (*i.e.* de la région spécifique du cerveau qui est touchée). Certains ACV touchent en effet une grande partie du cerveau alors que d'autres n'affectent qu'une région bien déterminée. La destruction de certaines régions (*e.g* le cortex cérébral) engendre un déclin généralisé, alors que les lésions survenant dans d'autres régions occasionnent des pertes spécifiques (*e.g.* lésions du lobe occipital). Si le malade survit à l'AVC, il demeure généralement dans un état de confusion qui ressemble au TMC, mais si l'AVC n'est pas grave cet état de confusion finit par disparaître avec le temps. La fonction atteinte peut également être recouvrée, du moins en partie, avec une thérapie appropriée.

On reconnaît maintenant que l'abus des médicaments et autres substances toxiques est associé au TMR. De nombreux médicaments couramment prescrits produisent des effets secondaires qui provoquent des états de confusion et de désorientation réversibles. Il est important de reconnaître l'existence de ces désordres dits iatrogéniques — désordres qui résultent paradoxalement du traitement médical lui-même — puisque les personnes âgées peuvent se voir ordonner des médicaments qui ne sont pas nocifs lorsqu'ils sont pris séparément, mais qui risquent d'avoir des effets néfastes lorsqu'ils sont combinés. Il est donc essentiel, si l'on veut connaître les causes des symptômes liés aux syndromes cérébraux chez les personnes âgées, de savoir quels médicaments elles absorbent, que ces médicaments soient vendus dans le commerce ou dispensés sur ordonnance. Les malades qui prennent des diurétiques peuvent devenir déshydratés et confus, ceux qui prennent du L-dopa pour soulager les symptômes de la maladie de Parkinson ou bien de l'endométracine (Indocid) pour l'arthrite peuvent présenter des états délirants ou hallucinatoires semblables aux comportements psychotiques.

Les traumatismes crâniens sont une autre cause importante du TMR. Le taux de mortalité est relativement élevé chez les personnes âgées de plus de 65 ans qui subissent un traumatisme crânien. Dans ce groupe d'âge, 72 % des morts par suite de chute et 30 % de tous les accidents mortels concernant les piétons proviennent de traumatismes crâniens. Si les séquelles d'une blessure à la tête peuvent être irréversibles ou même mortelles, elles peuvent aussi provoquer l'apparition de syndromes aigus qui s'amélioreront avec le temps.

L'intoxication par l'alcool occasionne, à tout âge, un syndrome cérébral réversible, dont les caractéristiques sont semblables aux syndromes dits de « sénilité ». Le TMR causé par l'alcoolisme, on le sait, disparaît généralement lorsque le buveur se dégrise. Parmi les autres causes du TMR citons enfin la privation prolongée de l'usage de la vue à la suite d'une intervention sur l'œil, l'hyperglycémie, les séquelles d'une intervention chirurgicale, les modifications profondes du milieu, et les événements traumatisants comme la perte d'un être cher.

Le traitement du TMR connaît un taux de réussite très favorable, encore que dans certains cas la maladie associée au TMR soit suffisamment grave pour entraîner la mort. Quoiqu'on estime à 40 % le nombre des malades qui meurent des suites du TMR, il reste que le pourcentage de ceux qui survivent à la phase initiale de la maladie demeure très satisfaisant. Les malades qui souffrent de malnutrition sont ceux qui exigent habituellement les soins les plus prolongés puisqu'il faut plus de temps pour reprendre ses forces lorsqu'on est vieux.

Les troubles mentaux chroniques (TMC). — Par syndrome cérébral chronique on entend une détérioration dont le pronostic de guérison est généralement peu favorable et que l'on croit reliée à des changements neurologiques. (Comme nous l'avons déjà dit, il est souvent difficile d'établir un rapport direct entre l'étendue des dégâts et les modifications du comportement ; l'inverse est parfois vrai.) On distingue depuis peu deux types de TMC, la démence sénile ou de type Alzheimer et la démence par infarctus multiples.

La démence sénile de type Alzheimer. — La démence sénile de type Alzheimer est un syndrome du TMC qui survient plus tardivement dans la vie, souvent après 80 ans, et plus fréquemment chez les femmes. La pathologie du cerveau indique qu'il y a atrophie et dégénérescence cellulaire, développement de plaques de sénilité et enchevêtrements neurofibrillaires. L'évolution de la maladie tend à être graduelle, et il arrive souvent que certains traits de personnalité deviennent exagérés. Parmi les autres symptômes, on note les erreurs de jugement, la négligence dans les soins personnels, la détérioration de la pensée abstraite, le manque d'intérêt et l'apathie générale. L'apparition de la psychose de sénilité peut s'accompagner de réactions émotives graves telles que la dépression, l'angoisse ou l'irritabilité. Les signes majeurs, soit ceux qui ont été énumérés plus haut, c'est-à-dire erreurs de jugement, etc., deviennent plus évidents avec le temps ainsi que d'autres formes de réactions émotives comme l'insomnie, l'incohérence, la paranoïa et l'hypomanie.

Les causes de la démence sénile de type Alzheimer sont sujettes à controverse. Certains auteurs accusent le système auto-immunologique, d'autres prétendent que ces causes sont d'ordre génétique puisque la possibilité de développer un TMC est 4,3 fois plus élevée parmi la parenté du malade que dans la population en général ; d'autres chercheurs enfin soulignent l'importance des situations liées à l'environnement et à la personnalité. On croit aussi que certaines formes de TMC peuvent être une défense massive contre la vieillesse et la mort. Le pronostic de la maladie définie par Alzheimer est peu encourageant : détérioration continue aboutissant à la mort. Il est cependant très important de rappeler que le TMC est souvent associé au SCR et que, même si l'on ne peut enrayer les symptômes du TMC, il est néanmoins possible d'agir sur ceux du SCR.

La démence par infarctus multiples. — La démence par infarctus multiples (syndromes psycho-organiques vasculaires) est souvent caractérisée par une détérioration erratique qui fait que la personne connaît des périodes d'amélioration ou du moins de stabilité suivies de périodes de détérioration subites, ce qui contraste fortement avec le déclin régulier de la démence sénile. Ces désordres ont pour cause l'artériosclérose qui se manifeste par le rétrécissement et l'obstruction des vaisseaux sanguins. Des lésions cérébrales peuvent survenir par suite de l'insuffisance de l'irrigation sanguine, ainsi que des hémorragies et des problèmes artériels qui y sont associés. Il peut y avoir des symptômes avant-coureurs comme les étourdissements, les céphalées (maux de tête), une baisse de la vigueur intellectuelle et physique et/ou l'apparition de divers symptômes physiques assez vagues. Dans la moitié des cas, les SCC vasculaires commencent brusquement par une attaque de confusion subite, alors que les autres cas se manifestent plus graduellement par des attaques occasionnelles des quatre symptômes déjà mentionnés. Le malade a quelquefois l'impression que quelque chose ne va pas bien que sa famille et son médecin tentent de le rassurer sur son état de santé (et la personne *a raison*, effectivement quelque chose ne va pas). La détérioration de la mémoire tend à être épisodique, c'est-à-dire que le sujet peut se rappeler certaines choses à un moment donné et ne plus s'en souvenir à un autre moment.

Les origines du TMR sont, encore une fois, sujettes à controverse ainsi que les théories qui y sont attachées, soit le dysfonctionnement des lipides, l'hérédité, le régime alimentaire (excès de cholestérol possible), le tabagisme (la démence par infarctus multiples vasculaire est plus fréquente chez les fumeurs), la pollution de l'environnement et le manque d'exercice. L'évolution de ce type de désordre tend à varier. Le malade connaît des périodes de rémission au cours desquelles il peut se sentir relativement moins ennuyé par ses symptômes. Cependant, la plupart des malades atteints de TMC vasculaire meurent d'un ACV, d'une maladie cardio-vasculaire ou de pneumonie.

L'alcoolisme et la vieillesse

Nous traiterons ici de l'usage et de l'abus de l'alcool chez les gens âgés, et nous insisterons sur la situation des alcooliques âgés. Les lecteurs désireux de consulter une étude plus exhaustive de la question sont invités à prendre connaissance de l'ouvrage de B. L. Mishara et R. Kastenbaum, *Alcohol and Old Age* (1980), dont s'inspire le texte qui suit.

Aussi loin qu'on remonte dans l'histoire, on constate que l'alcool est considéré comme le « baume automnal » et le « lait de la vieillesse ». En effet, pendant des siècles, l'alcool a servi de remède aux épreuves et aux désordres de la vieillesse. Dans l'Antiquité, les Grecs, les Romains et les Egyptiens utilisaient le vin lors des libations rituelles pour consolider leurs liens avec les dieux. Ils connaissaient aussi les propriétés médicinales du vin ainsi que ses effets psychotropes. Voici, par exemple, ce que dit le Livre des Proverbes : « Donne un breuvage fortifiant à celui qui doit mourir et du vin à ceux qui ont le cœur lourd. Laisse-le boire pour oublier sa pauvreté et ne plus se souvenir de sa misère. » Un philosophe perse du Xe siècle, Avicenne, précise que le vin est un remède efficace pour les vieux et déclare que « les personnes âgées peuvent consommer autant [de vin] qu'elles le veulent dans la mesure où elles peuvent le tolérer. » Il faut attendre le moment où les boissons fortes comme le genièvre et le rhum font leur apparition, aux XVIIe et XVIIIe siècles, pour s'interroger sérieusement sur les effets de l'alcool chez les personnes âgées. De nombreux écrits témoignent des questions que l'on s'est posé à cette époque.

Les recherches sur les effets physiologiques de l'alcool chez les vieux laissent supposer qu'à quantité égale ces effets varient d'un sujet à l'autre et qu'une quantité moindre produit les mêmes effets chez la plupart des personnes âgées que chez les plus jeunes. L'alcool a aussi tendance à se résorber plus lentement. Les effets physiologiques de l'alcool sont cependant affectés par de multiples facteurs dont le poids du corps, la proportion de graisse et de tissus graisseux, le rythme et les modalités de la consommation, etc.

Lorsqu'on s'interroge sur les répercussions de l'alcool sur la santé, il faut se rappeler que les incidences d'une consommation modérée sont fort différentes de celles que peut avoir la consommation massive ou continue. De nombreuses recherches effectuées récemment démontrent en effet que l'alcool absorbé avec modération n'est pas nocif. En fait, ces études tendent à prouver que les taux de morbidité et de mortalité sont inférieurs chez les sujets qui boivent de l'alcool en quantité modérée que chez ceux qui s'en abstiennent totalement. Les recherches expérimentales indiquent aussi que la consommation modérée de boissons alcoolisées peut produire des effets psychosociaux désirables chez les personnes vivant en institution (Mishara, Kastenbaum, Patterson et Baker, 1975).

Il ressort des études du comportement à l'égard de l'alcool et du vieillissement que les vieux boivent moins que les jeunes et sont moins sujets à l'alcoolisme, ce qui pourrait s'expliquer par le fait que les gros buveurs ont un taux de mortalité élevé. En effet, ils atteignent rarement un âge avancé, car il existe un rapport direct entre l'abus de l'alcool et la mortalité. Mais ce phénomène a d'autres explications. Les données longitudinales révèlent en effet que bien des gens réduisent leur consommation d'alcool avec l'âge (par souci pour leur santé, par manque d'argent ou pour d'autres raisons). On peut aussi penser que les personnes âgées sont moins prêtes à admettre qu'elles boivent copieusement. Enfin, il semble que les cas problèmes chez les alcooliques âgés sont rarement rapportés aux organismes chargés du soin des vieillards.

Le dépistage de l'alcoolisme avancé chez les vieux est difficile parce que les indices de l'alcoolisme ne semblent pas s'appliquer dans leur cas. Les symptômes « classiques » de l'alcoolisme sont les suivants : mauvaise santé résultant de l'abus de l'alcool, problèmes financiers causés par l'usage de l'alcool, relations sociales et familiales difficiles, difficultés au travail et démêlés avec la police. Comme de toute façon les personnes âgées connaissent davantage de problèmes sanitaires et financiers, il est difficile d'attribuer ceux-ci aux conséquences de l'alcoolisme. Il en est de même pour les difficultés familiales puisque les vieux sont plus souvent veufs ou veuves. Les difficultés au travail sont supprimées par la retraite qui écarte les vieillards de la vie active. Quant aux démêlés avec la police, ils sont peu nombreux puisque les personnes âgées ont tendance à boire à la maison plutôt qu'en public. Contrairement à ce que l'on croit généralement, les clochards dépassent rarement la cinquantaine. S'ils paraissent plus vieux, c'est que l'abus de l'alcool vieillit prématurément leurs traits.

Il existe deux groupes d'alcooliques chez les vieux : *a* / ceux qui boivent avec excès depuis longtemps et qui sont néanmoins parvenus à la vieillesse et *b* / ceux qui ont commencé à boire lorsqu'ils étaient déjà âgés. Les alcooliques invétérés qui survivent aux méfaits de l'alcoolisme forment une population remarquable par sa résistance car la consommation soutenue et abusive de l'alcool est très nocive. Le groupe des « nouveaux » alcooliques a été relativement peu étudié. Cependant, des indices nous portent à croire qu'il serait beaucoup plus considérable qu'on ne veut généralement l'admettre, particulièrement chez les personnes solitaires ne disposant que de faibles revenus.

Le traitement de l'alcoolisme chez les personnes âgées n'a pas encore fait l'objet de recherches exhaustives ; par ailleurs, les malades âgés ne sont jamais soignés en priorité. La majorité des alcooliques chroniques sont admis dans les hôpitaux publics et se voient généralement refuser l'accès aux institutions ou cliniques privées ; ils sont rarement traités dans les cliniques externes et les organismes communautaires.

Malgré l'absence de programmes thérapeutiques spécialement conçus pour les alcooliques âgés, il est intéressant de noter que les quelques études consacrées à l'efficacité du traitement des alcooliques âgés ont toutes démontré que ceux-ci réagissaient aussi bien sinon mieux que les plus jeunes.

Le traitement des troubles psychiques chez les personnes âgées

Peu de professionnels tiennent à travailler auprès des gens âgés, et certains refusent même de le faire. Ces attitudes négatives, qui semblent même rendre toute thérapie problématique, s'expliquent par les raisons suivantes :

1 / La vue des personnes âgées réveille la crainte de la vieillesse chez le thérapeute.

2 / La présence des personnes âgées réveille les émotions conflictuelles du thérapeute à l'égard des figures parentales.

3 / Le thérapeute croit qu'il n'a rien à offrir aux personnes âgées parce qu'il estime que celles-ci sont incapables de modifier leur comportement ou qu'elles sont atteintes de maladies cérébrales organiques incurables.

4 / Le thérapeute croit gaspiller ses capacités psychodynamiques s'il travaille avec les vieux, car ceux-ci sont proches de la mort et ne méritent pas vraiment qu'on s'occupe d'eux. (On pense au système de triage militaire selon lequel les plus malades reçoivent le moins de soins puisqu'ils ont peu de chances de survivre.)

5 / Le malade risque de mourir au cours du traitement, ce qui remettrait en cause le sentiment d'importance du thérapeute.

6 / Les collègues du thérapeute peuvent se montrer méprisants devant les efforts qu'il déploie envers les malades âgés. (On entend souvent dire que les gérontologues et les spécialistes en gériatrie manifestent des préoccupations morbides concernant la mort ; leur intérêt pour les personnes âgées semble donc « maladif » ou suspect.)

Le diagnostic. — Le traitement des malades âgés présente une difficulté dès l'abord : l'établissement du diagnostic. Les attitudes négatives et les techniques diagnostiques superficielles ne peuvent que nuire à l'élaboration d'un diagnostic capable de cerner convenablement le problème et d'indiquer le mode d'intervention approprié. Trop souvent, on se contente simplement de déclarer le malade atteint d'un « syndrome cérébral chronique » incurable. Butler et Lewis (1977) estiment qu'un très grand nombre de malades âgés reconnus atteints d'un SCC souffrent en réalité d'un syndrome cérébral réversible ou d'une déficience sociale. Si l'on veut assurer un traitement convenable aux malades âgés, il importe de commencer par porter un diagnostic valable.

Les interventions physiques. — Il existe deux moyens d'intervention qui ne nécessitent ni médicaments ni intervention psychiatrique. Le premier consiste à donner au malade un régime alimentaire convenable. Que ce soit en raison des incidences de la dépression sur l'appétit, parce qu'elles ont tendance à négliger la préparation des repas, ou qu'elles ne parviennent pas à se nourrir convenablement tout en équilibrant leur budget, les personnes âgées souffrent souvent de malnutrition. Une simple amélioration de leur régime suffira, dans bien des cas, à améliorer considérablement l'état de leur santé mentale.

Le second moyen d'intervention physique est une mesure *préventive* : empêcher le malade d'abuser des médicaments. Le retrait, sous la surveillance du médecin, des médicaments périmés, incompatibles, susceptibles de produire des effets secondaires nuisibles, ou tout simplement devenus inutiles, provoquera souvent une amélioration remarquable dans l'état du malade.

Les agents thérapeutiques psychotropes soulagent souvent les symptômes de façon spectaculaire et permettent au malade de reprendre une existence plus normale. (On trouvera un compte rendu détaillé de l'utilisation des substances psychotropes et de leurs dangers dans Mishara et McKim, 1989.) L'application de ce genre de médication aux personnes âgées est délicate en raison des modifications physiologiques associées au vieillissement. Comme nous l'avons signalé au chapitre II, la pharmacokinésie (absorption, distribution, métabolisme et excrétion des drogues) évolue avec l'âge et peut influer sur les réactions du sujet à toute forme de médication. En raison de cette évolution, il peut y avoir augmentation des effets secondaires nuisibles et diminution progressive de l'effet principalement recherché. Il est donc nécessaire de surveiller attentivement l'interaction de ces agents thérapeutiques avec les autres médicaments absorbés par le malade puisque la majorité des personnes âgées sont déjà soumises à une ou plusieurs médications en réponse à une indication déterminée.

La probabilité d'une interaction néfaste entre les agents thérapeutiques nouvellement découverts et les médicaments classiques est grande. La probabilité d'une réaction paradoxale est également présente chez les vieillards (la réaction observée est l'opposée de l'effet recherché, comme lorsqu'un tranquillisant rend nerveux, ou qu'une aspirine occasionne un mal de tête). La formation des médecins et des psychologues cliniciens néglige tellement l'étude de la vieillesse que ces professionnels connaissent déjà très mal certains facteurs critiques. Cet état de fait est d'autant plus déplorable que dans un avenir rapproché les professionnels de la santé seront appelés à voir un grand nombre de malades âgés, ne serait-ce qu'en raison du vieillissement de la population.

Les modifications de l'environnement. — Les modifications de l'environnement peuvent être totales ou partielles. Ainsi, on peut essayer d'améliorer les conditions de vie dans une ville ou dans un pays tout entier afin de supprimer certains obstacles qui rendent difficile l'existence des vieillards. La construction d'habitations nouvelles, l'augmentation des pensions de retraite, l'amélioration des transports en commun sont autant de mesures qui peuvent contribuer à éliminer au moins en partie les causes qui tendent à engendrer des troubles psychiques. Sur une échelle plus réduite, on peut améliorer l'environnement d'une personne âgée en s'assurant qu'elle a un régime alimentaire convenable, des relations sociales suffisantes, voire l'occasion de s'occuper de quelqu'un, et surtout on peut lui procurer de la compagnie, des distractions qui l'intéressent, enfin faire une multitude de choses qui lui permettront de demeurer active et de continuer à prendre goût à l'existence.

L'électrochoc. — Il a été démontré que l'électrochoc (EC) produit des effets salutaires sur la dépression chez les gens âgés mais qu'il présente cependant des effets secondaires néfastes, comme l'amnésie qui suit parfois le traitement. Bien qu'il suscite des craintes chez certains, l'EC constitue une thérapeutique relativement sûre et souvent efficace là où d'autres modes d'intervention, comme les médicaments et/ou la psychothérapie, ont échoué (Mishara et Patterson, 1979). Depuis quelques années, on préfère le choc unilatéral car il semble donner lieu à des effets secondaires moins nombreux que le choc bilatéral, tout en demeurant aussi efficace. Soulignons toutefois que si l'EC s'avère propre au traitement des dépressions graves, il n'existe à peu près aucune preuve qu'il agisse sur d'autres troubles psychiques.

La psychothérapie individuelle. — La plupart des principales formes de thérapie qui ont été tentées auprès des gens âgés ont connu un certain succès et sont citées dans la littérature scientifique. Les thérapies verbales risquent moins de provoquer des réactions inappropriées chez les personnes âgées que certaines des interventions physiques déjà mentionnées. En fait de nombreuses analyses de cas indiquent que certains problèmes présents chez les jeunes, comme la résistance dans les thérapies d'orientation analytique, sont à la fois moins fréquents et moins prononcés chez les gens âgés.

En dépit des nombreux rapports soulignant l'efficacité de la psychothérapie individuelle chez les malades âgés, rares sont ceux qui en bénéficient. Mise à part la réticence des thérapeutes, qui peuvent hésiter à traiter les vieilles personnes, certaines différences entre les cohortes peuvent expliquer que la génération actuelle des vieillards soit moins portée que les suivantes à solliciter les services d'un psychothérapeute. Cette génération a en effet grandi à une époque où la thérapie individuelle ne s'appliquait pas aux gens « normaux ». Par contraste, les jeunes font grand usage des psychothérapies de tous genres, ainsi que des méthodes d'actualisation de soi. Il se peut qu'en vieillissant ils conservent leurs habitudes, ce qui augmentera considérablement la demande d'interventions thérapeutiques chez les futures générations de personnes âgées.

La psychothérapie de groupe. — La littérature gériatrique abonde en descriptions de thérapies de groupe et de leurs bienfaits pour les malades âgés vivant en institution. Ces diverses formes de thérapie peuvent rendre de grands services et pour les raisons que nous invoquions à propos des thérapies individuelles. La thérapie familiale constitue un instrument thérapeutique particulièrement utile car elle porte directement sur les réactions émotives de la famille aux problèmes de la personne âgée et peut aider à faire comprendre le processus du vieillissement et les expériences liées aux changements dûs à l'âge. Les groupes peuvent se composer de familles (thérapie familiale), de personnes qui partagent certaines difficultés (groupes de personnes en deuil, groupes de soutien entre veufs ou veuves), et groupes de type classique organisés en fonction de besoins divers.

Centres de jour, centres de nuit, foyers d'accueil et institutions. — Des programmes nouveaux destinés à venir en aide aux personnes âgées apparaissent sans cesse. Des établissements spécialisés accueillent les personnes âgées qui ont besoin de protection ou d'activités (ou les deux) durant la journée, pendant que la famille est au travail ou à l'école. D'autres programmes permettent aux malades partiellement hospitalisés de participer à des programmes de travail ou à des activités communautaires et familiales. Les foyers d'accueil, autrefois réservés exclusivement aux enfants, reçoivent maintenant les personnes âgées au sortir des hôpitaux psychiatriques et celles qui, n'ayant pas de famille, se verraient forcées de vivre en institution. Les services d'infirmières visiteuses ainsi que les programmes d'aides ménagères et d'autres encore s'avèrent utiles pour empêcher le séjour inutile en institution.

Lorsqu'il s'avère nécessaire de confier le malade âgé aux soins d'une institution, il est souhaitable de faire en sorte que la personne âgée sente qu'elle est encore libre de choisir et de décider, et qu'on respecte ses désirs dans la mesure du possible. On sait que divers traitements applicables aux malades âgés placés en institution sont efficaces. Or, dans la majorité des cas, ces malades ne reçoivent que des soins en raison du préjugé qui veut que le scc ne soit pas traitable. Bien que la guérison soit probablement impossible, il reste que de nombreux programmes destinés aux malades gériatriques chroniques atteint du scc ont connu un certain succès. Mishara (1978) a comparé l'efficacité des programmes d'« économie de jetons » et des traitements moins structurés chez des malades atteints du scc et admis dans un hôpital psychiatrique depuis 21,4 années en moyenne. Le programme d'« économie de jetons » comportait, outre une amélioration de l'environnement psychosocial, le renforcement systématique (récompense) des conduites souhaitées, tandis que le programme moins structuré se limitait à l'amélioration générale de l'environnement psychosocial. Les participants de chacun des programmes se sont vu accorder une plus grande possibilité de choix et le personnel a été sensibilisé aux besoins spécifiques des personnes âgées. Dans *les deux* programmes il en est résulté des améliorations chez un nombre significatif de malades considérés « sans espoir ». Les analyses subséquentes ont révélé que les malades qui s'étaient améliorés dans chacun des programmes appartenaient à des types différents. Dans le programme d'« économie de jetons », ils se caractérisent généralement par le fait qu'ils sont moins « institutionnalisés », en meilleure santé physique et présentent activement leurs problèmes. Dans le programme « général », les malades améliorés étaient, au départ, moins sensibles aux interventions de l'observateur. Il est en outre apparu que la participation aux programmes thérapeutiques pouvait avoir une incidence favorable sur les résultats des sujets aux tests neuropsychologiques (Mishara, 1979).

Prévention, programmes sociaux et législation. — La plupart des interventions tentées jusqu'à présent en vue d'aider les personnes âgées se situent *après* l'apparition des difficultés. Il y aurait cependant lieu d'instituer des programmes pour prévenir l'apparition des troubles psychiques (« prévention primaire ») ou pour réduire la gravité des difficultés qui s'ensuivent en préparant les gens à mieux s'y adapter (« prévention secondaire ») (Caplan, 1964). Bien que la nécessité des mesures préventives soit généralement admise, il reste que la plupart des interventions surviennent lorsque les difficultés sont devenues si graves qu'elles nécessitent des soins intensifs. A titre d'exemples de programmes préventifs, citons les rencontres préparatoires à la retraite, l'éducation en vue d'informer les personnes âgées de la nécessité d'un régime alimentaire convenable, et le dépistage des désordres associés à la vieillesse.

CHAPITRE VII

Les médicaments, les drogues et le vieillissement

Dans ce chapitre, nous traiterons de l'utilisation des substances qui interagissent avec les processus physiologiques du corps. Ces substances comprennent les médicaments ainsi que d'autres substances, par exemple ce que nous appelons communément « nourriture ». La caféine contenue dans une tasse de café ou une orange, interagit avec le corps de diverses façons. Cependant, une orange est considérée comme étant un aliment et non une drogue ou un médicament. Mais si on extrait et raffine la vitamine C de l'orange et qu'on l'ingère séparément, elle peut être considérée comme un médicament. Nous utiliserons ici le mot drogue pour décrire une grande variété de substances que les êtres humains consomment, y compris les substances vendues comme médicaments sur ordonnance ou en vente libre.

A l'origine, on s'est servi du mot « drogue » pour désigner une substance d'après sa forme ; en vieux français, il signifiait « poudre sèche ». Une telle acception n'est pas pertinente aujourd'hui car les drogues se présentent sous les formes solide, liquide et gazeuse. Si ce sens du vieux français suppose un certain degré de raffinement de la substance qui, dans sa forme la plus pure, revêt souvent en effet l'apparence d'une poudre sèche, il est facile de trouver des exceptions à ce type de définition. Une drogue comme la caféine est presque toujours consommée sous la forme non raffinée de café ou de thé, et la nicotine du tabac n'est presque jamais consommée sous une forme concentrée. Néanmoins, on peut apprécier les effets de ces substances à partir de leur seul ingrédient actif. Dans le présent chapitre, nous utilisons le mot « drogue » dans un sens très large pour désigner toute substance dont nous déciderons de parler et qui interagit avec les processus physiologiques du corps. Nous avons choisi d'y inclure des substances comme l'alcool, la caféine et le tabac ainsi que les produits médicamenteux, comprenant les médicaments en vente libre et ceux prescrits par les médecins.

La consommation de médicaments et de drogues est devenue un aspect de plus en plus important de la vie et de la santé de la population âgée. Tandis que l'usage des drogues récréatives diminue avec l'avancement en âge, la consommation de médicaments prescrits et non prescrits augmente considérablement chez les personnes âgées. Pourtant leur sensibilité aux médicaments s'altère, et elles en subissent davantage les effets indésirables : elles sont aussi beaucoup plus susceptibles d'y recourir mal à propos. Le présent chapitre porte sur les changements qui interviennent dans le processus du vieillissement en ce qui a trait aux effets des médicaments et des drogues, ainsi que sur les habitudes de consommation de drogues et sur les programmes de prévention en matière d'abus de drogues et de médicaments.

Le présent chapitre est basé sur le livre *Drogues et vieillissement* (Mishara et McKim, 1989) que l'on peut aussi trouver en anglais *Drugs and Aging*. Nous allons d'abord analyser les changements dans les effets des drogues liés à l'avancement en âge, ensuite nous discuterons des habitudes de consommation de drogues chez les personnes âgées, des problèmes liés à cette consommation et les programmes de prévention et d'intervention.

Changements physiques et effets des drogues et des médicaments

Avant qu'une drogue quelconque puisse produire un effet, elle doit passer de l'extérieur à l'intérieur du corps, jusqu'à l'endroit précis où elle va altérer le fonctionnement physiologique du corps. Par exemple, les tranquillisants doivent parvenir à des lieux d'action spécifiques dans le cerveau avant de tranquilliser le sujet. En général, la quantité de drogue qui parvient à son lieu d'action détermine l'étendue de son effet. Il importe donc que l'on comprenne bien les mécanismes en jeu lors de l'acheminement de la drogue vers son lieu d'action et hors de ce lieu, pour saisir comment ces mécanismes influencent l'effet de la drogue. En effet, un grand nombre de transformations physiologiques et anatomiques dues au vieillissement entraînent une modification de l'acheminement des drogues, et, par conséquent, de leurs effets.

Absorption

La plupart des drogues sont consommées par voie orale. On les avale, elles passent par l'estomac et les intestins et, si elles ne sont pas assimilées, elles sont éliminées dans les excréments. Il est rare que les drogues soient absorbées directement par l'estomac : elles passent plutôt par les parois intestinales, dont la fonction consiste à extraire les éléments nutritifs de l'alimentation. Le sang irrigue largement la surface interne des intestins ; il transporte la drogue, intégrée par les parois intestinales, à travers tout le corps. Mais avant que la drogue ne parvienne aux intestins, elle doit passer par l'estomac. Ainsi, le fonctionnement de l'estomac peut influencer de diverses façons l'absorption de la drogue par les intestins.

Si le contenu de l'estomac pénètre lentement dans les intestins, le taux de drogue dans le sang s'élèvera graduellement, sans atteindre un niveau élevé. Si la drogue passe rapidement de l'estomac dans les intestins, son taux dans le sang atteindra très vite un niveau plus élevé et son effet sera probablement plus bref. Chez certaines personnes, le vieillissement provoque une réduction du temps de passage de l'estomac dans les intestins, ce qui diminue la vitesse d'absorption des drogues prises par voie orale.

En plus de l'effet direct de l'âge sur le fonctionnement de l'estomac, on observe un certain nombre de transformations secondaires, causées par le vieillissement, qui peuvent retarder l'assimilation des drogues : alimentation irrégulière, modifications du régime alimentaire, hydratation insuffisante, anxiété, dépression et présence d'autres drogues, comme les antiacides et les laxatifs. Tous ces facteurs peuvent affecter le fonctionnement du système digestif et altérer l'absorption des drogues de manière imprévisible.

En plus de ralentir la digestion gastrique, l'acidité de l'estomac peut influencer le degré d'ionisation des molécules d'une drogue ou leur charge électrique. Les molécules ionisées sont solubles dans l'eau, elles se dissolvent aisément dans le système digestif. Mais elles ne sont pas solubles dans les tissus gras, elles seront donc incapables de traverser la membrane intestinale pour s'écouler dans le sang. (Les tissus gras sont composés de molécules de lipides ; les drogues solubles dans les lipides vont se dissoudre dans les graisses corporelles. Les membranes du corps étant composées de molécules de graisse, une drogue doit être soluble dans les lipides pour pouvoir traverser les membranes.)

L'achlorhydrie, causée par le vieillissement, provoque une réduction de l'acidité stomacale (Vanzant *et al.*, 1932) laquelle réduction, à son tour, altère l'ionisation. On assiste alors à une baisse différentielle de la vitesse d'absorption de drogues comme l'aspirine, acides faibles qui ne sont pas normalement ionisés dans l'intestin, et à une hausse de la vitesse d'absorption de drogues basiques faibles, beaucoup plus ionisées, comme la morphine. Quelques remèdes en vente libre, comme les antiacides, amplifient l'action naturelle de l'achlorhydrie, en réduisant l'acidité de l'estomac, et peuvent causer les mêmes effets. Comme nous le montrerons plus loin, les gens tendent à consommer plus d'antiacides en vieillissant. Il est important que l'on en saisisse les répercussions sur l'effet des autres drogues.

Tandis que l'ionisation réduit la solubilité dans les graisses, elle augmente la solubilité dans l'eau et, par conséquent, la capacité du système digestif de dissoudre une drogue, étape à franchir avant son assimilation. Ce processus accélère l'absorption. Les changements dans le taux d'acidité de l'estomac modifient la vitesse de désintégration des comprimés. En fait, certains comprimés nécessitent un environnement acide pour pouvoir se dissoudre (Bates *et al.*, 1974). Ils seront peu utiles à quiconque voit son acidité stomacale diminuer sous l'effet de l'achlorhydrie ou d'une ingestion excessive d'antiacides.

Le vieillissement entraîne aussi un certain nombre de changements dans l'intestin, ce qui va modifier l'absorption. En général, à cause d'un affaiblissement des muscles de la paroi intestinale et d'une baisse de tonus, la nourriture passe plus lentement dans les intestins, ce qui accroît le temps d'assimilation d'une drogue. Alors que toutes ces modifications donnent à penser qu'il devrait se produire chez les personnes âgées d'importantes modifications en ce qui concerne l'absorption de drogues, de nombreuses recherches ne montrent en réalité aucune différence entre jeunes et vieux quant à la quantité de drogue assimilée. Cependant, les quelques études qui mettent en relief l'influence du vieillissement sur l'effet des drogues concluent que le ralentissement dans l'absorption est le changement le plus évident (Mayersohn, 1982).

Jusqu'ici, nous avons traité de l'absorption des drogues après ingestion orale, mais elles peuvent aussi être administrées par d'autres voies : injection, absorption par une muqueuse (sous la langue ou dans le nez), par voie transcutanée ou encore par inhalation. Il n'existe aucune recherche concernant l'influence du vieillissement sur l'absorption des drogues par ces autres voies, mais on peut raisonnablement penser que leur assimilation sera également plus lente chez les personnes âgées. L'absorption dépend de la quantité de sang qui circule dans la zone où l'on administre la drogue. Comme le débit sanguin total du cœur diminue avec l'âge, il est probable que l'absorption de la drogue sera ralentie chez les personnes âgées, quelle que soit la voie d'administration (Mayersohn, 1982).

Distribution

Une fois la drogue assimilée, le sang la distribue à travers tout le corps, où les différents organes et tissus s'en imprègnent à leur tour. Ce processus se nomme la distribution de la drogue. Comme il a été mentionné plus haut, les drogues se dissolvent, soit dans les lipides ou graisses, soit dans l'eau. Les drogues solubles dans les lipides se concentreront en majorité dans les graisses du corps, et les drogues solubles dans l'eau, dans les liquides corporels. Le vieillissement provoque de réels changements dans les pourcentages d'eau et de graisses corporelles. Ces modifications vont altérer la distribution des drogues dans le corps des personnes âgées.

Avec le vieillissement, chez les hommes, la masse musculaire maigre diminue et la proportion de tissus adipeux augmente. Les femmes subissent les mêmes changements mais, comme le pourcentage de graisse est chez elles, au départ, plus élevé que chez les hommes, ces changements ne sont pas aussi évidents. Ces modifications du corps vieillissant déterminent largement la distribution des drogues. La masse de graisse, plus développée chez les personnes âgées, aura tendance à absorber les drogues solubles dans les lipides (les barbituriques, par exemple). Celles-ci seront donc moins concentrées dans le reste du corps, sang y compris. D'autre part, les drogues comme l'alcool, distribuées dans les liquides extracellulaires, atteindront un haut degré de concentration dans le sang des personnes âgées. Cela signifie qu'une personne âgée devra boire moins qu'une personne plus jeune de même taille pour avoir le même taux d'alcool dans le sang. En raison d'une plus grande proportion de tissus adipeux, les femmes ont toujours été plus sensibles que les hommes à l'alcool, et les modifications dues au vieillissement les affectent moins. En vieillissant, par contre, les hommes deviennent beaucoup plus sensibles à l'alcool ainsi qu'aux autres drogues solubles dans l'eau.

La fixation aux protéines est un autre changement dû à l'âge avancé qui joue un rôle dans la distribution des drogues. Une fois dans le sang, les molécules de nombreuses drogues se fixent sur des macromolécules de protéines, habituellement l'albumine. A cause de leur taille, ces protéines ne peuvent quitter la circulation sanguine, non plus que les molécules de drogues qui s'y sont fixées et qui ne peuvent atteindre leur lieu d'action. Elles se désactivent donc. Certaines drogues voient 99 % de leurs molécules se fixer à des protéines. Les changements dans la concentration sanguine des protéines, ajoutés à la capacité de ces dernières de fixer les drogues, influencent considérablement la quantité de drogue qui parvient à son lieu d'action. Les recherches ont montré que, avec l'âge et la maladie, le taux de protéines dans le sang décroît, ainsi que leur capacité de fixer d'autres molécules (Greenblatt, 1979). Ainsi, les drogues qui se fixent normalement sur un nombre élevé de protéines chez les jeunes se fixeront moins bien chez les personnes plus âgées ; par conséquent, une plus grande quantité de drogue pourra atteindre son lieu d'action chez ces dernières. La plupart des tests effectués sur les taux de drogue dans le sang ne font pas la distinction entre les drogues fixées et les drogues non fixées. Des taux égaux de drogue dans le sang ne signifient pas nécessairement que la concentration des drogues dans leurs lieux d'action est similaire chez les jeunes et chez les personnes âgées.

Elimination

Le corps se débarrasse des substances indésirables par deux voies principales. Le foie contrôle le métabolisme et l'excrétion relève des reins. Normalement, le fonctionnement des deux organes se modifie avec l'âge, tout comme la capacité du corps d'évacuer une drogue.

Les reins. — Les reins ont pour fonction de nettoyer le corps en concentrant certaines substances dans l'urine. Les recherches ont démontré que toutes les fonctions des reins se détériorent avec l'âge. Les reins reçoivent moins de sang du cœur — 35 % de moins chez les personnes âgées que chez les plus jeunes — (Greenblatt *et al.*, 1982). En général, les reins s'atrophient et le nombre ainsi que le fonctionnement des néphrons décroissent. La plupart de ces changements surviennent après 40 ou 50 ans. Chez les personnes qui consomment des drogues, on observe un taux de drogue plus élevé dans le sang et un temps d'action prolongé pour les drogues éliminées par les reins (Mayersohn, 1979).

Le foie. — On peut décrire le fonctionnement du métabolisme comme une opération en deux phases. La première comprend des processus tels que l'oxydation où la molécule de drogue subit des changements relativement mineurs. Ces modifications ont peu d'effet sur l'activité de la drogue, mais facilitent son élimination par les reins. La deuxième phase comporte des transformations plus complexes, comme la liaison entre le produit résultant de la première phase et une autre macromolécule. Lorsque le corps vieillit, le métabolisme ralentit durant ces phases initiales, ce qui entraîne l'accumulation, dans l'organisme, des drogues consommées fréquemment (Greenblatt *et al.*, 1982).

On peut augmenter la quantité d'enzymes pour métaboliser une drogue selon un processus nommé induction. La prise de certaines drogues stimule les enzymes du foie. Lors de l'ingestion suivante, ces enzymes entrent en action pour contribuer à métaboliser la drogue. Celle-ci aura moins d'effet après plusieurs ingestions, car elle sera métabolisée plus vite. La consommation d'une drogue peut aussi stimuler la production des enzymes qui métabolisent une drogue différente. La cigarette et les boissons alcoolisées, par exemple, diminuent la puissance de nombreuses autres drogues prises simultanément, tels les barbituriques et les anesthésiques, en stimulant la production des enzymes qui les détruisent. Il a été prouvé que la production des enzymes est moindre chez les personnes âgées (Mayersohn, 1982), ce qui pourraît entraîner un abaissement du seuil de tolérance aux effets des drogues. Les changements de dosage des drogues destinées aux fumeurs et aux buveurs peuvent se révéler inappropriés pour les personnes âgées.

Une autre modification entraînée par le vieillissement est la diminution de la circulation sanguine dans le foie, d'environ 40 à 45 % entre 20 et 65 ans. Comme c'est le sang qui conduit la drogue vers le foie, la réduction de son flot réduit aussi le contact avec les enzymes et donc ralentit le métabolisme. De plus, le poids total du foie diminue avec l'âge, ce qui réduit fort probablement son efficacité (Greenblatt *et al.*, 1982 ; Mayersohn, 1982).

Maux et maladies

La plupart des altérations dont nous avons parlé jusqu'ici surviennent normalement avec l'avancement en âge, mais les personnes âgées sont aussi susceptibles d'être atteintes de maladies chroniques qui peuvent altérer les fonctions d'organes ayant un rôle à jouer dans l'absorption, la distribution et l'élimination. Les conséquences des maladies du foie, des reins, du système digestif sont bien évidentes, mais d'autres types de maladies graves peuvent survenir. Par exemple, une congestion cardiaque peut amoindrir l'absorption en diminuant le débit du sang qui se rend aux intestins (Benet *et al.*, 1976). Il en est de même pour le foie et les reins, un débit sanguin moins abondant réduisant l'efficacité de leur fonctionnement. (Greenblatt *et al.*, 1982).

Interactions des drogues

Du fait que les personnes âgées ont tendance, plus que les jeunes, à consommer plusieurs drogues en même temps, elles sont davantage exposées aux réactions non voulues des drogues entre elles. L'interaction des drogues peut se produire à n'importe quelle étape de l'absorption, de la distribution — sur le lieu même de leur action hors du métabolisme —, ou de l'élimination. Cette interaction peut provoquer soit une hausse, soit une baisse de l'effet de la drogue. Voici quelques exemples d'interaction pharmacocinétiques entre certains drogues consommées plus couramment par les personnes âgées.

Les personnes âgées connaissent de fréquents troubles de digestion, elles consomment donc beaucoup de laxatifs et d'antiacides. Les antiacides diminuent l'acidité de l'estomac, ce qui entraîne le ralentissement, et parfois l'arrêt, de la désintégration et de la dissolution des comprimés. De plus, une acidité amoindrie augmente l'ionisation de drogues comme l'aspirine, qui sont des acides faibles, et rend plus difficile par conséquent leur absorption. Les antiacides réduisent aussi l'ionisation des drogues basiques faibles comme la morphine et, par la suite, facilitent leur assimilation. Les laxatifs peuvent aussi rendre plus difficile l'assimilation de nombreuses drogues en recouvrant les parois intestinales.

Beaucoup de drogues se font aussi concurrence pour la liaison avec les protéines sanguines. Les drogues ayant une affinité plus grande avec les protéines peuvent en déloger d'autres, moins bien fixées. Ainsi, si l'on ingère une drogue ayant une grande affinité avec les protéines, après une autre drogue à affinité moindre, la première va déloger la seconde, ce qui augmentera la quantité de drogue non fixée en circulation dans le corps. Une drogue comme le diazépam (Valium), par exemple, a un degré de liaison de 99 % avec les protéines. Ainsi, même une baisse minimum de 1 ou 2 % de molécule fixée, délogée par la drogue concurrente, va doubler la quantité de diazépam (Bressler, 1982). Un autre exemple : le sang d'une personne âgée qui ne prend aucune autre drogue contient environ 30 % de salicylate (Aspirine ou ASA) non fixé, en temps normal. Mais lorsque cette personne prend deux autres drogues en même temps, cette production grimpe à 50 %, d'où une hausse de 166 % de salicylate non fixé sur ses lieux d'action (Wallace *et al.*, 1976). La baisse de la capacité sanguine de fixer les drogues rend les personnes âgées plus sujettes à ce type d'interactions.

Non seulement les drogues antiacides altèrent la capacité du système digestif à absorber les autres drogues, mais, plus encore, elles modifient le taux de pH (acidité ou alcalinité) dans l'urine et influencent la solubilité dans les lipides de certaines drogues dans l'urine. Comme les drogues solubles dans les graisses sont réabsorbées par les parois du néphron, toute hausse de solubilité dans les lipides réduit la capacité des reins à éliminer une drogue, et toute baisse de solubilité dans les lipides accélère la capacité d'élimination. En diminuant l'acidité de l'urine, on accélère l'excrétion de drogues acides comme l'aspirine ou la phénylbutazone, et on ralentit l'élimination de drogues basiques comme la morphine.

Altérations de la sensibilité aux drogues, dues au vieillissement

Jusqu'ici, les seules altérations dont nous avons parlé touchent la cinétique des drogues, ce qui peut provoquer une hausse ou une baisse de concentration sur les lieux d'action. Il a aussi été démontré que le vieillissement entraîne des modifications de la sensibilité des récepteurs, sur les lieux d'action, ou de la capacité de ces récepteurs à agir sur la physiologie du corps. On pense que la plupart des drogues produisent leurs effets en interagissant avec certains récepteurs spécifiques dans le corps. Ces récepteurs sont situés sur des macromolécules protidiques, à la surface des cellules. Lorsqu'une molécule de drogue, de la bonne configuration, arrive sur son lieu d'action, elle se fixe au récepteur, ce qui cause un changement physiologique dans le tissu de la cellule où le récepteur est situé. On peut difficilement déterminer si un changement dû au vieillissement, dans l'effet d'une drogue résulte d'une modification dans le nombre des molécules de drogue fixées au récepteur (donc d'une altération de la pharmacocinétique), ou d'un changement de la sensibilité même du récepteur à la drogue. Cependant, il semble évident que certaines drogues, comme les benzodiazépines (diazépam ou nitrazépam) et certains anticoagulants, peuvent avoir un effet amplifié chez les personnes âgées, même avec une concentration identique : ou bien les personnes âgées ont plus de récepteurs qui fixent les drogues que les plus jeunes, ou bien ces récepteurs sont plus sensibles. La sensibilité aux agonistes et aux antagonistes bêta-adrénergiques, médicaments utilisés dans le traitement des maladies cardiaques, peut inversement s'atrophier au cours du vieillissement.

Deux conclusions très générales s'imposent. Premièrement, on constate en moyenne une hausse de la sensibilité à la plupart des drogues avec l'avancement en âge, mais il demeure difficile de prédire le dosage exact requis par chaque individu. Deuxièmement, plus les gens vieillissent, plus leurs réactions aux drogues se diversifient.

Fréquence de consommation

La plupart des recherches indiquent que la consommation de drogues augmente avec l'âge, mais on peut difficilement déterminer avec exactitude celles que les personnes âgées utilisent le plus, à cause des divergences dans les techniques d'enquête, dans les échantillons de population et dans les catégories de drogues. Dans l'ensemble, les personnes âgées consomment surtout des médicaments agissant sur les maladies cardio-vasculaires : ils totalisent généralement de 15 à 38 % de toutes les drogues inventoriées. Les tranquillisants et les somnifères (barbituriques et benzodiazépines) représentent de 3 à 18 % ; les analgésiques et les anti-inflammatoires varient entre 9 et 20 %. Les recherches concluent à une grande variabilité en ce qui concerne ces données. Dans presque toutes les recherches sur la consommation de drogues, on constate que les personnes âgées ont tendance à prendre plusieurs médicaments en même temps, et que cette habitude ne fait que s'accentuer avec l'âge. Au Canada, 13 % des hommes et 25 % des femmes de plus de 65 ans prennent trois médicaments en même temps, sinon plus, comparativement à des taux de 4,2 % chez les hommes et de 8,9 % chez les femmes dans la population en général.

Variables reliées à la hausse de consommation

Il y a plusieurs explications possibles à cette hausse de consommation de drogues qui accompagne le vieillissement. Les personnes âgées se trouvent surreprésentées dans presque toutes les catégories de maladies, à part l'influenza, les infections respiratoires des voies supérieures et les rhinites allergiques (rhume des foins). Il est clair que les personnes plus âgées souffrent davantage de maladies chroniques, ce qui explique en grande partie la hausse de leur consommation de médicaments.

Houle (1980), dans une étude sur les attitudes des personnes âgées par rapport à la prise de médicaments prescrits, a constaté que la consommation est corrélée avec certaines mesures des attitudes. Selon le résultat d'une analyse statistique par régressions multiples, le pourcentage de consommation est significativement corrélé avec certaines opinions comme celles-ci :

— on peut conserver sa santé telle quelle grâce aux médicaments ;
— on juge que la consommation de médicaments est favorable ;
— on peut être actif grâce aux médicaments ;
— on doit faire ce que les enfants attendent de nous ;
— on se sent bien grâce aux médicaments.

Manifestement, on peut se fier à l'état de santé des personnes âgées pour pressentir, de façon presque sûre, leur consommation de médicaments, mais c'est loin d'être le seul facteur en jeu. Lors d'une étude récente, McKim, Stones et Kozma (1986) ont interrogé 401 personnes de plus de 65 ans à Terre-Neuve, à 18 mois d'intervalle. Les auteurs ont ensuite mis, de façon rétrospective, la consommation de médicaments de ces gens en relation avec tout un éventail d'autres variables démographiques, psychologiques et sociales. Ils en ont conclu que la présence même d'une maladie et sa gravité sont les meilleurs indices de consommation de drogues, mais que l'auto-évaluation de l'état de santé général, mesuré à partir d'une échelle de sept points, suit de près le facteur représenté par la maladie elle-même. Comme l'analyse statistique portait sur l'effet de la maladie et sur sa gravité, selon les personnes âgées, cette mesure reflète leur perception des problèmes de santé plutôt que les problèmes en soi. Il semble donc que le fait, pour la personne âgée, de se penser malade soit un facteur aussi important dans la détermination de la consommation des drogues que le fait d'être réellement malade. Le rôle joué par les médecins qui prescrivent des drogues constitue pour les chercheurs un domaine connexe à explorer.

Stones et Kozma (1986) ont observé que la perception d'un mauvais état de santé, par opposition au diagnostic d'un mauvais état de santé réel, suffit à déclencher une hausse de consommation de drogues sur ordonnance.

Les médecins et la prescription de médicaments

Il est possible que la hausse de consommation des médicaments soit due en partie à une plus grande fréquence des rencontres des patients avec les médecins, causée par un affaiblissement de la santé. Certains présument que les médecins ont tendance à répondre aux plaintes par une « solution technique », c'est-à-dire une ordonnance de médicaments, que le patient en réclame une ou non (Waldron, 1977 ; Mandolini, 1981). Il pourrait s'ensuivre que les personnes âgées, qui consultent les médecins plus souvent que les jeunes, soient plus exposées aux « solutions techniques » des cliniciens.

Le Collège royal de médecine de Londres a attribué pour une grande part, dans un rapport, à l'excès d'ordonnance les réactions indésirables aux médicaments chez les personnes âgées. Ce rapport indique que les médecins prescrivent trop de remèdes à cause des pressions que leur font subir tant leurs patients que les fabricants de produits pharmaceutiques. Le Collège royal de médecine formule l'hypothèse que les médecins offrent à leur clientèle un traitement peut-être trop « enthousiaste », trop « énergique » et « impropre ».

« Observance » chez les personnes âgées

Le terme « observance » (auquel certains préfèrent celui d'« adhérence ») réfère au degré de conformité (ou d'adhésion) ou de soumission d'un patient aux directives d'un clinicien. L'« observance » peut aussi bien englober le fait pour une personne d'aller à ses rendez-vous que celui d'observer un régime spécial, mais nous ne parlerons ici que de la manière dont les gens âgés suivent les directives concernant leurs remèdes. Il existe trois sortes d'« inobservance » : 1 / observer moins — ne pas prendre autant de médicaments que le prescrit l'ordonnance 2 / observer plus — en prendre d'avantage, ou prendre une drogue non prescrite — et 3 / ne pas observer en temps voulu — prendre le bon médicament mais au mauvais moment (Hulka, 1979).

L'âge et l'« observance » des régimes à base de drogues. — Il existe de nombreuses raisons pour lesquelles les personnes âgées n'observent pas bien leurs régimes : elles ont fréquemment de la difficulté à ouvrir les flacons de médicaments, munis d'un couvercle de sécurité à l'épreuve de la manipulation par les enfants (Atkinson *et al.*, 1978) ; à cause de leur mauvaise vision, elles lisent mal les étiquettes sur les contenants ou sont incapables d'identifier les pilules correctement (Hurd et Blevins, 1984) ; au surplus, elles peuvent aussi oublier ou mal comprendre les directives du médecin à cause d'une ouïe déficiente.

Law et Chalmers (1976) ont constaté un taux d'observance de 75 % et une majorité d'erreurs concernant l'omission. Cooper *et al.* (1984) ont observé des personnes de plus de 60 ans et trouvé chez elles un taux de 57 % d'observance et de 90 % d'erreurs d'omission. Kiernan et Isaacs (1981) ont pour leur part interrogé 50 patients de 65 ans et plus et ont observé que ces gens prenaient 65 % de leurs médicaments à la dose voulue (tant pour les médicaments prescrits que pour les produits en vente libre) et 30 % à une dose moindre que celle indiquée sur leur ordonnance ; seulement 6 % des drogues étaient utilisées selon un dosage plus élevé que celui prescrit. Stephens *et al.* (1981), dans une recherche sur la consommation des médicaments psychoactifs par les personnes âgées de plus de 55 ans, ont noté que seulement 7 % de personnes ne suivaient pas toujours les indications de l'ordonnance, et que 87 % prenaient leurs remèdes moins souvent que prescrit.

Deux recensions d'écrits portant sur les caractéristiques du traitement en relation avec l'observance, effectuées par Blackwell (1979) et Haynes *et al.* (1977), soulignent le fait que la fréquence à laquelle on doit prendre un médicament ne semble pas affecter l'observance. Cependant, toutes les études auxquelles ces recensions font référence s'accordent pour dire que la quantité de drogues différentes prescrites en même temps a une nette influence sur l'observance. Lorsque le nombre de médicaments différents s'élève à trois ou plus par jour, l'observance chute de façon radicale. Les recherches effectuées auprès de vieux consommateurs de médicaments confirment le fait que l'observance se détériore grandement avec l'augmentation du nombre d'ordonnances (Neely et Patrick, 1968 ; Parkin *et al.*, 1976). En outre, la fréquence de la prise semble importante pour les personnes âgées dans certaines études (Parkin *et al.*, 1976 ; German *et al.*, 1984), mais pas dans d'autres (Kiernan et Isaacs, 1981). Comme les personnes âgées sont plus susceptibles que les jeunes de prendre plus de trois médicaments à la fois, on peut s'attendre chez elles à une observance plus difficile à maintenir.

La compréhension est un autre facteur qui affecte l'observance. Les personnes qui peuvent identifier tous les médicaments qu'elles prennent et connaître à la fois leur état médical et le moment de prendre la médication semblent généralement commettre moins d'erreurs que celles qui en sont incapables.

Réactions indésirables aux médicaments

Il arrive souvent que les médicaments produisent des effets inattendus ; ceux-ci peuvent avoir des conséquences graves ou non, mais on y fait référence sous le nom de « réactions indésirables aux médicaments (RIM) » ou aux drogues.

S'il semble évident que les RIM se produisent plus souvent chez les personnes âgées, les chercheurs ne comprennent pas encore bien pourquoi. Il est certes possible que les facteurs pharmacocinétiques et une sensibilité accrue aux drogues augmentent les risques de RIM. On peut classer les RIM en plusieurs catégories. La plus courante, à tous les âges, est la catégorie « amplifiée » ; on y constate un effet thérapeutique principal et des effets secondaires normaux, mais comme le dosage du médicament est excessif, les effets indésirables s'amplifient et l'effet thérapeutique augmente sans nécessité. Ce type amplifié de RIM provient d'un taux excessif de drogue dans le sang, dû à l'affaiblissement du métabolisme et de l'excrétion qu'entraîne le vieillissement. On peut prévenir cette sorte de RIM amplifiée au moyen d'un dosage approprié. Mais la prévention est impossible dans les cas d'allergie ou d'hypersensibilité aux médicaments. On sait que ces situations se présentent dans un certain nombre de cas, mais il est extrêmement difficile de les prédire, et donc de les éviter. Melmon (1971) a estimé qu'on peut prévenir de 70 à 80 % de toutes les RIM amplifiées.

Drogues récréatives

Peu de gens se rendent compte qu'ils consomment une drogue lorsqu'ils boivent du Coca-Cola ou qu'ils mangent une tablette de chocolat. Cependant, dans les deux cas, ils absorbent un puissant stimulant, la caféine, en quantité non négligeable. Les drogues récréatives sont des substances que l'on consomme pour des raisons non médicales.

Caféine. — La caféine est la drogue la plus populaire du monde. La plupart des enfants et des adultes, à l'heure actuelle, consomment régulièrement des boissons qui en contiennent. La caféine fait partie de la famille de drogues que sont les stimulants « xanthines » ou « méthylxanthines », qui proviennent d'un certain nombre de plantes. On consomme surtout de la caféine dans le café, le thé, les boissons gazeuses, le chocolat, ainsi que dans les analgésiques, les remèdes contre le rhume et les stimulants.

Après l'ingestion de café ou de thé, le système digestif assimile complètement la caféine qui atteint sa plus haute concentration dans le sang environ une demi-heure ou une heure plus tard. Il ne se produit pas d'accumulation de caféine dans le corps après plus d'une journée. L'élimination de la moitié de la substance ingérée se fait en trois heures et demie environ. Le foie élimine la plus grande partie de la caféine ; il est donc possible que les personnes qui ont un foie malade conservent la caféine plus longtemps dans le corps.

La caféine facilite l'accomplissement d'un grand nombre de tâches, depuis les performances athlétiques jusqu'aux activités visuelles (Laties et Weiss, 1962). Cependant, cette facilitation semble surtout provenir du fait que la caféine élimine les effets de la fatigue. Comme beaucoup de personnes âgées ressentent de la fatigue, elles se tournent vers les produits à base de caféine, ce qui les aide à accomplir leurs tâches. Les gens qui, en général, ne consomment pas de caféine en ressentent les effets de façon beaucoup plus marquée que les habitués, ce qui semble indiquer que cette drogue engendre une tolérance ou une habitude.

Boire de 5 à 10 tasses de café par jour, ou l'équivalent, peut provoquer chez l'individu des bouffées de chaleur, des frissons, de l'insomnie, de l'irritabilité, des battements de cœur irréguliers et une perte de l'appétit (Mosher, 1982) ; en boire quotidiennement 1 000 mg (de 10 à 15 tasses) environ accentuera ces symptômes et provoquera de graves réactions, semblables à de la névrose d'anxiété. Lorsqu'une réaction indésirable due à la caféine provoque de l'anxiété, il ne sert à rien de prendre des médicaments, il suffit qu'on élimine la drogue.

La caféine peut interférer avec plusieurs drogues psychothérapeutiques, comme les benzodiazépines, par exemple le chlordiazépoxide (Librium) et le diazépam (Valium), et avec les drogues antipsychotiques de la famille des phénotiazines, comme la chlorpromazine.

L'alcool. — L'humanité consomme des boissons alcoolisées depuis plusieurs milliers d'années. La plus ancienne mention du vin remonte aux tablettes d'argile babyloniennes (voir Mishara et Kastenbaum, 1980, pour une recension complète sur l'alcool et les personnes âgées). Très tôt dans l'histoire, il apparut que les boissons alcoolisées semblaient bénéfiques aux personnes âgées pour des raisons médicales ou parce qu'elles les aidaient à oublier les chagrins de l'âge. Dans certains passages de la Bible, il est recommandé de boire du vin (Proverbes 31 : 6, 7) : « Procure des boissons fortes à qui va mourir et du vin à qui est rempli d'amertume ; qu'il boive, qu'il oublie sa misère, qu'il ne se souvienne plus de son malheur. » La Bible ne recommande pas spécifiquement aux personnes âgées de boire du vin, mais comme elles sont les plus susceptibles de mourir et d'endurer certaines misères, le vin peut sembler apporter une consolation opportune à qui souffre ou va mourir. Dans un autre passage des Proverbes, la Bible reconnaît que les effets des boissons alcoolisées ne sont pas toujours positifs. Les rois et les princes, sous l'effet de l'alcool (31 : 5) « oublient la loi, et ne rendent pas justice aux affligés ». Ainsi apparaît une fonction double, ou plutôt ambivalente, des boissons alcoolisées. L'alcool possède des pouvoirs positifs lorsqu'il est utilisé à bon escient, mais devient une menace lorsqu'on en abuse.

Cette double conception des bienfaits et des dangers de l'alcool s'exprime tout au long de l'histoire. Elle se reflète aujourd'hui dans les lois qui contrôlent la vente et la consommation des boissons alcoolisées. Dans la présente section, nous traiterons de l'effet de l'alcool sur les personnes âgées, des habitudes de consommation de boissons alcoolisées et de l'étendue du danger venant de l'abus d'alcool. Nous parlerons ensuite du traitement et de la prévention des problèmes d'alcoolisme chez les personnes âgées. La recherche contemporaine et l'analyse historique révèlent la double nature des effets de l'alcool. Encore une fois, la consommation modérée est bénéfique, mais l'abus représente de graves risques.

L'histoire reconnaît les avantages potentiels de l'alcool dans le traitement de certaines maladies, en particulier durant la vieillesse. Par exemple, la tradition islamique défend de consommer de l'alcool pour le plaisir, mais les médecins de l'Islam l'utilisèrent comme remède tout au long du Moyen-Age. Ainsi, Avicenne, médecin perse du Xe siècle, recommandait aux personnes âgées de boire autant de vin « qu'elles en peuvent supporter », alors qu'il incitait les jeunes à n'en prendre « qu'avec modération » (Gruner, 1930). Cependant, toujours selon Avicenne, les personnes âgées ne pouvaient boire n'importe quel vin ; le médecin leur recommandait le vin vieux et rouge. Le vin nouveau et sucré était à éviter, sauf en certaines circonstances.

Le vin faisait souvent partie d'un régime de santé favorable à la longévité et à la vigueur du vieil âge (Mishara et Kastenbaum, 1980). Lorsqu'Arnaud de Villeneuve inventa le cognac à la fin du XIIIe siècle, il était convaincu d'avoir découvert l'eau magique de l'immortalité que les alchimistes avaient recherchée pendant des siècles. Il nomma sa découverte « eau de vie » et déclara qu'elle allongeait la durée de la vie, conservait la jeunesse et soulageait la dépression. Apparemment, il ne se rendit pas compte sur le moment que la distillation de l'alcool mènerait le monde à disposer de larges quantités de boissons peu coûteuses, d'une haute teneur en alcool.

Les personnes âgées consomment moins d'alcool que les jeunes et sont abstinentes plus fréquemment. Comment tenir compte de ces différences d'âge dans la consommation d'alcool ? Premièrement, il s'agit de déterminer si le faible niveau de consommation chez les personnes âgées reflète un changement d'habitude dû à l'avancement en âge ou bien une différence propre à une génération et qui a duré toute la vie. Les données concernant les anciens buveurs indiquent qu'une proportion significative d'hommes âgés (10 %) et un pourcentage moindre de femmes âgées (environ 4 %) buvaient autrefois et ont cessé. Ainsi, un certain nombre de personnes âgées ont arrêté de boire en vieillissant, mais pas en nombre suffisant pour justifier la forte proportion de gens abstinents dans le groupe des 65 ans et plus.

Drew, cité par Mishara et Kastenbaum (1980), propose une deuxième hypothèse pour expliquer le peu de popularité de l'alcool parmi les personnes âgées : l'impact qu'il a sur la mortalité. L'abus d'alcool est corrélé avec l'incidence de beaucoup de maladies mortelles du foie et du cœur. Drew a fait le raisonnement suivant : n'y a-t-il pas moins de gros buveurs âgés, simplement parce qu'ils meurent jeunes ? Il est exact que la forte consommation d'alcool accroît les risques de contracter plusieurs maladies mortelles.

Les différences physiologiques, comme le poids, peuvent expliquer en partie pourquoi les femmes boivent moins. Ayant un poids moindre que celui des hommes, les femmes ont moins besoin de boire pour atteindre la même concentration d'alcool dans le sang. Cependant, les données indiquent que les hommes boivent beaucoup plus. A moins que les données concernant les femmes ne soient faussées au départ par les personnes interviewées, cette stabilité dans la différence entre les sexes vaut la peine d'être explorée plus à fond. Les tavernes et les bars, où la plupart des hommes se rassemblent pour boire, ont institutionnalisé la consommation d'alcool chez les hommes. Ce phénomène pourrait expliquer l'écart entre les sexes. Il sera par ailleurs intéressant d'observer l'effet des lois récentes, qui garantissent aux femmes l'égalité des droits, sur les différences entre les sexes concernant les futures habitudes de consommation d'alcool.

Dans les recherches récentes, on a justement accordé plus d'attention à cette différence entre les sexes relativement aux effets de l'alcool. Comme c'est le cas pour d'autres drogues, la réponse à l'ingestion d'éthanol ($CH_3\ CH_2\ OH$) — le type d'alcool présent dans les boissons alcoolisées — varie avec l'âge. En général, des quantités équivalentes d'éthanol par kilogramme de poids corporel, injecté dans le sang ou ingéré par voie orale, donnent chez les personnes âgées des taux d'éthanol plus élevés dans le sang après absorption (Mishara et Kastenbaum, 1980, chapitre 2 ; Wood, 1985). Cependant, les mécanismes sous-jacents à cette augmentation du taux d'alcool ne sont pas clairs.

Une consommation accrue est liée à de nombreux désordres, dont le risque augmente avec le niveau d'alcoolémie. La cirrhose du foie provoquée par l'alcoolisme chronique s'accompagne d'une série de désordres comme la gynécomastie, l'atrophie des testicules, les angiomes stellaires et l'érythème palmaire (Gambert, Newton et Duthie, 1984). L'alcoolisme chronique est lié à toute une série de problèmes cardio-vasculaires comme la cardiomégalie, la fibrose cardiaque, les infarctus microvasculaires, le gonflement et l'altération des composantes intracellulaires du myocarde (Gambert, Newton et Duthie, 1984).

Néammoins, un niveau modéré de deux consommations ou moins par jour semble réduire les risques d'infarctus du myocarde (Klatsky, Friedman et Siegelaub, 1974 ; Yano, Rhoads et Kagan, 1977). Colditz *et al.* (1985) ont démontré que les buveurs modérés courent moins de risques d'avoir des accidents cardiaques mortels. Marmot *et al.* (1981) ont mis en évidence le taux de mortalité légèrement plus bas chez les buveurs modérés, comparativement à celui des personnes abstinentes ou des gros buveurs.

Depuis 1963, plusieurs études ont mentionné les bienfaits possibles de la bière ou du vin, servis avec modération aux personnes âgées, tant en institution qu'à domicile. Robert Kastenbaum et ses collègues ont mené les premières recherches à l'hôpital Cushing, à Framingham, Massachusetts (Kastenbaum, 1972 ; Kastenbaum et Slater, 1972). Ils ont constaté que le fait d'introduire à l'hôpital gériatrique du vin et de la bière avec modération rendait les patients en gériatrie plus sociables sans produire d'effets secondaires. Bientôt, d'autres recherches sont venues appuyer ces résultats de base. On y avançait que des changements bénéfiques découlaient de la consommation modérée de boissons alcoolisées, en ce qui a trait à la dépression, au moral, au sommeil et à la participation des patients aux activités.

Mishara et ses collaborateurs (1975) ont effectué l'une des rares recherches qui incluaient un groupe témoin. Non seulement le vin et la bière, mais toute une gamme de boissons alcoolisées ont été mises à la disposition du groupe expérimental, avec toutefois un maximum de verres par jour (ou l'équivalent en alcool). Les boissons étaient servies dans le cadre d'une activité sociale, comme dans les recherches antérieures, mais le groupe témoin, élément nouveau, ne recevait que des boissons non alcoolisées dans un contexte social identique. Des médecins ont procédé à une évaluation complète de l'état de santé physique des patients, avant le début de la recherche, ensuite après 9 puis 18 semaines (évaluation des modifications dans le fonctionnement du foie et du cœur, points les plus vulnérables à l'alcool). L'équipe de recherche a procédé à des observations en profondeur durant 18 semaines, à des comparaisons entre des groupes de personnes âgées en institution et d'autres plus indépendants, en résidence communautaire. L'équipe a pris soin de rassembler des données sur les habitudes de consommation passées et actuelles parmi les patients autonomes, en communauté.

D'après les résultats de cette étude, l'accès à des boissons alcoolisées n'a provoqué aucun effet négatif sur la santé et le bien-être des personnes âgées en institution, ni parmi le groupe plus autonome, en résidence communautaire. En fait, les membres du groupe expérimental qui disposaient de boissons alcoolisées, étaient moins anxieux, et leur moral était meilleur lorsqu'on l'a évalué sur une échelle standard de mesure du moral. Ils ont aussi mentionné qu'ils avaient moins de difficultés à s'endormir. L'amélioration des relations interpersonnelles était la même pour le groupe expérimental et pour le groupe témoin (qui ne disposait pas de boissons alcoolisées durant la première phase de la recherche), aussi a-t-il été possible aux auteurs de bien différencier les effets de la consommation des effets de l'environnement social. Aucun changement dans l'état de santé, susceptible d'être lié à l'alcool, ne s'est manifesté chez les personnes de l'un et de l'autre milieu. Une seule variable concernant l'état de santé a subi une transformation significative : le pouls des buveurs a ralenti, ce qui pourrait indiquer un meilleur fonctionnement cardiaque. Les chercheurs n'ont associé aucune pathologie cardiaque à ce ralentissement du pouls, mais ils n'ont pas pu le considérer comme un effet direct de l'alcool, car ils n'ont pas fait d'évaluation de l'état physique des personnes le jour même où elles avaient consommé de l'alcool.

Dans l'ensemble, Mishara et ses collègues ont conclu que leur recherche confirmait les précédentes études : l'usage modéré de boissons alcoolisées semble bénéfique, au moins pour certains participants, et présente relativement peu d'inconvénients. Mais ces conclusions ne sont valables, préviennent les auteurs, que dans des situations sous contrôle médical adéquat, avec un suivi. La participation doit également être volontaire. Dans le cadre de cette recherche, les participants décidaient si, oui ou non, ils souhaitaient consommer chaque jour les boissons alcoolisées mises à leur disposition. Les personnes âgées qui anticipaient des réactions indésirables ont donc pu les éviter en choisissant de ne pas boire.

Il n'est pas facile de déterminer, d'après l'étude de Mishara *et al.* (1975), si les effets observés provenaient directement de l'éthanol ou d'une réaction psychologique positive, découlant du fait pour ces personnes d'être traitées en adultes responsables, à qui on offrait des boissons alcoolisées dans un contexte social. A cause des avantages reliés au contexte social, indépendant du fait de servir de l'alcool, il serait souhaitable que les institutions qui considèrent la possibilité d'offrir des boissons alcoolisées à leurs hôtes le fassent dans le cadre d'une activité de groupe, au lieu de l'intégrer dans la médication de routine.

L'amélioration du sommeil est l'un des résultats les plus constants de l'usage du vin dans les institutions. Par exemple, Mishara et Kastenbaum (1974) ont constaté que le fait de boire du vin (l'équivalent de 12 ml d'éthanol) chaque soir diminuait le besoin de somnifères de leur échantillon de personnes âgées hospitalisées en psychiatrie. Les auteurs se sont par la suite (1980) demandé si cette amélioration du sommeil n'était pas liée à la présence dans le vin d'acide gamma-aminobutyrique (GABA), que l'on ne trouve pas dans les autres boissons alcoolisées. Kastenbaum a mené une série d'études dans lesquelles il fournissait du vin à des personnes âgées vivant chez elles, en leur demandant d'en prendre un verre ou deux chaque soir (Mishara et Kastenbaum, 1980). Deux cent treize personnes ont participé à l'expérience. L'auteur a mesuré leur sommeil et leur fonctionnement cognitif durant 10 jours avant qu'elles commencent à boire du vin, puis a comparé ces données aux mesures prises après un ou plusieurs mois de consommation. La plupart des participants (84 %) ont limité leur consommation à un verre chaque soir. Ils n'ont pas mentionné d'effets négatifs sur leur sommeil, mais un bon nombre d'entre eux ont signalé des améliorations, surtout après avoir bu du vin durant 10 à 15 jours. Leur moral et leur humeur se sont sensiblement améliorés, ainsi que leur fonctionnement cognitif, en particulier la mémoire, après la phase expérimentale de consommation.

Mishara et Kastenbaum ont émis l'hypothèse qu'une amélioration du sommeil, due à la consommation de vin pouvait avoir entraîné ces résultats. Ils ont même supposé que le GABA, ou d'autres congénères du vin, pouvait allonger la phase quatre du sommeil, ou sommeil profond, qui généralement diminue avec l'âge. Ces hypothèses demanderaient de plus amples investigations par des chercheurs en laboratoire spécialisés dans l'étude du sommeil.

Dans l'ensemble, les recherches sur l'alcool et les personnes âgées font ressortir la dualité du phénomène. Lorsqu'on les prend avec modération (une ou deux consommations par jour au maximum), les boissons alcoolisées ne semblent présenter aucune menace pour la santé et le bien-être. En fait, un verre ou deux de vin peuvent améliorer le sommeil, accroître le sentiment de bien-être et améliorer éventuellement certains aspects du fonctionnement cognitif. Cependant, comme pour toute autre drogue, certaines conditions médicales et l'usage concurrent d'autres remèdes peuvent devenir des contre-indications quant à la consommation d'alcool pour certaines personnes.

D'un autre côté, l'usage immodéré de l'alcool constitue l'un des moyens les plus sûrs, avec le tabac peut-être, d'augmenter les risques de maladie et de mort prématurée. Comme il arrive souvent qu'une personne fume et boive en même temps, les risques de maladie et de mort prématurée deviennent alors très élevés.

La prévention des problèmes causés par les médicaments sur ordonnance

La prévention des problèmes causés par les médicaments sur ordonnance peut se subdiviser en plusieurs sortes de prévention. Comme les remèdes sur ordonnance sont prescrits par un médecin, il serait bon que nous envisagions les stratégies possibles de prévention. On peut se demander comment changer la mentalité des médecins, tant dans leur façon de rédiger les ordonnances destinées aux personnes âgées que dans leur mode de communication avec ces dernières, une fois les remèdes prescrits, afin d'éviter les problèmes causés par les médicaments.

Lamy (1985a) a repéré plusieurs possibilités de mauvais usages des médicaments par les personnes âgées :

1 / mauvais usage ou abus actif, provoqué par une « sur-prescription », une prescription injustifiée ou inadéquate ;

2 / mauvais usage ou abus passif, dû au manque de réévaluation de la nécessité du médicament ;

3 / non-usage d'autres traitements possibles (chaleur, liquides, etc.).

Il est nécessaire que le clinicien prenne certaines précautions particulières lorsqu'il rédige des ordonnances pour les personnes âgées, à cause des différences que l'âge entraîne dans la distribution et l'élimination de certains médicaments. Malheureusement, les spécialistes en médecine gériatrique sont rares.

L'interaction mutuelle des médicaments peut engendrer des effets indésirables supplémentaires. Plusieurs auteurs ont tenté de faciliter le repérage des interactions possibles en structurant des listes ou des guides assez simples à utiliser. Par exemple, Simonson et Sturgeon (1979) ont reconstitué la liste d'« alerte » des 20 médicaments les plus susceptibles de mal interagir entre eux. Un médecin qui prescrirait l'un ou l'autre de ces remèdes devrait en calculer soigneusement les risques d'interactions indésirables, avant de rédiger son ordonnance. Comme ces risques sont plus élevés parmi les personnes âgées, peut-être le médecin doit-il prendre des précautions supplémentaires et bien évaluer ces risques lorsqu'il a affaire à elles.

Certains médicaments posent un problème particulier du fait de leur faible marge thérapeutique. Selon Lamy (1985a), 6 catégories de médicaments, que l'on prescrit abondamment aux personnes âgées, constituent une menace particulièrement grave de surdosage, du fait de la faible différence entre un dosage thérapeutique et un dosage susceptible d'engendrer des réactions indésirables. Il s'agit des : 1 / anticoagulants, 2 / anticonvulsifs, 3 / antidépresseurs, 4 / antihypertenseurs, 5 / digitaliques et 6 / agents hypoglycémiants oraux.

La plupart des personnes âgées s'administrent elles-mêmes leurs propres médicaments chez elles. Bilodeau (1984) a effectué une petite recherche (auprès de 10 sujets) qui avait comme objectif d'évaluer un programme d'enseignement sur l'auto-administration, offert en pavillon d'hébergement par une infirmière. Les résultats montrent qu'un tel programme peut améliorer la conformité aux régimes de médicaments.

A leur sortie de l'hôpital, les malades doivent brusquement faire face à la responsabilité d'organiser eux-mêmes ce qui constitue souvent un régime complexe de pilules à prendre. L'Hôpital général d'Edmonton a institué un programme d'auto-médication, partie intégrante de la préparation des malades à leur sortie de l'hôpital, en vue de les aider à se débrouiller quant à l'observation de leurs prescriptions. Dans ce programme, on rend certains patients responsables de l'auto-administration de leurs médicaments, sous surveillance et avec des conseils, afin de les préparer au moment où ils devront prendre soin d'eux-mêmes à la maison. Un tel programme rend manifestement service aux gens de tous âges, mais les personnes âgées en bénéficient tout spécialement, surtout lorsqu'elles prennent beaucoup de médicaments à la fois.

La recherche a porté en particulier sur les personnes âgées qui consomment des drogues psychoactives. Parry, Balter et Cisin (1971) sont d'avis que la plupart de nos données sur le sujet peuvent être non valides, du fait de la tendance de certaines personnes âgées à sous-évaluer ou à ne pas évaluer du tout leur consommation réelle de médicaments au cours des enquêtes. Dans leurs propres recherches, 27 % des sujets n'avaient que des réponses non valides ou partiellement valides aux questionnaires de l'enquête sur leur consommation de sédatifs. Les taux de réponses non valides étaient plus élevés chez les consommateurs de stimulants (33 %) et plus bas chez les consommateurs de tranquillisants (17 %).

En plus d'améliorer leur communication avec les patients, les médecins devraient leur fournir des aide-mémoire, par exemple des calendriers où les doses seraient inscrites, ou encore prescrire des médicaments sous formes de « dosettes », c'est-à-dire emballés individuellement, à prendre aux dates indiquées. Wandless et Davie (1977) ont évalué l'efficacité de la méthode consistant à donner aux patients âgés un calendrier dont on arrache les pages, ou un aide-mémoire pour identifier les comprimés. Pour ce faire, ils ont retenu trois groupes de personnes âgées. Ils ont distribué au premier groupe un calendrier aux pages déchirables comprenant une liste personnalisée des médicaments quotidiens de même que l'indication des moments où les patients devaient prendre leurs remèdes. Les feuillets d'identification des comprimés, donnés au second groupe, présentaient sur un carton le nom des médicaments, de même que les moments où les prendre. Un troisième groupe témoin a reçu les mêmes directives que les deux autres groupes, mais sans aide-mémoire particulier. Le premier groupe a commis moins d'erreurs que le deuxième groupe, mais les deux groupes expérimentaux ont commis beaucoup moins d'erreurs que le troisième groupe, qui n'avait reçu que des directives ordinaires. En raison du problème que représente en général l'observance chez les personnes âgées, il serait utile que les médecins mettent en pratique ces moyens et d'autres, afin d'aider les consommateurs et d'améliorer les pratiques médicales et pharmaceutiques.

Nous avons commencé notre exposé sur les difficultés de la prévention en décrivant la façon dont les médecins rédigent leurs ordonnances et la façon dont ils peuvent améliorer leurs pratiques. Certains critiques déplorent le manque d'entraînement en gériatrie dans les écoles de médecine. La publicité des compagnies pharmaceutiques a sa part de responsabilité, en raison de la façon dont celles-ci convainquent les médecins de prescrire les produits qu'elles vendent. Smith (1976) a mené une enquête sur l'image des personnes âgées que reflète la publicité des médicaments. Il a constaté que la publicité de deux revues médicales d'envergure « tendait à renforcer les stéréotypes négatifs sur les personnes âgées ». Parmi les descriptions faites, généralement négatives, les plus pessimistes représentaient les personnes âgées de la façon suivante : sans but dans la vie, apathiques, affaiblies, recluses et capricieuses, insupportables, peu sûres d'elles, hypocondriaques, léthargiques, manifestant un besoin insatiable d'être rassurées et une faible estime de soi, n'ayant aucun contrôle d'elles-mêmes. Les portraits les plus positifs (manifestement en minorité) présentaient la vieille grandmère (ou le vieux grand-père) toujours pareille à elle-même, respectueuse et digne de confiance. L'analyse de tels contenus publicitaires peut être sujette à caution, mais nous ne pouvons nous empêcher de nous demander à quel point ces descriptions renforcent les stéréotypes négatifs sur les personnes âgées, et quelle est leur influence lorsque la rédaction des ordonnances laisse à désirer.

Un aspect important et souvent négligé de la formation des intervenants auprès des personnes âgées est le développement de la capacité de reconnaître une réaction indésirable aux médicaments. Les effets indésirables de nombreux médicaments ressemblent beaucoup aux symptômes normalement attribués à la « vieillesse » ; de ce fait, on peut facilement les négliger. Pertes de mémoire, confusion, insomnie, et même agitation et agression sont fréquemment signalées parmi les symptômes que provoquent les remèdes chez les personnes âgées. Si l'on considère les stéréotypes traditionnels, il n'est guère surprenant que de tels symptômes passent inaperçus chez une personne âgée et soient immédiatement signalés chez une personne de 20 ans. Il est donc de première importance que les intervenants auprès des personnes âgées, en particulier les médecins, soient formés de façon à pouvoir reconnaître les réactions indésirables causées par les médicaments.

Médicaments en vente libre

La plupart des personnes âgées consomment des médicaments en vente libre, et 80 % d'entre elles consomment également des médicaments sur ordonnance, de l'alcool, ou tout à la fois (Guttman, 1978). Les personnes âgées utilisent quatre fois plus de médicaments en vente libre que les gens plus jeunes. Les interactions néfastes de ces remèdes avec l'alcool et les autres médicaments provoquent des problèmes comme la dépendance, l'intoxication et les effets secondaires. La prévention des problèmes causés par les médicaments en vente libre implique qu'on s'efforce d'éviter de les consommer hors de propos. Il est important que l'on reconnaisse les problèmes causés par la consommation injustifiée des MVL et que l'on prenne les mesures nécessaires pour réduire ou éliminer leurs effets indésirables.

Comme dans le cas des remèdes sur ordonnance, les transformations physiques qui accompagnent le vieillissement augmentent les risques d'interactions indésirables des MVL. De plus, les MVL contiennent souvent des substances comme de l'alcool ou de la caféine, qui augmentent l'effet indésirable sur les consommateurs. Un usage trop régulier des MVL qui contiennent de telles substances peut mener à la dépendance physique car, lorsque les gens cessent d'en prendre, leurs symptômes réapparaissent encore plus aigus qu'avant. Les MVL susceptibles de provoquer un tel « rebondissement » incluent les somnifères, les laxatifs et les décongestionnants nasaux.

Le moyen le plus efficace de prévenir les problèmes reliés au MVL serait de donner une meilleure information aux consommateurs sur les avantages et les inconvénients particuliers de ces médicaments, en relation avec les problèmes manifestés. Les gens ont tendance à prendre des MVL en suivant leur propre diagnostic. Ils achètent ces médicaments dont ils attendent un soulagement, selon les promesses de la publicité, les conseils de leur médecin, de leur pharmacien ou de leurs amis. Ils se basent sur leur expérience passée relativement à ce remède, sur l'attrait de l'emballage en pharmacie ou sur les informations inscrites sur la boîte. Comment peut-on rendre les consommateurs conscients des dangers potentiels des MVL ? La réponse à cette question se complique du fait de notre manque de données scientifiques sur l'importance respective des diverses influences qui affectent la décision de consommer des

MVL. Chien et ses collaborateurs (1978) ont constaté que, la plupart du temps, les gens se les prescrivent eux-mêmes bien qu'ils affirment qu'un bon nombre de ces remèdes leur ont été recommandés par leur médecin. D'après ces chercheurs, les MVL que les gens consomment de la façon la plus « irrationnelle » sont les vitamines, les analgésiques, les remèdes contre la toux et le rhume, et les antiacides.

Les personnes âgées utilisent fréquemment des analgésiques comme l'aspirine et l'acétaminophène pour soulager des douleurs causées par l'arthrose. Caranasos et ses collaborateurs (1974) ont placé l'aspirine en tête de tous les médicaments qui peuvent entraîner une hospitalisation. A trop forte dose, l'aspirine peut provoquer des troubles métaboliques et des symptômes de confusion. L'hémorragie gastro-intestinale en représente l'effet secondaire le plus commun et le plus dangereux. L'aspirine peut interagir dangereusement avec plusieurs remèdes. Cupit (1982) a désigné les anticoagulants oraux, le méthotréxate, la probénécide et la sulfinpyrazone comme étant les produits les plus dangereux dans leur interaction avec l'aspirine. Ce chercheur recommande que les médecins évitent de les prescrire en même temps. De même, la prise d'AAS avec de l'alcool éthylique, du chlorure d'ammonium, des antiacides, des hypoglycémiants oraux, des corticostéroïdes et de l'héparine est à éviter. Quoique l'aspirine et l'acétaminophène soient tous deux inoffensifs pour la plupart des malades, à dose normale, l'acétaminophène est quelquefois plus indiquée pour certains patients, en particulier ceux qui sont sujets aux saignements. Cupit (1982) conseille aux médecins d'éviter les interactions entre l'acétaminophène et la chloramphénicol ou, du moins, d'en contrôler soigneusement la combinaison.

Gerbino et Gans (1982) ont signalé les dangers de l'utilisation excessive d'antiacides et de laxatifs pour soulager les malaises des personnes âgées. Ils mettent l'accent sur la nécessité d'une bonne communication médecin-malade, afin que les médecins puissent aider leurs patients âgés à choisir leurs produits avec discernement, et leur éviter ainsi les complications et les interactions indésirables avec d'autres remèdes. Tous les antiacides n'ont pas la même capacité de neutraliser l'acidité et plusieurs contiennent de fortes doses de sodium. Dans le cas de personnes qui observent un régime sans sel, il serait important qu'on vérifie cette teneur en sodium.

Lamy (1982) a établi la liste des quantités de sucre, l'ingrédient

« muet » de plusieurs antiacides. 20 produits en contiennent plus de 100 mg par unité et 4 en ont 2 000 mg ou plus par unité (par dose de 15 ml ou par comprimé). On devrait prendre ce taux de sucre élevé en considération avant de prescrire ou de recommander ces remèdes.

Les antiacides peuvent affecter l'absorption et l'évacuation d'autres médicaments. Gerbino et Gans (1982) ont établi la liste des effets des antiacides oraux sur l'absorption et l'évacuation de 17 médicaments différents que consomment fréquemment les personnes âgées. A cause de ces effets, les personnes âgées qui doivent absorber régulièrement des remèdes comme la digoxine, la tétracycline, des sels de fer, la lévodopa (L-dopa) ou l'insonizide devraient sans doute éviter de prendre en même temps des antiacides. Ces chercheurs leur recommandent de suivre des régimes permettant deux heures d'intervalle entre la prise des antiacides et celle des autres substances.

Environ 30 % des gens de plus de 60 ans prennent des laxatifs régulièrement. Gerbino et Gans (1982) affirment que les personnes qui ont consommé des laxatifs pendant plusieurs années ont des « croyances erronées ». D'abord, elles croient que les laxatifs sont inoffensifs et ensuite que leur action se limite aux intestins. Les chercheurs insistent sur l'importance d'une bonne distinction entre les différents types de constipation chez les personnes âgées, ainsi qu'entre les différentes sortes de laxatifs. Kofoed (1984) indique que les laxatifs à base de phénolphtaléine sont les plus susceptibles de causer des problèmes. Il existe une grande variété de laxatifs : les stimulants, les cathartiques osmotiques ou salins, les émolliants, ceux qui augmentent le bol fécal, les lavements et les suppositoires. Les gens qui abusent des laxatifs cachent souvent l'ampleur de leur consommation, ce qui rend extrêmement difficile le diagnostic des troubles qui y sont reliés. L'hypoalkémie et d'autres troubles du métabolisme reflètent souvent l'abus des laxatifs.

La raison pour laquelle les gens choisissent, recommandent et prescrivent les laxatifs est la constipation. Pourtant, il n'est souvent pas nécessaire de prendre des laxatifs pour traiter efficacement la constipation ; il suffit souvent d'effectuer les changements appropriés dans son alimentation et son hydratation, et de faire de l'exercice physique pour en éliminer les symptômes. De plus, il semble prouvé qu'en certains cas, la constipation soit due à des facteurs psychologiques. Greiner, Bross et Gold (1974) ont mené une recherche basée sur une méthode à double insu auprès de 20 patients qui souffraient de constipation chronique. Ils ont constaté que les placebos avaient amélioré la condition de 14 des 20 sujets. Ainsi, on pourrait soigner efficacement la constipation (dans certains cas) en soulageant les tensions dans la vie d'une personne ou en renforçant ses mécanismes d'adaptation en cas de situation stressante.

D'autres MVL communément utilisés comprennent les décongestionnants, les antihistaminiques et les anticholinergiques. Les décongestionnants nasaux locaux provoquent un renforcement des symptômes (Kofoed, 1984) lorsqu'on en abuse. Les réactions indésirables aux remèdes sympathomimétiques comme l'éphédrine et la phénylpropanolamine, que l'on trouve dans de nombreux MVL décongestionnants, signalent que les personnes âgées souffrant de maladies cardio-vasculaires ou prenant des antihypertenseurs et des inhibiteurs de la monoamine-oxydase devraient faire une consommation prudente des décongestionnants.

Les antihistaminiques et les anticholinergiques, contenus fréquemment dans les médicaments contre le rhume et les allergies de même que dans les somnifères en vente libre, peuvent augmenter dangereusement les effets sédatifs de l'alcool, des antidépresseurs, des antipsychotiques, des sédatifs sur ordonnance et des hypnotiques. Ainsi doit-on prendre ces remèdes avec d'extrêmes précautions lorsqu'on les combine avec un ou divers traitements.

Etant donné l'importance des problèmes que peuvent causer les MVL, comment peut-on instaurer des programmes de prévention efficace ? Tout effort pour sensibiliser davantage les médecins, les pharmaciens et les consommateurs à la nature des MVL, à leurs avantages et à leurs dangers éventuels constituerait un pas dans la bonne direction. Publicité organisée par le gouvernement ou par des agences à but non lucratif, explications claires sur les complications possibles, les interactions, les effets secondaires, les indications et contre-indications au sujet de la consommation des MVL, telles pourraient être des activités de prévention primaire. Chaque année, l'industrie pharmaceutique dépense des millions de dollars pour tenter de convaincre les consommateurs d'acheter les produits offerts. Pour vendre leur marchandise, les compagnies présentent les médicaments comme des panacées pour toute une série d'infortunes, que tout le monde subit inévitablement. Peut-être devrait-on contrebalancer les distorsions de cette publicité par une campagne intensive d'information juste, axée sur les dangers éventuels des MVL, qui aiderait consommateurs et personnel médical à reconnaître les signes de ces dangers, afin d'éviter les problèmes que peut entraîner un mauvais usage des médicaments en vente libre.

TABLEAU VII-1. — *Effets secondaires possibles des psychotropes chez les personnes âgées*

Types de médicaments	Effets secondaires possibles
La plupart des psychotropes	Somnolence augmentant durant la journée, graves réactions indésirables possibles durant la nuit, confusion et irritabilité
Anxiolytiques :	
— Benzodiazépines	Dépression, confusion, désorientation
— Barbituriques	Accoutumance, confusion, réactions de sevrage
Sédatifs hypnotiques :	
— Benzodiazépines	Voir plus haut
— Hydrate de chloral	Agitation, insomnie, excitation
— Antihistaminiques	Confusion
Agents antidépresseurs :	
— Tricycliques	Effets anticholinergiques, toxicité cardio-vasculaire, confusion, hypotension orthostatique
— Inhibiteurs de la mono-amide oxydase	Crises d'hypertension lorsque combinés à la tyramine et à d'autres médicaments sympathomimétiques
Agents antipsychotiques :	
— Phénothiazines, halopéridol	Mouvements de type extrapyramidaux, mouvements incessants, parkinsonisme, dyskinésie tardive, hypotension orthostatique
— Carbonate de lithium	Délire, coma, dysfonction thyroidienne, dysfonction rénale, tremblements gastro-intestinaux

(Source : *Moran et Thompson*, 1982.)

CHAPITRE VIII

La mort

La mort dans la vie quotidienne

Nous vivons aujourd'hui entourés de systèmes de communication tellement perfectionnés que nous pouvons difficilement échapper aux divers événements qui se produisent autour de nous ou même à des milliers de kilomètres. Ne va-t-on pas jusqu'à interrompre une émission de radio ou de télévision pour annoncer, par bulletin spécial, l'écrasement d'un avion à l'autre bout du monde ? Cet envahissement de l'information a certainement accru notre capacité d'éveil au monde, mais pourtant nous restons indifférents à certaines réalités et nous écartons certaines expériences — notamment la mort. Par exemple, l'abattage des animaux, qui était autrefois une expérience quotidienne, s'accomplit maintenant loin de nous, dans un quartier que nous n'avons probablement jamais visité. Les malades vont à l'hôpital et les vieillards à l'hospice. Nous cachons non seulement la mort mais aussi certains aspects de l'enterrement. L'envahissement de l'information a encore un autre effet : la mort nous est présentée froidement sous forme de statistiques, camouflée de telle sorte que sa réalité ne parvient plus à nous toucher. Un enfant qui voit tant d'Indiens « mordre la poussière », au cinéma ou à la télévision, finit par s'imaginer que la mort est un jeu et non pas une chose réelle, qu'elle n'est pas la mort de quelqu'un. Staline a dit que la mort d'une personne est une tragédie, mais qu'un million de morts, ce n'est qu'un chiffre. Les millions de morts que nous donnent à voir les films, la télévision et les journaux semblent bien lui donner raison. Quand la pensée de la famine au Bengladesh, au Cambodge ou en Inde devient trop insupportable, nous nous en détournons, nous contentant d'envoyer des vêtements ou de donner quelque chose de plus à la quête du dimanche.

Autrefois, et pour les cohortes âgées qui sont encore parmi nous, la mort était davantage présente. A la campagne, ceux qui vivaient dans les fermes, et c'était la majorité, s'approvisionnaient directement à la basse-cour. Pour manger une poule, il fallait d'abord l'attraper, la tuer, la nettoyer et la faire cuire. A la ville, faute de réfrigération, on vendait les poules vivantes puisque c'était le seul moyen de les conserver fraîches. Une fois que le client avait choisi sa volaille, on la tuait et on la préparait devant lui. L'avènement de la réfrigération a éliminé la vue de ces activités. Aujourd'hui, la plupart des fermiers envoient leurs animaux à l'abattoir, où ils sont tués par des techniques modernes puis congelés sur place. L'abattage, qui constituait à une certaine époque un événement quotidien et le moment d'un contact de l'homme avec la mort, est maintenant centralisé de sorte qu'il se déroule loin de nous.

Le taux de natalité était plus élevé au début du siècle qu'au cours du *baby boom* qui suivit la seconde guerre mondiale. Mais ce taux de natalité élevé s'accompagnait d'un taux élevé de mortalité, car, au XIXe siècle, moins de la moitié des enfants nés viables atteignaient l'âge de 15 ans. Les familles étaient ainsi fréquemment en contact avec la mort. La structure de la famille était aussi très différente à l'époque. Les membres de la « grande famille » vivaient ensemble, et ainsi assistaient beaucoup plus souvent à la mort d'un proche ou d'une connaissance. Et comme la mort frappait souvent les familles, les contacts avec la mort étaient nombreux.

Ces contacts étaient aussi beaucoup plus directs qu'ils ne le sont aujourd'hui. Lorsque quelqu'un mourait, c'étaient les membres de la famille elle-même qui ensevelissaient le corps, construisaient le cercueil et creusaient la tombe. Le corps du défunt était exposé dans le salon familial. Une fois la veillée du corps terminée, il était naturel que les parents et amis dorment dans la maison où reposait le corps de la personne aimée. Plus tard, lorsque les entrepreneurs de pompes funèbres commencèrent à occuper une place prépondérante, on persista encore à exposer le corps à la maison tout en déléguant à des étrangers l'embaumement ainsi que la fabrication du cercueil, qu'on achetait désormais à l'extérieur.

Le lecteur moderne peut penser que ces anciennes coutumes mortuaires remontent loin dans le temps, mais en réalité elles existaient encore au cours de la troisième décennie de ce siècle et même plus tard. L'expression « salon mortuaire » vient d'ailleurs de l'usage d'exposer les corps dans le salon familial. Jusqu'à ces vingt ou trente dernières années, le salon mortuaire était considéré comme un substitut plus ou moins acceptable du salon familial.

Dans un conte, intitulé *Odor of Chrysanthemums (Odeur de chrysanthèmes)*, D. H. Lawrence nous fait voir, à travers les yeux de la veuve d'un mineur anglais, la façon dont on s'occupait soi-même des morts avant l'avènement des salons mortuaires. L'histoire raconte d'abord l'attente anxieuse d'une femme inquiète parce que son mari tarde à rentrer après le travail. Son inquiétude se transforme peu à peu en colère, car elle croit qu'il est tout simplement allé se saouler à la taverne. C'est qu'elle n'a pas entendu la sirène d'alarme de la mine qui annonce les catastrophes. Sa fureur augmente à mesure que le temps passe. D'abord absorbés par leurs jeux, les enfants finissent par s'apercevoir de la colère de leur mère et, l'imagination aidant, ils commencent à craindre le retour prochain de leur père. Mme Bates, assise dans sa chaise à bascule, travaille énergiquement à sa couture, laissant ainsi sa colère s'apaiser.

Au moment de se mettre au lit, la petite fille est tout à coup bouleversée par l'absence de son père. La mère la rassure en lui disant : « Ne t'en fais pas, ils vont le ramener tantôt, comme une bûche » ; elle veut dire par là qu'il n'y aurait pas de dispute. « Et il dormira par terre tant qu'il ne s'éveillera pas tout seul. Après ça, je sais bien qu'il n'ira pas travailler demain ! »*. Comme si elle avait proféré des paroles prophétiques, elle voit revenir son mari lourd comme une bûche, non pas ivre mais mort. Un accident s'était produit à la mine, son mari était la seule victime, on n'avait pas sonné l'alarme. Il avait été étouffé sous une avalanche de poussière.

Son corps était noir de suie mais il n'était guère abîmé. Les hommes posèrent le corps par terre comme sa femme l'avait prévu. La veuve et sa belle-mère procèdent alors à la toilette du corps, puis le déposent sur le divan, non sans quelques difficultés, afin qu'il soit bien exposé. Quand elles ont enfin terminé leur besogne, elles couvrent le corps d'un drap, puis ferment la porte à clef pour le

* C'est nous qui traduisons.

cacher à la vue des enfants. La veuve va ensuite mettre de l'ordre à la cuisine, le cœur lourd. Elle sait qu'elle doit être soumise à la vie, son maître immédiat, mais devant la mort, son maître ultime, elle ne peut s'empêcher de tressaillir, effrayée et honteuse.

Combien de lecteurs contemporains oseraient dire que dans l'histoire cette femme s'est montrée faible devant la mort ? La plupart penseront au contraire qu'elle a fait preuve d'une force peu commune, d'autant plus qu'elle était parvenue au terme de sa grossesse.

Comme nous n'avons plus aujourd'hui de contacts aussi directs avec la mort, nous aurions du mal à nous comporter aussi naturellement que l'ont fait cette femme et sa belle-mère. Tant de gens trouvent déjà difficile d'aller au salon mortuaire ou pénible d'organiser un enterrement. Puisque aujourd'hui la mort fait de moins en moins partie de notre vie quotidienne, elle nous semble si distante et artificielle que nous avons probablement perdu la capacité de nous en occuper personnellement, au point de déléguer à des intermédiaires les tâches qui y sont rattachées.

Les enfants d'aujourd'hui semblent avoir moins peur de la mort que ceux d'hier puisqu'elle ne visite plus guère que les personnes âgées. Le fait que certaines personnes n'ont jamais assisté à un enterrement n'est pas imputable uniquement à la baisse du taux de mortalité, mais aux parents qui croient, à tort, « protéger » leurs enfants en leur évitant les visites aux salons mortuaires et les enterrements.

Dans les pays occidentaux le taux de mortalité chez les jeunes de 15 ans ou moins est passé de 15 % au début des années 1900 à 5 % aujourd'hui. Les personnes âgées qui vivent actuellement savent que la mort touche aussi les jeunes, puisqu'elles ont vécu à une époque où la présence de la mort se faisait sentir à tous les stades de la vie. Par contre, les jeunes générations, actuelles et à venir, qui n'ont pas eu les mêmes expériences, croient que la mort est réservée à la vieillesse.

Puisque la mort est associée à la vieillesse, on est en droit de s'étonner du peu d'attention accordé à l'évolution des idées que s'en font les vieillards. Les travaux sur la mort et la vieillesse portent essentiellement sur les craintes et les angoisses suscitées par la pensée de la mort, mais jusqu'à maintenant aucune étude n'a porté sur l'évolution des diverses conceptions de la mort. Il serait pourtant important d'entreprendre des recherches sur le sens de la mort afin de mieux comprendre les réactions et les craintes qu'elle suscite.

Erikson (1963) affirme (chap. i) que l'intégrité du Soi opposée à la capacité ou à l'incapacité d'accepter la mort imminente d'un autre ou la sienne propre constituerait le dernier stage de l'évolution ontogénétique. Cette notion s'apparente, par certains côtés, à celle du stade final, qui est celui de l'acceptation de la mort, décrit par Kubler-Ross (1969). Pour sa part, Dylan Thomas conseille de lutter, plutôt que d'accepter :

> « Do not go gentle into that Good Night,
> Rage, rage against the dying of the light*...

L'évolution des causes de la mort au cours de la vie

Les causes de décès changent à mesure que les gens vieillissent. Comme le faisait observer Charcot (1867), les personnes âgées semblent immunisées contre certaines maladies. D'autres maladies, par contre, deviennent plus graves avec le temps, parce qu'en vieillissant l'organisme s'affaiblit et ne peut récupérer convenablement. Enfin, certaines maladies semblent toucher spécifiquement les personnes âgées et rarement les jeunes. Peut-être la médecine réussira-t-elle un jour à guérir les maladies chroniques et propres à la vieillesse comme elle réussit présentement à combattre les maladies infectieuses et autres maladies qui tuaient auparavant les jeunes.

La mort en tant que concept et événement

Pensons un moment aux expressions familières qui contiennent le mot « mort ». Nous disons, par exemple, que « c'est mort », lorsqu'une soirée ou un lieu sont ennuyeux parce qu'ils « manquent de vie ». Nous disons également « souffrir mille morts » en parlant d'une grande douleur ; que nous avons « la mort dans l'âme », quand nous sommes tristes ; ou encore qu'une ville est « morte » lorsqu'elle manque d'animation. Nous parlons aussi d'« angle mort » pour désigner la portion du champ visuel qui offre la visibilité la plus restreinte, « ne pas y aller de main morte » pour dire

---

* En français :
  « *N'entrez pas doucement dans cette Bonne nuit,*
  Ragez, ragez contre l'extinction de la lumière... »

exagérer ; « mourir de rire » au lieu de rire beaucoup ; ces enfants
me « font mourir », pour ils m'exaspèrent, etc.

Paradoxalement, alors qu'on emploie le mort « mort » pour
décrire des situations qui n'ont rien à voir avec la mort, on représente la mort à l'aide de pictogrammes plutôt que par des mots :
crâne et tibias croisés, squelettes, la sinistre faucheuse, les quatre
cavaliers de l'Apocalypse, pour ne citer que quelques-unes de ces
images symboliques. Ces représentations produisent une impression
vive. Il est intéressant de noter que l'on représente la mort malgré
que l'on ne puisse en relater l'expérience directe.

Il est en outre très difficile de discerner la mort de la non-mort
et la vie de la non-vie. Si l'on peut opposer l'absence à la présence,
la distinction comporte en outre trois dimensions : psychologique,
sociale et physique (Kastenbaum et Aisenberg, 1972).

Commençons par examiner la mort psychologique pour comprendre comment elle s'applique aux personnes âgées. La mort
psychologique revêt au moins trois formes. Mais il en est une qui
nous est complètement étrangère : la mort psychologique vécue en
1945, lors de la deuxième guerre mondiale, par les survivants de
l'attaque à la bombe atomique sur Hiroshima et Nagasaki. Ces survivants ont été surnommés *hikobusha* par les Japonais, et on dit
qu'ils portent, en quelque sorte, la mort en eux (Lifton, 1968). Ils
ont en effet été si fortement marqués par la mort qu'ils en restent
imprégnés au point de sentir sa présence comme si elle était partie
intégrante d'eux-mêmes. Lifton (1968) ainsi que d'autres chercheurs
ne parlent que des survivants d'Hiroshima, mais il y a tout lieu de
croire que les survivants de Nagasaki ont connu une expérience
semblable, de même que tous ceux qui ont été témoins de morts
aussi subites et aussi massives. Pensons à tous les survivants d'érup-
tions volcaniques et de tremblements de terre.

Le caractère immédiat de la mort dont il est question ici ne revêt
pas le même sens chez les personnes âgées et chez les survivants
des grands désastres, mais la « culpabilité des survivants » est certes comparable, toute proportion gardée, et fort répandue. L'expérience que nous avons de la mort se trouve largement condensée au cours de la dernière moitié de la vie, de sorte qu'avoir 70
ans, c'est un peu comme vivre sur un champ de bataille et voir
mourir ses amis tout en sachant que son tour viendra bientôt. Le
sentiment de survivre à la mort des autres ressemble à l'expérience
tragique des survivants d'Hiroshima.

La deuxième forme de mort psychologique est celle que nous rencontrons en présence d'un être qui est psychologiquement absent. C'est le cas des psychotiques et des déments, qui nous paraissent étranges et d'une certaine façon inhumains, comme les « morts ambulants » des anciens films d'horreurs. Ils ont le regard vide et sont difficiles à aborder. La démence et la psychose sont beaucoup plus fréquentes chez les personnes âgées que chez les jeunes ; c'est donc dire que la mort psychologique est plus souvent associée à la vieillesse.

La troisième forme de mort psychologique provient de l'aliénation complète du Soi — un peu comme si l'on vivait dans un rêve. Le fait que bien des personnes âgées vivent dans l'isolement ou en institution peut entraîner chez elles une sorte de mort psychologique qui serait conséquente à la stérilité de la solitude.

A la mort psychologique s'ajoute la mort sociale. C'est, en quelque sorte, la permutation ou la forme finale de la mort psychologique. Cette aliénation peut survenir chez les personnes âgées lorsque la famille d'un proche déménage et s'éloigne, lorsque les pairs meurent ou que l'environnement familier disparaît par suite du développement urbain. Puisque les personnes âgées ne jouent plus de rôles actifs dans la société, elles se retrouvent sans structures d'appui et peuvent par conséquent développer des sentiments d'« anomie ». Ces sentiments de *vide* peuvent amener la personne à sentir qu'elle ne fait plus partie de son environnement immédiat. Les cas d'ostracisme officiel (*e.g.* excommunication) ou officieux (*e.g.* placement en institution) représentent probablement les formes les plus extrêmes ou radicales de mort sociale.

Finalement, il y a la mort physique. Tout comme pour l'âge chronologique, la mort physique est d'une simplicité trompeuse. Et les critères sur lesquels on s'appuie pour définir la mort physique ne sont ni aussi simples ni aussi évidents qu'on voudrait le croire de prime abord. La question du moment précis de la mort physique alimente les débats juridiques et législatifs. L'arrêt de la respiration, des battements cardiaques et du réflexe pupillaire ne sont plus considérés aujourd'hui comme des indices suffisants de la mort. Devant la diversité des techniques utilisées pour l'enregistrement des réponses physiologiques, il est au contraire devenu très complexe de déterminer avec exactitude le moment de la mort. La définition juridique de la mort s'appuie maintenant sur la courbe des ondes cérébrales (EEG). Depuis longtemps, en effet, le critère universellement reconnu était l'absence d'enregistrement sur l'électroencéphalogramme pendant un certain laps de temps, d'où la désignation de « mort cérébrale ». La technologie moderne a en effet rendu les anciens critères inopérants depuis qu'il est devenu possible de réanimer les personnes dont la respiration s'est arrêtée et dont le cœur ne bat plus. Les cœurs et poumons artificiels peuvent assurer le maintien de la vie pendant un temps indéfini, même en l'absence de plusieurs signes vitaux qui étaient antérieurement utilisés pour déterminer la mort. Il est donc impossible de cerner la nature complexe et multidimensionnelle de la mort, que ce soit sur la base d'un critère isolé ou d'un ensemble de concepts.

Les attitudes envers la mort varient considérablement selon les cultures et selon l'âge des individus. Riley *et al.* (1968) ont cependant démontré qu'il existe une relation significative entre deux visions négatives de la mort, à savoir 1 / que la mort survient toujours trop tôt, et 2 / que mourir c'est souffrir. Ils ont toutefois constaté que ces perceptions négatives décroissaient à mesure que s'élevait le niveau d'éducation et que cette relation n'était nullement liée à l'âge des sujets.

A l'aide de deux tests d'évaluation psychologique normalisés, le « Draw-a-person » et le « Bender-Gestalt », Lieberman (1965) a montré qu'il existe une différence significative entre les cotes obtenues par un groupe de sujets morts peu de temps après l'application des tests, et celles du groupe des survivants. La faiblesse des sujets qui devaient mourir par la suite semble indiquer que la mort serait précédée de l'épuisement d'une certaine énergie vitale liée à l'énergie du Moi et à son intégrité.

Un autre aspect de la mort, celui des rites dont elle s'entoure, est en grande partie déterminé par la culture. Dans la culture chrétienne de l'Europe occidentale, ces rites comportent une veillée du corps pendant laquelle le corps est exposé dans un salon mortuaire et autant que possible à cercueil ouvert. C'est là que les parents et amis viennent offrir leurs condoléances pendant une période allant habituellement de un à deux jours. C'est aussi durant la veillée du corps qu'ont lieu les prières et les diverses manifestations religieuses. Les personnes âgées fréquentent souvent les salons mortuaires puisqu'elles font partie d'un groupe dont le taux de mortalité est élevé.

Ainsi que nous l'avons mentionné plus tôt, le lieu où s'accomplit la mort n'est plus le même qu'auparavant. Nous avons désormais relégué la mort aux hôpitaux et, par là, dépersonnalisé l'événement. Autrefois la famille était convoquée au chevet du mourant alors que maintenant elle est, le plus souvent, priée de quitter la chambre. Le dicton populaire dit qu'il est préférable de mourir debout plutôt qu'à l'hôpital, où l'environnement est physiquement, spirituellement et psychologiquement aseptisé.

Le processus mortel

Si l'on a parfois peine à discerner la mort de la « vie », il est encore plus difficile d'élucider la question du processus de la mort, car certains croient que la mort est le dernier stade de la vie. Le modèle proposé par Kubler-Ross (1969) pour interpréter le processus de la mort est certainement le plus généralement accepté, mais sa théorie des stades semble s'attirer de plus en plus de critiques dans les milieux professionnels (Shneidman, 1973). Ce modèle comporte cinq stades, illustrés à la figure VII-1. Le premier stade se caractérise par la *dénégation* et l'isolement à l'annonce de la mort. Dénégation qui se traduit à peu près en ces termes : « Non, pas moi, ce n'est pas vrai ! » Le deuxième stade est marqué par des sentiments mêlés de *colère*, d'envie et de ressentiment, sous-entendus par la question suivante : « Pourquoi moi ? » Selon Kubler-Ross c'est le stade égoïste, parce que le mourant se préoccupe exclusivement de lui-même. Toujours selon Kubler-Ross, à ce stade il est important que l'entourage ne se sente pas visé par l'hostilité du malade car celle-ci n'a d'autre objet que la maladie et la mort. Le troisième stade est celui du *marchandage*, au cours duquel le mourant implore Dieu de prolonger sa vie ou de diminuer sa douleur en faisant des promesses du type « si vous..., alors je vais... ». Le quatrième stade est un stade de *dépression*, au cours duquel le mourant commence à comprendre qu'il est inutile de lutter. Ce stade est caractérisé par une résignation triste qui n'est pas encore l'acceptation. L'*acceptation* ne vient qu'au stade final, où la personne accepte enfin sa mort imminente, sans plaisir, sans résignation, mais avec calme.

Puisque le modèle conceptuel de Kubler-Ross a connu une large audience, il nous semble important d'examiner attentivement la théorie qui le sous-tend et d'en souligner les lacunes. La théorie des stades implique qu'il existe un modèle à suivre, une façon convenable de faire les choses, une sorte de syllabus. Tout écart à

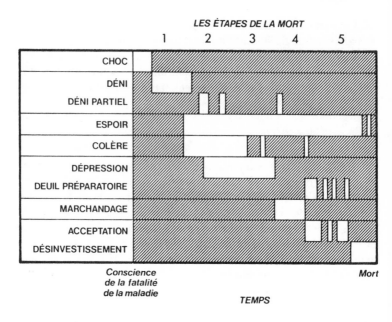

FIG. VIII-1. — Les « étapes » de la mort selon Kubler-Ross

la norme proposée finit donc par être considéré comme un échec,
dont la gravité est proportionnelle à l'importance de l'écart. Si les
mourants ou toute autre personne concernée par la mort devaient
considérer ce modèle comme le seul valable, ils risqueraient
d'éprouver un sentiment d'échec s'ils ne pouvaient s'y conformer.
En fait, les écarts sont courants puisque la mort est essentiellement
une expérience individuelle. Prenons, par exemple, le cas de
quelqu'un qui meurt avant d'être parvenu au dernier stade ; s'agit-
il d'un « lâcheur » semblable aux étudiants qui abandonnent leurs
études avant de les avoir terminées ? En réalité, Kubler-Ross confond état et stade. En effet, s'il est possible que les mourants passent par toutes les étapes qu'elle a décrites, cela ne se fait pas nécessairement dans la logique d'une telle progression. C'est ce que note
Shneidman (1973) lorsqu'il écrit : « Mon travail ne m'a pas conduit aux mêmes conclusions que celles de Kubler-Ross. Même si
j'ai pu observer chez les mourants des phénomènes tels que l'isolement, l'envie, le marchandage, la dépression et l'acceptation, je

ne crois pas qu'il s'agisse là nécessairement des stades du processus de la mort, et je ne suis pas du tout convaincu qu'ils soient vécus dans cet ordre ni dans n'importe quel autre ordre, fût-il taxé d'universel. Ce que j'ai pu observer, c'est un regroupement complexe d'états intellectuels et affectifs, parfois éphémères, dont la durée peut varier d'un instant à un jour ou une semaine, et qui surviennent au moment propice pour lutter contre l'effondrement de la personnalité entière de l'individu et de sa « philosophie de la vie » (qu'il s'agisse d'un profond optimisme et d'une gratitude envers la vie, ou d'un pessimisme envahissant et d'une méfiance devant la vie) »*.

Nous sommes loin de remettre en question la sensibilité de Kubler-Ross envers les mourants, leurs familles et leurs amis, non plus que son rôle de pionnière en la matière et son humanisme. Ce que nous remettons en question, c'est plutôt la nature de son modèle composé de stades, qui, s'il est pris au pied de la lettre, risque de nuire à la compréhension plutôt que de la faciliter.

Glaser et Strauss (1965) offrent une autre conception du processus de la mort. La figure VII-2 représente à l'aide d'un diagramme les différents éléments qui composent leur modèle. Ce diagramme s'avère, jusqu'à un certain point, incomplet car le mourant peut passer d'une phase du cycle à l'autre, par exemple de l'acceptation au refus, ou tout simplement osciller entre l'une et l'autre sans logique apparente (il aurait été impossible d'inscrire au diagramme la multiplicité des variantes qui peuvent se présenter sans créer une certaine confusion dans la démonstration). Une fois compris ce phénomène d'oscillation entre les divers points du diagramme (chaque point étant représentatif d'un état), nous considérerons brièvement les éléments de ce modèle tels qu'ils sont indiqués sur le diagramme.

Les patients qui sont condamnés à mourir ne l'apprennent pas nécessairement du médecin (voir fig. VII-2). Ils peuvent être mis au courant par une infirmière ou un parent, ou bien ils tirent leurs propres conclusions des informations qui leur sont données sur leur état de santé. Comme l'autorité revient presque entièrement au médecin, c'est à lui qu'incombe la responsabilité de divulguer ou de cacher l'état de santé du patient. Nous reviendrons plus loin sur la façon dont les patients apprennent qu'ils sont condamnés à

---

* C'est nous qui traduisons.

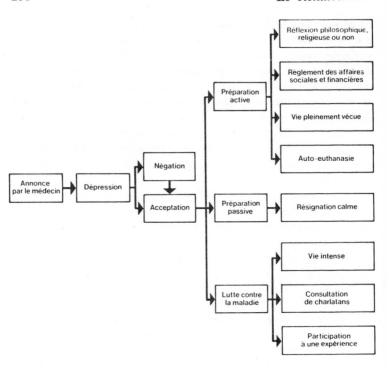

Fig. viii-2. — Réactions individuelles devant la mort d'après Glaser et Strauss

mourir lorsque nous parlerons des contextes qui entourent la prise de conscience.

Il est inévitable que l'annonce d'une mort imminente provoque de la tristesse. Le malade n'a pas d'autres choix que de nier l'évidence ou de se laisser envahir par la tristesse. Il arrive quelquefois qu'il n'entende même pas ce qu'on lui dit, de sorte qu'il faut le répéter, ou encore qu'il se méprenne sur le sens des paroles qu'il entend. Il incombe alors au médecin ou à la personne mandatée pour informer le patient de son état d'annoncer la nouvelle avec humanité et suffisamment de clarté pour que le patient puisse poser des questions et recevoir des réponses. La prochaine étape du processus est celle ou bien de la dénégation ou bien de l'acceptation, l'incapacité de comprendre étant considérée comme une forme de dénégation. Si le malade nie la réalité, il demeurera dans cet état de dénégation jusqu'à ce qu'il finisse par accepter le diagnostic ou jusqu'à ce que la mort survienne. Une fois qu'ils se sont faits à la pensée de mourir, les malades peuvent revenir à un état de dénégation, ou entreprendre les préparatifs de leur mort, ou encore lutter contre la maladie. Pour se préparer activement à sa mort prochaine, le mourant pourra entreprendre l'une ou l'autre des tâches suivantes :

1 / passer philosophiquement sa vie en revue ;
2 / mettre de l'ordre dans ses affaires financières et sociales ;
3 / tenter de vivre pleinement avant de mourir ;
4 / se suicider activement (en s'ôtant la vie par action directe) ou passivement (par exemple, en refusant de suivre le régime recommandé, en refusant de prendre les médicaments prescrits ou en absorbant des aliments défendus).

Le malade peut aussi accepter sa fin imminente dans la passivité et la résignation. Cette attitude s'apparente d'ailleurs au dernier stade du modèle de Kubler-Ross. La lutte contre la maladie peut prendre trois formes :

1 / vivre pour le moment présent ;
2 / consulter des charlatans ou essayer des traitements non reconnus ;
3 / se porter volontaire comme sujet d'expérimentation.

La personne qui vit pour le moment présent a une attitude très différente de celle qui choisit une autre solution, puisqu'elle tente de vivre intensément et de tirer parti de chaque moment qui s'écoule plutôt que de « survivre » à chaque instant. Celle qui consulte un charlatan essaie de s'accrocher à un espoir, sans plus. Celle qui participe à une expérience, sans véritable espoir de guérison, se découvre le courage de lutter contre la maladie et d'affronter directement la mort.

Quatre éléments principaux déterminent les réactions de chacun devant l'imminence de sa mort, à savoir :

1 / l'histoire et les caractéristiques personnelles ;
2 / le contexte dans lequel la maladie apparaît ;
3 / le cours de la maladie ;
4 / la nature de la maladie elle-même.

La plupart des mourants souffrent de réactions émotives telles que la colère, la culpabilité, la honte et le chagrin devant leur propre mort. Le chagrin est particulièrement intense parce qu'on ne perd pas *un seul* être aimé, mais *tous* les êtres aimés (Kubler-Ross, 1969). Le personnel attaché aux services de santé et les membres de la famille devraient être particulièrement sensibles aux réactions émotives du mourant et comprendre que ses réactions ne sont pas dirigées contre eux, mais plutôt contre son état (*i.e.* sa mort imminente).

Concernant la façon dont survient la mort, Glaser et Strauss (1967) ont identifié six modalités :

1 / la mort subite ;
2 / l'attente brève ;
3 / l'attente prolongée ;
4 / le sursis à court terme ;
5 / la sentence suspendue ;
6 / le pronostic en « va-et-vient ».

Chaque modalité suscite des réactions différentes. La mort subite ne permet ni à la victime ni à la famille de se préparer, et la victime n'a aucune chance de réagir. L'attente prolongée est celle qui permet la plus grande élaboration des réactions émotives ; c'est le cas le plus fréquent chez les personnes âgées.

Comme l'hôpital est habituellement le lieu où se déroule la phase terminale de la maladie, Glaser et Strauss (1965) ont identifié quatre types de contextes hospitaliers, selon la façon d'aborder le sujet de la mort. Ce sont :

1 / l'ignorance ;
2 / le soupçon ;
3 / le silence complice ;
4 / la lucidité.

Nous parlons d'ignorance lorsque ni le personnel, ni le malade et sa famille n'admettent l'imminence de la mort. Cette attitude, qui se rencontre moins souvent aujourd'hui qu'autrefois, a été décrite par Kubler-Ross (1969), qui en prit conscience au début de ses recherches. C'est du reste grâce à son travail de pionnière que cette pratique a fini par disparaître peu à peu. L'ignorance est un état précaire, qui fait que le moindre mot, le moindre geste peuvent amener le patient à soupçonner la gravité de son état. A la cruauté et à l'injustice de ce comportement envers les mourants, s'ajoute l'inquiétude inutile que celui-ci peut causer aux autres malades et à leur famille, qui risquent de prendre pour eux-mêmes les signes de mort qu'ils observent autour d'eux.

Dans le silence complice, les deux parties évitent de parler du sujet qui les préoccupe pourtant au plus haut point, celui de la mort imminente.

La lucidité refuse tout faux-fuyant et n'évite pas de regarder la mort en face. Elle devrait devenir plus fréquente dans les hospices où l'on adopte une attitude plus humaine à l'égard des vieillards ; nous y reviendrons plus loin.

Glaser et Strauss (1965) ont ensuite identifié cinq causes qui sont à l'origine de l'ignorance dans laquelle sont tenus les patients sur l'état de leur condition. La première cause est l'inexpérience dont il a été question au début du chapitre. Les malades n'ont en effet aucune expérience directe de la mort, et la plupart ne connaissent que fort mal les hôpitaux. En second lieu, la plupart des médecins s'abstiennent, pour diverses raisons, d'annoncer à leurs malades que ceux-ci vont mourir, préférant garder le silence sur la question ou l'éviter systématiquement. Cette pratique a de moins en moins cours depuis que les recherches ont démontré que les réactions préjudiciables sont rares chez les malades qui apprennent que leur maladie est entrée dans sa phase terminale. A cela s'ajoute le fait que les hôpitaux sont organisés, à dessein ou non, de telle manière que les informations concernant l'état des malades ne parviennent ni à ceux-ci ni à leur famille. Les familles, pour leur part, ont aussi tendance à cacher la vérité au mourant, croyant ainsi faciliter ses derniers moments. Il semble donc que le mourant n'ait finalement aucun allié susceptible de l'aider à découvrir la vérité. Le patient lui-même entre parfois dans le jeu en évitant de percer le secret ou en refusant toute occasion d'apprendre la vérité parce qu'il préfère ne pas la connaître.

Dès le moment de notre naissance nous nous acheminons lentement vers la mort, et rien n'est plus certain que le fait que nous mourrons. Pourtant c'est surtout au moment de mourir que la conscience et l'imminence de notre propre mort refont surface avec tout ce qu'elles renferment de réactions subjectives. Même les malades qui sont affaiblis ou déformés par la maladie réagissent essentiellement aux conséquences de leur maladie, soit à l'affaiblissement ou à la déformation. Dans ce cas, la mort peut sembler souhaitable surtout lorsque la souffrance est grande, car elle mettra fin à un chapitre douloureux de la vie. Cependant, grâce aux progrès de la technologie médicale, les morts douloureuses se font de plus en plus rares, et il y a tout lieu de croire que la plupart d'entre nous mourrons d'une maladie chronique, conscients de l'approche de notre mort, mais sans éprouver de souffrances intolérables. Il est donc important de reconnaître l'influence de notre milieu sur nos sentiments comme, par exemple, les attitudes de nos parents envers nous, et de reconnaître la grande diversité des réactions individuelles devant l'imminence de la mort.

La peur de la mort et des moribonds

Les psychologues font une distinction importante entre la peur et l'angoisse : la peur a un objet, l'angoisse n'en a pas. Puisque la mort est un état que nous ne nous représentons qu'assez mal, notre réaction devant elle s'apparente plutôt à l'angoisse qu'à la peur. Les différentes formes que revêt l'angoisse devant la mort peuvent cependant se rapprocher de la peur lorsqu'elles s'attachent à des situations ou à des objets précis. Ainsi, dans notre société, les morts et les objets funéraires font peur. Les cadavres sont des objets d'effroi, et les cercueils inspirent la crainte parce qu'ils ne servent qu'aux morts. La plupart des gens éprouvent un profond malaise ou de l'angoisse à la seule idée de se coucher dans un cercueil. Même si le chemin du cimetière est le plus court, combien oseraient l'emprunter à minuit par une nuit d'orage ? A cet égard, il est intéressant de s'interroger sur la faveur dont jouissent les films d'horreur, puisque la mort y est à la fois présentée et évitée, ce qui procure au spectateur un sentiment de soulagement et de sécurité lorsqu'il quitte enfin la salle.

Physiquement et psychologiquement nous réagissons à la mort comme si elle était contagieuse. Le malaise que nous éprouvons devant un mourant ou un mort, de même qu'en présence des objets funéraires, vient de ce qu'ils nous forcent à prendre conscience de notre propre condition de mortels. Parce que les vieillards sont proches de la mort, nous nous éloignons d'eux. Pis encore, les vieux se sentent aliénés parce qu'ils croient qu'être vieux c'est être moribond.

Cette aliénation à l'égard des vieillards et des malades est triste car elle nous empêche de nous rapprocher d'eux et de secourir les mourants, ce qui nous permettrait de nous préparer à notre propre mort. Nous négligeons donc nos propres besoins et ceux des autres, au moment même où ils sont le plus pressants. S'il est triste que les vieilles personnes doivent mourir, il est encore plus triste qu'elles soient forcées de vivre dans l'isolement, séparées des êtres qui leur sont chers et étrangères à elles-mêmes.

La peur de notre propre mort

Les plus téméraires devant la mort peuvent craindre ce qui mène à la mort. La crainte du chagrin et de la souffrance, de la honte et de l'indignité, la peur d'être seul ou rejeté, de ne plus pouvoir se maîtriser, de sombrer dans la folie, de perdre la foi ou de manquer de courage, toutes ces appréhensions sont fondées et tourmentent souvent les mourants.

Cependant, à la suite d'une enquête menée auprès d'une population de vieillards hollandais, Munnichs (1966) a montré que la crainte de la mort n'atteignait que 7 % des sujets. Plus des deux tiers acceptaient l'inévitabilité de leur mort ou s'y résignaient. Nos propres contacts professionnels avec les personnes âgées tendent à montrer que celles-ci craignent moins la mort que :

1 / le placement dans une institution ;
2 / la maladie prolongée ;
3 / la douleur et la souffrance ;
4 / le crime.

Il est important de noter que la peur de mourir n'augmente *pas* avec l'approche de la mort non plus qu'avec la certitude qu'on va mourir. Une étude faite par Lieberman (1965) a révélé que plusieurs facteurs psychosociaux étaient associés à la mort mais que ceux-ci ne comprenaient ni l'augmentation ni la diminution des craintes. Weisman et Hackett (1961) ont identifié un état qui diffère de l'angoisse et de la dépression. Ils ont également découvert que certains sujets avaient la capacité de prévoir le moment de leur mort, capacité qu'ils appellent « prédilection ». Si les craintes n'augmentent pas nécessairement devant le fait de *savoir* que l'on va mourir, elles peuvent cependant s'attacher au *processus* mortel et donner lieu à une mort par prédilection.

Les craintes qui accompagnent le processus mortel

Diggory et Rothman (1969) ont abordé l'étude des craintes suscitées par le biais d'un questionnaire comportant une liste de sept paires d'énoncés contrastants. Les sujets devaient choisir parmi

chaque paire l'énoncé qui leur causait le plus grand déplaisir. Voici
la liste de ces énoncés :

1 / Je ne pourrai plus rien sentir ;
2 / Je ne suis pas sûr de ce qui va m'arriver s'il y a une autre vie
après la mort ;
3 / J'ai peur de ce qui arrivera à mon corps après ma mort ;
4 / Je ne pourrai plus prendre soin des miens ;
5 / Ma mort pourrait faire de la peine à mes parents et à mes
amis ;
6 / C'est la fin de tous mes projets ;
7 / Ma mort pourrait être douloureuse*.

La cause du plus grand déplaisir s'avéra être la pensée de faire
de la peine aux autres. L'idée de ne plus pouvoir sentir quoi que
ce soit reçut une cote moyenne. La réponse au quatrième énoncé
varie selon que les sujets sont mariés ou non puisque la plupart des
célibataires n'ont personne à charge. Kalish et Reynolds (1976) ont
repris le questionnaire de Diggory et Rothman mais en le modi-
fiant. Ils ont constaté que les préoccupations liées à l'incapacité de
prendre soin des dépendants et au chagrin que ceux-ci pourraient
éprouver étaient inversement proportionnelles à l'âge des sujets. Les
personnes âgées se sentent en effet moins concernées par les conséquences de leur mort, y compris l'obligation de prendre soin de
leurs dépendants, parce que plusieurs de leurs proches sont déjà
décédés, et parce que, dans la plupart des cas, elles sont elles-
mêmes dépendantes.

Selon Brantner (1970), la peur de mourir se résume à trois
craintes fondamentales, à savoir :

1 / la peur de mourir seul ;
2 / la peur de mourir dans l'obscurité ;
3 / la peur de souffrir.

Il n'y a aujourd'hui aucune raison de laisser quelqu'un mourir
seul, si ce n'est l'indifférence des parents, des amis ou du personnel. Des services d'entraide téléphonique sont là pour rassurer les
personnes âgées solitaires qui craignent de tomber et de ne pas pouvoir se relever, ou qui ont peur de mourir dans l'isolement et de
n'être découvertes qu'une fois leur corps en état de décomposition.
Grâce aux progrès des connaissances en neurophysiologie et en
pharmacologie la souffrance peut être éliminée ou soulagée dans la

_____

* C'est nous qui traduisons.

plupart des cas. Le seul inconvénient des analgésiques vient du fait qu'ils voilent la conscience lorsqu'ils sont administrés par fortes doses. Le risque de toxicomanie (appétence morbide pour les substances toxiques) est évidemment sans fondement dans la phase terminale d'une maladie, encore que, malheureusement, il préoccupe parfois le personnel soignant.

Dans son bilan des diverses études sur les craintes liées à la mort et à la religion, Lester (1967) a relevé des contradictions évidentes. Il en a conclu qu'il n'existe aucune relation entre l'intensité de la peur et celle des croyances religieuses, tout en admettant cependant que les craintes sont quelquefois compartimentées sous l'effet de l'orientation religieuse. Les recherches actuelles semblent cependant indiquer que la religion n'a aucun effet, bénéfique ou pernicieux, sur les sentiments suscités par la mort.

L'influence des facteurs culturels sur l'expérience de la mort

Sept facteurs principaux influent aujourd'hui sur l'expérience de la mort ; ce sont : 1 / l'urbanisation ; 2 / le déclin de la religion ; 3 / l'évolution de la technologie médicale ; 4 / le passage de la famille élargie à la famille nucléaire ; 5 / les modifications épidémiologiques ; 6 / l'avènement de l'ère atomique ; 7 / l'évolution des pratiques et des coutumes mortuaires.

1 / *L'urbanisation.* — Depuis la deuxième guerre mondiale, les pays occidentaux ont vu s'inverser l'équilibre démographique de leurs populations, passant ainsi d'une société fortement rurale à une société fortement urbanisée (Riedel et Wefald, 1980). Ce simple fait a plusieurs implications ; la plus évidente est qu'il éloigne les personnes de l'expérience de la mort, par la spécialisation des techniques mortuaires. Pour la plupart des citadins, la mort est une expérience dissociée de leur réalité.

2 / *Le déclin de la religion.* — La pratique religieuse a considérablement décliné au cours des dernières décennies, affaiblissant ainsi les rapports sacrés et rationnels que l'homme entretenait avec la mort. Ce déclin affecte non seulement les mourants et la façon dont ils perçoivent les sentiments de leurs proches mais également la forme et la durée du deuil chez les survivants.

3 / *L'évolution de la technologie médicale.* — La plupart des personnes âgées ont été témoins des changements suscités par

l'évolution phénoménale de la médecine moderne. Il leur semble donc tout naturel de croire qu'il existe, à la portée de leur main, un remède à tous les maux, ou presque. La plupart des maladies infectieuses et contagieuses sont devenues fort rares, et l'une d'entre elles, la petite vérole ou variole, a officiellement été éliminée. Les transplantations du cœur et du rein sont devenues courantes. Chacun croit donc maintenant que la médecine peut vaincre n'importe quel adversaire à condition qu'on y mette le temps et l'argent nécessaires : à force de recherches, on parviendra à éliminer toutes les maladies — « de notre vivant » !

La pratique de la médecine a aussi beaucoup changé au cours de cette décennie. Les visites à domicile sont maintenant choses du passé et il est rare, aujourd'hui, de voir quelqu'un mourir à la maison. Dans la plupart des hôpitaux, on cache la mort au mourant, à ses parents, à ses amis, aux autres malades et parfois même au personnel. Kubler-Ross (1969) prétend même que les corps sont retirés des chambres et mis dans des fourgons de buanderie afin de ne pas bouleverser les autres malades. Comme si l'hôpital n'était pas un endroit pour mourir, mais un lieu réservé à l'héroïsme médical ; c'est du moins ce que la télévision et les autres médias voudraient nous faire croire. Malheureusement la génération actuelle des personnes âgées a grandi au temps où l'hôpital était effectivement un endroit pour mourir, bien plus qu'un lieu où s'accomplissaient des actes héroïques. D'où leur répugnance à l'endroit des hôpitaux. Il faut dire que l'image idéalisée des exploits de la médecine nous vient directement de la télévision. La mort y est décrite plus souvent qu'autre chose comme un accident de parcours même si on accepte parfois de reconnaître que certaines maladies sont mortelles. Paradoxalement, il y a diminution de l'expérience directe de la mort même là où elle se rencontre le plus fréquemment, c'est-à-dire dans les hôpitaux.

4 / *Le passage de la famille élargie à la famille nucléaire.* — Le passage de la famille élargie à la famille nucléaire a eu pour principale conséquence de réduire la fréquence des rapports entre la parenté et les moribonds en raison de la distance géographique et de l'espacement des relations personnelles. Malgré la souplesse et la rapidité des transports modernes, il est même devenu courant d'envoyer ses condoléances par correspondance plutôt que de venir les offrir en personne aux parents du disparu.

5 / *Les modifications épidémiologiques.* — Devant l'abais-

sement du taux de mortalité infantile et l'accroissement simultané de la longévité moyenne des individus, il est devenu habituel d'associer la mort au vieillissement.

6 / *L'avènement de l'ère atomique*. — Chaque nouvelle découverte dans le domaine des armements déclenche une nouvelle vague d'effroi devant la violence et la mort. Depuis Hiroshima et devant la progression subséquente de l'armement atomique, nous sommes devenus conscients du fait que la race humaine tout entière pourrait disparaître en quelques secondes par suite d'un malentendu ou d'un mauvais calcul.

7 / *L'évolution des pratiques et des coutumes mortuaires*. — Le directeur funéraire moderne est non seulement habilité à embaumer le corps et à le maquiller, mais il a également comme fonction de rendre l'événement le moins pénible possible à la famille. Selon les recherches qui ont été effectuées, la présentation du corps après son embaumement serait le second moment le plus pénible à vivre après le moment fatidique de l'annonce du décès. On procède généralement à cette présentation pour vérifier si le corps est présentable et reconnaissable. Si des ajustements s'imposent (ex. : mettre ou enlever les lunettes), on demande à la famille de se retirer pendant l'ajustement et de revenir pour approuver la rectification. Dans les grandes villes, c'est généralement le salon mortuaire qui est chargé de l'opération, alors que dans les petites villes ce peut être une association ou une organisation paroissiale. Il n'y a pas si longtemps encore, c'était la famille qui était directement responsable de ce travail et elle était fière de son exécution. Ironiquement, les salons mortuaires et services de pompes funèbres ont été créés pour permettre à la famille et aux amis de participer en toute liberté aux rites funéraires sans avoir à s'occuper de leur organisation matérielle, précisément au moment où les rites liés au deuil sont devenus relativement peu nombreux.

Avec le déclin des coutumes et des contraintes sociales, les gens n'ont plus de modèle qui dicte leur conduite devant la mort. Ils ne savent trop que faire et en éprouvent du malaise ; de là naissent des attitudes fausses plutôt que des comportements authentiques. Il en est ainsi des médecins ; puisqu'ils perçoivent la mort comme le dernier des ennemis à vaincre, le « triomphe » de la mort représente à leurs yeux la « défaite » de la médecine. A partir du moment où ils sont forcés d'admettre « qu'il n'y a plus rien à faire », ils cherchent à éviter le mourant.

Si l'usage nouveau voulant que l'on meure à l'hôpital plutôt qu'à la maison se perpétue, il conviendra d'adopter des mesures de nature à humaniser les circonstances entourant la mort. On devra notamment :

1 / prévoir des hôpitaux ou des services spéciaux dans les hôpitaux qui soient expressément réservés aux mourants ;

2 / modifier la conception actuelle des hôpitaux afin de rendre ceux-ci sensibles aux besoins des mourants, en supposant évidemment que la majorité de cette clientèle soit composée de personnes âgées.

Ceciley Saunders a fait œuvre de pionnière dans ce domaine en créant un hôpital destiné exclusivement à satisfaire les besoins des mourants. Depuis sa fondation en 1967, un hospice londonien, Saint-Christopher, a servi de modèle aux institutions du même genre dans le monde entier. Offrant des services complets aux patients externes autant qu'internes, et à leur famille, l'hospice Saint-Christopher a prouvé que l'institution était capable d'humanité. Ses objectifs sont d'encourager la lucidité en même temps que le soulagement optimal des souffrances de manière à ce que les malades puissent profiter de l'amélioration des conditions de leur séjour à l'hospice et vivre leurs derniers jours dans une quiétude relative, et surtout d'une façon naturelle sans se leurrer ni être trompés.

L'hospice Saint-Christopher et les autres hospices du même genre ressemblent, par bien des côtés, aux autres hôpitaux. On y trouve un personnel médical complet, un équipement médical moderne et l'ameublement nécessaire aux soins des malades, ainsi que les méthodes les plus modernes et la pharmocologie la plus récente. L'atmosphère y est franche et cordiale, et le cadre matériel n'y revêt pas l'aspect lugubre propre aux institutions hospitalières, sans que le côté pratique soit négligé pour autant. Par contre, le personnel des hospices ne tente pas d'interventions médicales héroïques pour faire reculer le moment de la mort et les malades n'y sont acceptés qu'en phase terminale.

L'hospice possède une garderie pour les enfants du personnel, de sorte que les malades aussi bien que le personnel peuvent y voir des enfants. Lors de leurs visites, les familles sont invitées à y amener les enfants et les petits-enfants. Quant aux horaires de visite, ils sont très souples et adaptés aux besoins de la famille et du malade plutôt qu'à ceux du personnel. On n'y entend jamais prononcer la phrase glaciale : « L'heure des visites est terminée, les visiteurs sont priés de se retirer. »

En permettant aux patients de demeurer lucides et honnêtes devant la mort, on évite ainsi deux écueils : la méfiance et l'obligation de jouer un rôle. Les patients n'ont plus à se méfier des « mensonges » du personnel. Ils n'ont pas à vivre des situations de dérobades mutuelles avec les personnes qui leur sont chères, mais ils peuvent partager leurs derniers jours avec leurs proches en communiquant ouvertement et honnêtement avec eux. Curieusement, on y passe moins de temps à parler de la mort que dans un hôpital traditionnel, où l'on perd tant de temps à s'inquiéter de son état et à questionner inutilement pour ne recevoir toujours que des réponses évasives ou rencontrer un silence obstiné.

Le Dr Saunders croit que les efforts devraient maintenant porter sur les soins à domicile plutôt que sur le milieu institutionnel. C'est pourquoi elle dirige un vaste programme de soins à domicile ayant pour but de fournir les moyens nécessaires aux familles qui désirent garder un de leurs parents mourants à la maison.

Toutes les villes ne possèdent pas encore leur hospice, et il serait illusoire d'espérer voir la situation changer dans un avenir rapproché. De fait, la plupart des hospices s'inséreront probablement dans les hôpitaux plus traditionnels, sous forme de services spécialisés. Le concept d'hospice a néanmoins suscité un mouvement, et les modèles qui se sont développés en Grande-Bretagne et ailleurs permettent d'y acquérir une formation et une expérience précieuses.

Si l'on veut améliorer les conditions des malades en phase terminale, on peut prévoir, outre les hospices, d'autres types d'intervention qui soient conformes aux normes de la médecine traditionnelle. Le premier pas à faire consisterait à améliorer la qualité de la formation et de l'expérience du personnel sanitaire, surtout en ce qui a trait aux besoins psychologiques des mourants. A une certaine époque, ce type de formation était pratique courante dans les écoles d'infirmières. Mais, avec le déclin de la pratique religieuse et l'importance accordée à la technologie médicale, les infirmières se sont vues écarter de ce type d'intervention. Dans certains grands hôpitaux, lorsqu'un patient a « expiré », on fait appel à un personnel spécialisé afin qu'il prépare et enlève le corps. Heureusement, un mouvement s'est créé qui prend de plus en plus d'ampleur, pour intégrer à la formation des médecins et des infirmières un cours sur le phénomène de la mort.

Dans la plupart des hôpitaux, les heures de visite sont maintenant plus longues qu'autrefois, et les enfants, jadis exclus, sont
autorisés à visiter. Pourtant, il y a encore place pour certaines améliorations. Il conviendrait, entre autres, de conseiller les familles
afin qu'elles se sentent mieux préparées et plus naturelles devant
leurs parents mourants. Il faudrait aussi que se généralise l'usage
éclairé des analgésiques, à la lumière des plus récentes découvertes, visant à atteindre un juste équilibre entre le soulagement de la
douleur et le maintien de la conscience, sans s'encombrer inutilement de préoccupations, futiles en l'occurrence, concernant la toxicomanie. Enfin, il faudrait prendre davantage en considération le
besoin de solitude et d'intimité des mourants, sans pour cela les isoler. Ces mesures n'exigent pas une grande dépense d'énergie ni
d'argent, mais plutôt un changement d'attitude.

Quelques questions contemporaines

Le suicide. — Dans les pays développés les taux de suicide sont
très élevés chez les hommes âgés, alors que chez les femmes ils sont
stables ou subissent un léger déclin avec l'âge. Chez les jeunes, le
suicide est classé comme une des causes importantes de la mortalité. On peut cependant penser que le suicide est plus fréquent chez
les personnes âgées que ne l'indiquent les statistiques. Parce que
la mort des vieillards est un phénomène naturel, elle ne donne pas
toujours lieu à une enquête en vue de déterminer les causes du décès
et de vérifier s'il s'agit d'une mort naturelle ou d'un suicide, comme
cela se produit généralement lorsque c'est une personne jeune qui
meurt. D'où les statistiques trompeuses.

Les recherches indiquent que les gens se suicident rarement
parce qu'ils veulent vraiment mourir, bien que, pour certains, le
suicide soit la seule façon de contrôler les circonstances d'une mort
inévitable. On songe à se donner la mort pour en finir avec un état
de dépression, de malheur, de solitude ou de souffrance jugé intolérable. Certaines personnes chez qui on a diagnostiqué un cancer
incurable ou la maladie d'Alzheimer, par exemple, se suicident
avant de devenir encore plus handicapées physiquement ou men-
talement. En général, le risque de suicide diminue lorsqu'on cherche par d'autres moyens à atténuer les souffrances (Mishara, 1991).

Plusieurs facteurs suicidogènes chez les personnes âgées sont
identifiés par les recherches (Le suicide au Canada, 1993) :

— détérioration de la santé physique ;
— augmentation de la fréquence des maladies mentales, en particulier la dépression et la démence ;
— retraite forcée ;
— perte du conjoint ou autre deuil ;
— isolement social ;
— solitude ;
— difficultés financières majeures ;
— abus d'alcool.

Dans le but de clarifier les raisons sous-jacentes à l'augmentation du taux de suicide qui va croissant avec l'âge chez les hommes, Robbins, West et Murphy (1977) ont postulé dix hypothèses, sur les causes du suicide. Provenant de sources fort diverses, littérature scientifique classique (Durkheim), études psychanalytiques, expérience clinique, ces hypothèses sont les suivantes :

1 / Le suicide est lié au défaut d'intégration sociale.

2 / Le suicide est dans un rapport inversement proportionnel avec la violence.

3 / La probabilité du suicide augmente chez ceux qui ont fréquenté des personnes ayant tenté de se suicider.

4 / La fréquence du suicide augmente chez les personnes âgées qui ont une forte éthique protestante axée sur la réalisation individuelle orientée vers l'avenir.

5 / Les idées reçues voulant que les vieux soient contraints de rejeter les plaisirs de la vie et d'abandonner leurs rôles sociaux sont associées au suicide.

6 / La probabilité de suicide augmente avec le sens de la responsabilité individuelle, qui accroît le sentiment de culpabilité et la dépression.

7 / Le taux de suicide s'élève avec l'insatisfaction dans la vie quotidienne et professionnelle.

8 / Les taux élevés de suicide s'expliquent par le choix d'un système de valeurs laïques plutôt que religieuses, parce que celui-ci autorise le suicide dans certaines circonstances.

9 / Le suicide est plus fréquent chez les personnes atteintes d'une lésion cérébrale, surtout en présence d'alcoolisme.

10 / Les taux élevés de suicide sont associés à la dépression.

Bien que l'on puisse formuler des réserves sur la forme et l'orientation de ces hypothèses, il reste qu'elles semblent toucher différents aspects du suicide chez les vieillards.

Robins et ses collaborateurs ont étudié un groupe de 209 Américains âgés de 45 à 65 ans, plus ou moins semblables quant à l'âge et à l'origine raciale. Les hypothèses confirmées par leur étude sont les suivantes : 1, 3, 8, 9, 10. L'hypothèse 2 a donné des résultats contraires à ceux qu'on attendait en ce sens que ce sont les conduites violentes qui se sont avérées être en rapport avec le suicide.

Dans une prochaine étape, il y aurait lieu d'appliquer les hypothèses de cette recherche à une autre étude pour comparer, cette fois, les tendances suicidaires entre personnes âgées de sexe masculin et de sexe féminin, car aucune autre étude n'a été faite, jusqu'à ce jour, pour mettre en relief toute la complexité de ces relations. Les études de MacMahon et Pugh (1965) et de Bock et Webber (1972) ont démontré par exemple que le suicide était plus commun chez les veufs et les veuves, mais Robins, West et Murphy (1977) ont négligé d'inclure les veuves dans leur échantillonnage. Sendbuehler et Goldstein (1977) ont noté que les personnes ayant des lésions cérébrales rataient plus souvent leur suicide. Enfin Rotter (1960) et d'autres chercheurs, comme Seligman (1975), croient que la dépression aurait tendance à augmenter dans la mesure où le sentiment d'avoir prise sur le monde *diminue*. De fait, Rodin et Langer (1977), ont démontré que l'optimisme renaît avec l'impression de diriger sa propre destinée, du moins chez les pensionnaires du foyer qu'il a observés. Mais peut-être faut-il croire qu'il s'agit de pertes *relatives*. Autrement dit, celui qui n'a jamais pu mener sa vie vraiment librement ne se sent pas aussi diminué qu'un autre au moment de sa vieillesse. Par ailleurs, les personnes qui se sont toujours senties maîtresses de leur propre destinée peuvent se déprimer lorsqu'elles viennent à dépendre de forces extérieures. Quelles que soient les causes du suicide, il est à souhaiter que les recherches dans ce domaine se multiplieront dans l'avenir puisqu'il y a là un problème important.

Le suicide est tantôt un attentat à la vie, tantôt un appel au secours (Shneidman, 1973). Dans la pratique, il est impossible de distinguer les tentatives sérieuses de celles qui n'ont d'autre but que d'attirer l'attention, puisque ces dernières peuvent aussi mener à la mort ; c'est pourquoi les menaces de suicide doivent toujours être prises au sérieux. Cependant, il pourrait être possible de distinguer la motivation en fonction de la probabilité de mort qu'implique la méthode choisie. En effet, une balle dans la tête ou un saut du haut d'un seizième étage comporte une probabilité de mort plus élevée que le fait d'avaler une poignée de somnifères. Les personnes âgées ratent moins souvent leur suicide que les jeunes, ce qui indique peut-être qu'elles veulent sérieusement mettre fin à leur vie. Selon Sendbeuhler et Goldstein (1977), la moitié des suicides ratés chez les personnes âgées sont associés au syndrome organique cérébral, qui gêne le sujet dans l'accomplissement de son geste, par suite du manque de coordination, de planification, de détermination et de conscience de la réalité.

Il semble que le groupe qui présente le risque de suicide le plus élevé parmi les personnes âgées soit celui des veufs, mais il existe bien des moyens d'améliorer leur situation. Bock et Webber (1972) citent deux interventions possibles. La première consiste à atténuer les effets de l'isolement social dans lequel ils vivent, la seconde à les aider à se faire des relations et à trouver un substitut au mariage, qui ne sera pas nécessairement hétérosexuel, afin qu'ils retrouvent le sentiment d'appartenir à quelqu'un. Les auteurs reconnaissent que ce sont là des interventions difficiles puisque les conditions sociales actuelles et les valeurs de la génération actuelle en limitent l'application et les chances de réussite.

Les études sur le processus suicidaire indiquent que le suicide est rarement un geste impulsif mais plus souvent le résultat d'un long processus d'adaptation aux problèmes graves. Devant une situation stressante, comme le décès d'un conjoint ou une maladie douloureuse, on fait appel à une vaste gamme de mécanismes d'adaptation d'ordre psychologique (par exemple, penser à autre chose, chercher conseil pour apprivoiser la situation) ou de gestes concrets visant à réduire la souffrance (par exemple, obtenir un traitement médical, entreprendre une nouvelle activité). Lorsque la douleur persiste, certaines personnes envisagent le suicide comme une façon de mettre fin à leurs souffrances. Si les moyens utilisés pour essayer de réduire la souffrance se révèlent inefficaces, l'idée du suicide peut apparaître plus fréquemment, et éventuellement, la personne peut planifier de mettre fin à sa vie. A ce stade, le risque de suicide augmente et les personnes suicidaires tendent à oublier qu'il peut exister d'autres solutions pour mettre fin à la douleur. Ce phénomène est parfois appelé la « vision en tunnel ».

Même si une personne âgée ne voit pas de solution autre que le suicide pour diminuer sa souffrance, il y a presque toujours ambivalence : la volonté de vivre malgré tout et de trouver d'autres solutions existe en même temps que le désir de se tuer pour mettre fin à ses souffrances. A cause de cette ambivalence, la plupart des personnes suicidaires cherchent à obtenir de l'aide de façon directe ou indirecte. Souvent, elles confient aux membres de leur entourage que « la vie ne vaut pas la peine d'être vécue ». Parfois, les intervenants, les membres de la famille et les amis d'un aîné suicidaire sont d'accord avec lui et n'interviennent pas ni n'essaient de voir comment on peut diminuer sa douleur. Les intervenants spécialisés en prévention du suicide pensent qu'il est essentiel de prendre au sérieux toute allusion à un suicide possible et de regarder les pensées suicidaires des aînés comme des demandes d'aide pour trouver d'autres solutions à leurs problèmes. Les aînés peuvent profiter des interventions autant et parfois mieux que les jeunes grâce à leur longue expérience à transiger avec les difficultés de la vie. Malheureusement, certains intervenants ont tendance à ne pas offrir d'aide.

Il est généralement reconnu que les tentatives de suicide connues ne représentent qu'une très faible proportion des comportements suicidaires dans une société (Kastenbaum et Mishara, 1971 ; Mishara, 1982). D'autres comportements préjudiciables ainsi que les tentatives d'automutilation sont relativement communs mais ne sont pas comptabilisés parmi les tentatives de suicide. Dans leurs études sur le suicide des personnes âgées, Mishara, Robertson et Kastenbaum (1973) rapportent que des comportements tels que le fait de ne pas suivre les ordres du médecin, de refuser de manger, et d'ingérer des objets dangereux sont extrêmement fréquents chez les personnes âgées vivant en institution. Il serait pourtant possible de tempérer ces comportements par des interventions individuelles et des modifications du milieu puisqu'ils sont probablement symptomatiques des aspects répressifs de la vie en institution des patients gériatriques chroniques. De semblables comportements préjudiciables se rencontrent également dans la vie quotidienne. Ces formes de suicide indirectes peuvent mener à une mort prématurée sans que les idées suicidaires conscientes ou inconscientes du sujet soient reconnues par son entourage. Les auteurs soulignent qu'il est malaisé de reconnaître les comportements préjudiciables et qu'il est de ce fait difficile d'en réduire l'incidence par des interventions appropriées.

L'euthanasie. — Le mot euthanasie vient de deux mots grecs : *eu*, qui signifie bon ou bien, et *thanatos*, qui signifie mort. S'il veut parfois dire procurer une « bonne » mort, il désigne généralement le « meurtrier par pitié ». Dans le sens de « meurtre par pitié », l'euthanasie constitue une certaine forme d'aide au mourant. L'euthanasie peut être directe ou indirecte, volontaire ou involontaire.

1 / *Euthanasie directe et volontaire.* — La mort est choisie et mise à exécution par le patient. Elle représente l'exercice de sa liberté. Le suicide entre dans cette catégorie.

2 / *Euthanasie indirecte et volontaire.* — Le patient remet entre les mains d'autrui, médecin, avocat, parent, ami, l'autorisation de mettre fin à ses jours lorsque la situation l'exigera, comme, par exemple, si le patient devient comateux ou trop dysfonctionnel pour prendre lui-même la décision.

3 / *Euthanasie directe et involontaire.* — Le meurtre par pitié est exécuté sans le consentement présent ou passé du patient. On qualifie cette forme de meurtre d'« euthanasie active ». Retirer et débrancher l'appareil respiratoire qui maintient quelqu'un en vie constitue un acte d'euthanasie directe et involontaire.

4 / *Euthanasie indirecte et involontaire.* — On laisse l'état du patient se détériorer de lui-même sans intervenir pour hâter sa fin, et on assume cette absence d'intervention sans avoir obtenu le consentement préalable du patient. Cette forme d'euthanasie s'appelle aussi « euthanasie passive ». Quant un patient est à l'article de la mort, il est plus naturel de dire que l'interruption des systèmes automatiques de maintien de la vie « permettent » la mort plutôt qu'ils ne la « causent ». De toute façon, les facteurs capables de causer la mort sont suffisamment nombreux sans la participation du médecin (Koza, 1979).

A ce classement s'ajoute une opposition plus classique entre l'euthanasie active et l'euthanasie passive. La première consiste à agir dans l'intention de tuer, comme, par exemple, lorsqu'on injecte de l'air dans les veines. Freud est mort des suites d'une intervention active (Schur, 1972).

Par euthanasie passive on entend le fait d'éviter certains traitements considérés comme des « mesures héroïques » ou des moyens « extraordinaires », tels que le recours aux cœur-poumon artificiel. Le pape, dans ses encycliques sociales, et la jurisprudence, sources traditionnellement conservatrices, ne s'opposent pas à l'euthanasie passive sous la réserve qu'elle soit pratiquée dans certaines conditions (Ficarra, 1978). L'euthanasie active, au contraire, est généralement condamnée quelles que soient les circonstances entourant la mort.

Un phénomène nouveau est apparu sous la forme de « l'avant-dernière volonté » (« testament de vie » *Living Will*), qui n'est pas reconnue en droit dans la plupart des Etats, par laquelle le malade déclare au médecin qu'il ne veut pas bénéficier de mesures extraordinaires, ni être sauvé si ses fonctions cérébrales risquent d'être profondément diminuées par la suite. Divers Etats ont tenté de faire reconnaître la légalité de ce nouveau genre de testament, dont voici un exemple :

AVANT-DERNIÈRE VOLONTÉ (TESTAMENT DE VIE)

A qui de droit, soit
ma famille, mon médecin, mon avocat, mon confesseur,
tout établissement médical où je pourrai être hospitalisé(e),
toute personne qui pourra être responsable de ma santé, de mon bien-être, de mes affaires,

Je soussigné(e) .... déclare que la mort est tout aussi réelle et tout aussi importante que la naissance, la croissance, la maturité et la vieillesse, et qu'elle est absolument certaine. S'il venait un temps où je sois incapable de prendre part aux décisions qui me concernent, puisse cette déclaration être l'expression de mes désirs pendant que je suis encore conscient.

Advenant le cas où tout espoir de guérison physique ou mentale serait perdu, je demande qu'on me laisse mourir et qu'on ne me garde pas en vie par des moyens artificiels ou des mesures héroïques. Je ne crains pas la mort elle-même, mais l'indignité, la détérioration, la dépendance et la souffrance sans espoir. Je demande donc que des médicaments me soient administrés pour calmer mes souffrances, même si ceux-ci peuvent précipiter ma mort.

Je fais cette demande après mûre réflexion. J'espère que vous qui m'aimez vous vous sentirez moralement liés par l'expression de mon avant-dernière volonté. Je reconnais qu'elle vous confère une grande responsabilité, mais c'est justement dans l'intention de vous soulager de cette responsabilité que je fais cette déclaration.

Date........................ Signature......................................
Témoin........................ Témoin..............................
Il a été donné copie de cette demande à X.................................
                                         X.................................

Le débat sur l'euthanasie se poursuivra sans doute encore long-temps, particulièrement dans les cas des malades dont le cerveau ne fonctionne plus mais qui sont gardés en vie grâce aux techniques modernes. Ce débat soulève des questions nombreuses et importantes, dont voici quelques exemples.

1 / L'Etat, ou quiconque, a-t-il le droit de prolonger la vie envers et contre les désirs de la personne concernée ? Dans l'affirmative, quelles sont les conditions et les limites de ce droit ?

2 / Qu'est-ce que la mort ?

3 / En quoi consistent les interventions dites héroïques ou extraordinaires et celles qui sont dites normales ou habituelles ?

4 / Si une personne est sérieusement mutilée ou si son intelligence est gravement diminuée, la mort ne représente-t-elle pas une issue charitable ?

5 / Les volontés écrites du vivant d'une personne doivent-elles être respectées ?

6 / Qui doit prendre ces décisions ?

Nous ne pouvons terminer ce chapitre sans rappeler que les personnes âgées se trouvent plus souvent que les jeunes placées dans des conditions telles que l'euthanasie apparaît comme une mesure possible, que ce soit en raison de leur taux de mortalité plus élevé ou de la diminution de leurs fonctions physiques et mentales, auxquels s'ajoute le fait qu'elles peuvent souvent se sentir inutiles et incapables de prendre soin d'elles-mêmes. La question qui se pose alors est celle de savoir si notre société, qui a les moyens d'intervenir pour retarder la mort, peut aussi se donner les moyens d'améliorer la condition des vieillards vers la fin de leurs jours, de telle sorte qu'en prolongeant leur vie on ne prolonge pas leurs souffrances.

CHAPITRE IX

Le deuil

Nous subissons presque tous un certain nombre de pertes au cours de notre vie. Le présent chapitre traite des effets de la perte sur le comportement et les sentiments. Les auteurs américains et anglais distinguent fréquemment la perte (« privation »), les sentiments qui accompagnent cette perte (« tristesse, chagrin ou douleur ») et les comportements manifestés en réponse à cette perte (« deuil »). Quoiqu'il soit possible de faire la même distinction en français, le mot « deuil » sert en général à décrire toutes les réactions tant émotives que comportementales qui font suite à la perte d'un objet. Dans ce chapitre, le mot « perte » est utilisé pour désigner les circonstances entourant la perte. Bien qu'il y soit question de la perte d'objets divers (d'un œil, d'un emploi, d'un conjoint, etc.), la recherche dont il est fait état ici concerne essentiellement le vécu du veuf ou de la veuve, c'est-à-dire la personne qui a perdu sa femme ou son mari. Les réactions émotives à la perte d'un être cher, chagrin ou douleur, de même que les pratiques culturelles qui les accompagnent sont considérées comme inhérente au processus.

Quelques considérations relatives au deuil

Une perte inaugure une période de deuil. La première perte éprouvée est habituellement celle d'un grand-père, d'une grand-mère ou de l'un des parents. Statistiquement, il semble que cette perte doive être celle d'un homme, parce que l'espérance de vie des hommes est moindre que celle des femmes. Etant donné que l'espérance de vie varie d'une génération à l'autre, l'âge où survient la première perte tend à varier selon les générations. En effet, la plupart de nos grands-parents ont perdu plusieurs parents dès leur enfance, tandis que bien des adolescents d'aujourd'hui n'ont jamais vu mourir un ami ni même assisté à un enterrement.

Si la mort a été écartée de nous en ce sens qu'elle est devenue moins visible, elle s'est aussi éloignée du fait qu'elle nous atteint rarement à travers ceux qui sont très proches de nous. Les jeunes peuvent avoir eu connaissance de la mort d'un arrière-grand-père ou d'une arrière-grand-mère, mais ceux-ci ne leur semblent pas faire partie des proches parents. La différence entre les expériences des générations est souvent accentuée par la distance, puisque les familles sont beaucoup plus mobiles aujourd'hui qu'elles ne l'étaient il y a dix ou vingt ans. L'éloignement géographique s'ajoutant à celui des générations, on se contente souvent d'écrire un mot de sympathie au lieu de se présenter en personne au salon mortuaire.

Par suite des changements démographiques, on meurt moins jeune aujourd'hui qu'autrefois. Il est en effet rare à l'heure actuelle de voir mourir des jeunes. Et lorsqu'elle survient, la mort des jeunes est souvent perçue comme indécente. Cela signifie en outre que le deuil est devenu caractéristique des personnes âgées plutôt que des jeunes. La distribution de l'âge des veuves s'est modifiée de façon dramatique au tournant du siècle. La veuve de 1900 était relativement plus jeune que celle de 1964 et un nombre significatif de veuves avaient moins de 50 ans. Par contre, en 1964, l'âge moyen des veuves se situait entre 50 et 60 ans. Une différence importante sépare les veuves d'aujourd'hui des veuves relativement jeunes d'hier, c'est l'accès aux contacts hétérosexuels, puisque le nombre d'hommes seuls est beaucoup moins élevé que celui des femmes du même âge. Les veuves dans notre société verront leur nombre augmenter mais elles se verront aussi privées de contacts avec les hommes. Ceux-ci, d'autre part, se trouvent dans une situation différente. En effet, étant moins nombreux, les hommes ont davantage l'occasion de rencontrer des personnes du sexe opposé. Cependant, ils éprouvent plus de difficulté que les veuves à trouver avec qui partager l'expérience de leur veuvage.

D'après un recensement effectué en 1970, les taux de perte accusent une différence dramatique entre l'homme et la femme. Le pourcentage des pertes s'élève en effet à 55 % chez les femmes âgées de 65 ans, alors qu'il n'est que de 17,1 % chez les hommes du même âge. Or le pourcentage des célibataires et des divorcés demeure comparable pour le même groupe d'âge, soit 3,04 % de divorcés contre 3,19 % de divorcées, et 7,49 % d'hommes célibataires contre 8,13 % de femmes célibataires. Les trois quarts des hommes âgés sont donc mariés, comparativement au tiers (36,4 %) des femmes.

Si ces tendances continuent d'évoluer dans le même sens, et nous avons toutes raisons de croire qu'il en sera ainsi, ces chiffres seront alors encore plus défavorables aux femmes dans l'avenir.

Au point de vue économique et professionnel, la génération actuelle des personnes âgées est désavantagée par rapport au reste de la population. Ainsi, la veuve âgée est moins fortunée et moins instruite que les jeunes ; elle a plus de difficulté à se trouver un emploi en raison tant de son manque d'expérience sur le marché du travail que des préjugés à l'égard des vieux travailleurs. Une question intéressante se pose ici, celle de savoir si ces différences augmenteront ou si elles diminueront dans l'avenir. La réglementation concernant la retraite, l'assurance-vie et autres avantages sociaux sont autant d'éléments qui ont une incidence sur l'expérience du veuvage.

Le processus de deuil

Par définition, le processus du deuil est déclenché par une perte. Le freudien orthodoxe parle de la « perte de l'objet », mais nous élargirons cette notion pour y inclure la perte d'une fonction, telle que la perte de la capacité de marcher. Tout changement, relatif ou absolu, qui modifie négativement un état antérieur entraîne un deuil. Ainsi le deuil peut résulter d'une diminution de la liberté aussi bien que de la perte du conjoint. La perte d'un bras, d'une jambe, ou de certaines fonctions des bras ou des jambes, comme dans les cas de paraplégie ou de quadriplégie, peut aussi plonger le sujet dans un état de deuil. Il existe peu d'études sur le deuil qui suit la perte d'une fonction, de même que sur le concept de perte en général. La perte des fonctions est courante chez les personnes âgées. La nature du processus de deuil qui fait suite à une perte de fonctions, aux traumatismes survenant à divers âges, ainsi qu'à la perte de la liberté, a été très peu étudiée et demeure un riche domaine à explorer. Marris (1958 ; 1974), qui a fait œuvre de pionnier dans l'étude du deuil et du changement, a tenté de montrer

que ces deux phénomènes sont liés à une impulsion de conservation naturelle, mais peu d'études scientifiques ont été entreprises
en vue de réfuter ou d'appuyer son travail théorique.

Une grande partie du travail concernant le deuil est due aux
auteurs anglais d'orientation psychanalytique. L'un des plus pro-
lifiques d'entre eux, Colin Murray Parkes a isolé sept traits
communs qui caractérisent les réactions à la perte. Ce sont :

1 / la prise de conscience : le sujet affligé passe du déni, ou refus
    d'admettre qu'il a perdu quelqu'un ou quelque chose, à
    l'acceptation ;

2 / l'angoisse déclenchée par une réaction d'alarme, l'agitation et
    les manifestations physiologiques de la peur ;

3 / la recherche de l'être perdu, que l'on souhaite retrouver sous
    une forme ou sous une autre ;

4 / la colère, parfois accompagnée de violence, et un sentiment de
    culpabilité à l'égard de ceux qui poussent le sujet affligé vers
    l'acceptation prématurée de sa perte ;

5 / le sentiment intime de la perte de soi ou celui d'avoir été
    mutilé ;

6 / un phénomène d'identification à l'objet : adoption de traits, de
    manières ou de symptômes caractéristiques de la personne
    disparue accompagnée ou non de l'impression que celle-ci est
    présente à l'intérieur du sujet ;

7 / des variantes pathologiques de la douleur : la réaction peut être
    excessive et prolongée, ou inhibée et tendant à se manifester
    sous une forme indirecte (Parkes, 1972).

La première phase de la réaction consiste à prendre conscience
du fait qu'une perte est survenue. A l'annonce d'une perte, incen-
die de la maison, maladie grave, décès d'un être cher, ou autre, il
est naturel de réagir en disant : « Oh non ! Vous en êtes sûr ? »
La prise de conscience passe par plusieurs stades en commençant
par le refus intellectuel, suivi de l'acceptation au niveau intellectuel, pour en arriver à l'acceptation aux niveaux émotif et comportemental. Même lorsque la perte du conjoint est acceptée à un
niveau profond, le veuf ou la veuve peut se sentir coupable de sortir
en compagnie d'une personne du sexe opposé, donnant à ce geste
le sens d'une trahison à l'égard de la femme ou du mari décédé.

Une fois la perte acceptée, le sujet éprouve un sentiment désagréable qui ressemble à la peur. Cette peur se transforme en
angoisse qui n'a pas d'objet, puisque c'est l'avenir, envisagé sans
l'objet perdu (parent, liberté ou capacité) qui fait peur, et devient

incertain. Ces composantes psychiques du deuil constituent ce qu'on peut appeler la « douleur ». La douleur est souvent suivie de l'augmentation des symptômes physiques et mentaux, qui nuisent à la santé ainsi qu'à la capacité d'accomplir les tâches quotidiennes. Le sentiment de perte peut s'accompagner du désir de voir revenir au moins temporairement la personne aimée, ainsi que de la remémoration du passé en vue de fuir les pressions du présent.

La nécessité de s'assurer de la finalité de la perte est souvent considérée comme la première étape nécessaire à l'instauration du deuil. Certains prétendent qu'il est bon de voir le corps de la personne décédée car cela force à admettre que la personne aimée est perdue. D'autres prétendent que la vue du corps produit des effets négatifs et doit être évitée. Quoi qu'il en soit, l'admission de la perte ne semble pas plus difficile parmi les groupes religieux et culturels, où l'on ne pratique pas la visite au corps.

Le vécu des sujets ayant subi la perte d'une fonction ou de la liberté diffère de celui des sujets qui ont perdu un être cher, en ce sens que ceux-là conservent perpétuellement le souvenir de leur perte. Au cours d'une discussion en classe, un étudiant déclarait que pour une veuve l'équivalent de devenir paraplégique ou quadriplégique consisterait à conserver le corps de son mari comme le paralysé garde ses jambes. Chaque fois qu'il tente de se lever, oubliant que ses jambes ne fonctionnent plus, le paraplégique se trouve de nouveau en présence de sa perte. Il en va de même pour celui qui a perdu la liberté ou l'usage d'un organe. La seule différence importante tient sans doute à ce que chez le paraplégique la perte est brusque et, le plus souvent, liée à un accident unique, alors que chez une personne âgée la perte des fonctions est graduelle. A ce sujet, citons Birren (1970) : cette perte deviendra évidente seulement lorsqu'un point critique quelconque aura été atteint, qu'une fonction sera devenue difficile à exercer ou que quelque activité sera devenue impossible.

Toute personne engagée dans un processus de deuil actif se trouve dans un état psychologique troublant. Elle est à la fois angoissée et agitée ; elle ne veut rien faire, ou ne fait que des gestes dépourvus de signification, qu'elle accomplit de façon automatique.

Elle a des accès de colère contre son entourage, qui ne sont en fait que le résultat du déplacement et de la projection des émotions pénibles, puisque c'est la situation elle-même qui est intolérable, et que rien ne peut y remédier. Parfois sa colère se retourne contre le disparu qui l'a abandonnée ; parfois des soucis d'ordre pratique, concernant la difficulté de vivre ou de gagner suffisamment, viennent se mêler au sentiment de colère. Etant donné le blâme qui s'attache à la colère contre les morts, il peut être difficile d'exprimer ce sentiment autrement que par des moyens indirects, et il peut arriver que ce soient les proches qui aient à en souffrir. Mais il arrive aussi que les colères se produisent en réponse à des comportements très réels de la part de l'entourage, comme le fait d'être abandonné par les amis mariés, ou, dans le cas des veuves, de se trouver en butte aux avances sexuelles. Le problème risque d'être exacerbé lorsqu'il n'existe pas de pratiques rituelles destinées à faciliter l'expression de la douleur et sanctionnées par la société. L'absence de pratiques spécifiques entourant le deuil peut donner, sur le coup, l'impression de la liberté, mais en réalité, ce dont la personne endeuillée a besoin, c'est de se sentir guidée et appuyée.

Les coutumes destinées à favoriser l'expression de la douleur comprennent le port de vêtements sombres, l'accomplissement de certaines tâches, et même la retraite dans certains cas. Dans les sociétés primitives, les pratiques du deuil sont fixées dans leurs moindres détails. La personne en deuil peut être astreinte à des actes rituels comportant des sacrifices, une tenue vestimentaire rigoureusement définie, ainsi que la participation à des cérémonies publiques, sous peine de sanctions sévères de la part de la communauté. Dans les sociétés modernes, par contre, les règles et les normes sont plus souples. Comparativement aux sociétés primitives, nos sociétés occidentales ont en effet très peu d'exigences à l'égard du deuil. Il en résulte une plus grande liberté, mais cette attitude peut également être interprétée comme de l'indifférence, ou un manque d'appui au moment même où celui-ci serait le plus nécessaire.

Encore assez récemment, la veillée du corps se faisait au salon, après quoi les membres de la famille ayant exprimé leur sympathie aux parents se rassemblaient pour un repas rituel. En Amérique, du temps des pionniers, plusieurs membres de la famille passaient même la nuit dans la maison du défunt parce qu'il était trop tard pour s'en retourner chez soi à cheval après l'enterrement. La période qui suivait immédiatement la mort était très importante et les diverses coutumes visaient à donner un appui moral certain aux familles affligées. Sans doute ces pratiques ne devraient-elles pas être abandonnées tant que l'on n'aura pas trouvé d'autres moyens de venir en aide aux personnes éprouvées par la perte d'un parent.

Les sociétés modernes offrent très peu d'appui aux personnes en deuil. Dans certains cas, les pratiques se bornent à la veillée du corps, à l'enterrement et au port de vêtements noirs, accompagné d'une période de retraite de la vie mondaine. Les jours et les semaines qui suivent la mort sont pourtant difficiles et la personne en deuil peut se sentir inutile et désorganisée ; elle a besoin de l'appui de son entourage. Chez les juifs qui observent la coutume du *shiva*, la durée du deuil est prescrite, et durant cette période la famille reçoit l'appui de la communauté avant de reprendre ses fonctions normales ; mais, de nos jours, cette pratique tend à se perdre, sauf parmi les juifs les plus orthodoxes.

Même si le veuf ou la veuve n'a pas perdu une partie de son propre corps, il y a eu mutilation, en ce sens que le conjoint qui survit se sent moins entier qu'auparavant. En effet, il a toujours eu quelqu'un à côté de lui dans son lit et quelqu'un à qui parler, mais maintenant les gestes qu'il avait l'habitude de faire avec l'autre et pour lui ont perdu leur raison d'être. Longtemps après l'enterrement, des veuves se surprennent à mettre la table, comme si leur mari était encore là. Il y a aussi un sentiment de perte de soi parce que tout ce qui s'est développé entre les personnes qui ont vécu ensemble pendant longtemps est maintenant perdu. Une chose n'a pas encore été mentionnée et c'est le sentiment d'étrangeté ressenti par la personne qui se voit forcée d'assumer les fonctions du disparu. L'homme peut avoir à nettoyer la maison et la femme à s'occuper des affaires de son mari. Ces actes peuvent sembler répugnants ou étranges et exacerber la douleur.

Parkes (1972) parle d'identification lorsqu'une personne adopte les traits et les manières de l'autre. Il s'agit vraisemblablement, de la part de la veuve, d'une prise en charge des activités du mari plutôt que d'une identification claire au sens psychanalytique. Il est naturel en effet qu'une veuve se demande comment son mari faisait les choses lorsqu'elle est forcée de les faire à sa place. Par exemple, si elle n'est jamais entrée dans une banque et qu'elle doive ouvrir un compte, elle imaginera la façon dont son mari aurait procédé et utilisera l'idée qu'elle s'en fait comme une sorte de modèle qui l'aide à prendre ses propres décisions. Si elle a un enfant, elle peut s'efforcer consciemment de jouer le rôle du mari auprès de lui, de peur qu'il ne souffre de l'absence de son père. Il se peut alors qu'elle adopte non seulement le rôle du père, mais qu'elle tente d'agir auprès de l'enfant comme l'aurait fait son mari.

Douleur « normale » et « anormale »

Certains auteurs prétendent que l'expression de la douleur peut être trop ou trop peu marquée ; ils parlent de degrés « pathologiques » de la douleur. Mais trop et pas assez sont évidemment des termes relatifs, et plusieurs variables interviennent dans la définition du degré et de la durée jugés appropriés et « normaux ». Le processus que nous avons décrit ici est relativement invariable, mais la durée et l'expression du deuil varient considérablement selon les individus et les cultures. Le diagramme de Lamers (1965) illustre bien ce processus (voir fig. VIII-1). Les trois moments de protestation, à savoir le désespoir, le détachement et la réorganisation, sont très semblables aux étapes de Parkes. Si on se représente la vie comme une ligne ascendante (fig. VIII-1), on verra que la vie est en quelque sorte interrompue par la douleur, mais qu'elle reprend et continue après l'interruption. Ce cycle peut se répéter à plusieurs reprises, par exemple à la vue d'un objet ayant appartenu à la personne décédée, au moment d'accomplir les fonctions qui lui étaient habituellement réservées ou à l'occasion d'une date importante, telle que celle de sa mort, de son anniversaire de naissance ou encore de l'anniversaire du mariage. Une personne âgée, qui a subi un grand nombre de pertes, peut revivre cette séquence chaque semaine ou même chaque jour.

La personne affligée, ses amis et ses proches se demandent souvent combien de temps doit durer le deuil. « Il y a un an que Georges est mort et j'ai encore de la peine. Est-ce normal ? Maman ne s'occupe plus des enfants et dit qu'elle n'a pas de but dans la vie. Or, papa est mort depuis trois mois. Devrais-je demander à quelqu'un de l'aider ? Que devons-nous faire ? » Toutes ces questions se rapportent à la durée du deuil. Lopata (1973), travaillant à Chicago, rapporte que la moitié des 245 veuves qu'elle a interrogées ont déclaré avoir éprouvé une douleur aiguë pendant un an, mais un cinquième d'entre elles ont affirmé que l'on « ne s'en remet jamais ». Ses résultats sont présentés au tableau VIII-1. D'une façon générale, il semble que l'étape la plus douloureuse soit terminée au bout d'un an ou deux. On peut dire que la douleur

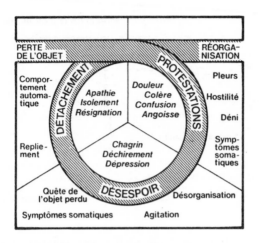

Fig. IX-1. — Cycle des réactions à la perte
(Selon Lamers, 1965)

connaît trois degrés d'expression et que ceux-ci sont à peu près d'égale durée chez tous les sujets. Au cours de la première période, qui dure environ une ou deux semaines, la douleur est intense et ne se dément pas un seul instant ; pendant la seconde période, qui dure environ un mois, la douleur est encore intense et les moments douloureux sont plus fréquents que les périodes d'acalmie. La troisième période dure environ un an ; la douleur est intense et fréquente, mais elle va s'affaiblissant.

Les nombreuses réactions à la douleur sont probablement celles auxquelles Parkes réfère lorsqu'il parle des variantes « pathologiques » de la douleur. La personne incapable de ressentir sa douleur, soit en raison des pressions culturelles qui s'exercent sous la forme de conseils tels que « prends bien ça » (cas de l'homme dans notre société) ou par suite de troubles émotifs profonds, risque de voir son état s'aggraver. Parkes (1971) s'est intéressé aux troubles affectifs manifestés par trois groupes de veufs immédiatement après la mort du conjoint et au cours des trois mois suivants.

Les veufs présentant des troubles affectifs importants en réaction à la mort de leur femme éprouvent encore des difficultés à la fin des trois mois, comme si le deuil précipitait une réaction aiguë

TABLEAU IX-1. — *Durée du chagrin après la mort du mari*

Durée	Nombre	Pourcentage
Moins d'un mois	3	1,2
1 à 5 mois	14	5,7
6 à 11 mois	29	11,8
12 mois	73	29,7
13 à 23 mois	6	2,4
24 mois	39	15,9
25 mois et plus	31	12,6
Toujours, ne s'en est jamais remise	50	20,4
Sans réponse	56	22,8*

Nombre : 245.
* Non compris dans les pourcentages.

(Adapté et reproduit avec l'autorisation de Lopata, 1973.)

due à une altération profonde de la personnalité qui serait passée inaperçue jusque-là. Les veufs qui ne semblent pas réagir au moment du décès sont ceux dont l'équilibre est le plus précaire à la fin des trois mois puisqu'ils ne sont pas arrivés au stade que Lindemann appelle « le travail de la douleur ». Les veufs qui semblent avoir le mieux traversé cette période sont ceux qui ont exprimé leur douleur au moment même de la mort, mais sans trop d'éclat cependant.

Parkes (1972) a recensé la littérature sur la question, y compris les résultats de ses propres recherches, et il en a tiré de nombreuses observations concernant les facteurs déterminants du deuil. Ceux-ci se regroupent en trois catégories générales : éléments biographiques qui prédisposent le sujet à bien tolérer la douleur, éléments présents qui favorisent une saine réaction au deuil, événements subséquents qui affectent la nature de la réaction. Chacun de ces facteurs est présent chez toute personne vivant un deuil et opère à un degré différent. Dans la suite du chapitre, nous passons en revue ces facteurs ainsi que la manière dont ceux-ci affectent le processus du deuil aussi bien que la santé générale de la personne.

Facteurs déterminants du deuil

Antécédents. — La personne qui a déjà vécu plusieurs deuils possède une plus grande tolérance à l'égard de la mort que celle qui entre en contact avec la mort pour la première fois. Pour les jeunes de notre époque, qui sont moins souvent exposés à la mort, semble-t-il, le deuil constitue une expérience étrange et très pénible.

Relation avec la personne décédée. — Le sentiment de perte sera d'autant plus intense que l'attachement à la personne décédée est profond. Un sentiment d'ambivalence donne lieu à des émotions antagonistes pénibles. Les personnes fortement dépendantes qui se trouvent privées de ressources pécuniaires, physiques ou sociales, peuvent réagir de diverses façons. La durée de la relation avec la personne décédée, son état de santé ainsi que son âge auront aussi une incidence sur la manière dont le deuil sera vécu.

L'âge. — Les personnes âgées sont plus aptes que les jeunes à supporter la perte d'une personne aimée, parce qu'elles se sont plus souvent trouvées en contact avec la mort. Elles peuvent aussi sentir que leur propre mort approche et que leur deuil ne peut être que de courte durée. Les personnes âgées côtoient davantage de personnes endeuillées et peuvent ainsi prendre modèle sur elles.

La personnalité. — Les personnes réservées, autonomes et en bonne santé mentale semblent plus aptes à dominer leur douleur que celles qui sont dépendantes ou qui ont des difficultés psychologiques. Il est cependant important de noter que le fait de ne pas exprimer sa douleur ne constitue pas nécessairement une réaction saine. Chez les sujets dépendants, la perte d'appui entraîne des réactions intenses ainsi que la frayeur et un sentiment d'impuissance. Par contre, ceux qui jouissent d'une autonomie suffisante peuvent souffrir intensément mais sans éprouver un sentiment d'insécurité profond ni se sentir totalement démunis.

Classe socio-économique et nationalité. — Les membres de certains groupes ethniques, de même que ceux des classes socio-économiques défavorisées, donnent volontiers libre cours à leur douleur. Aux Etats-Unis, la famille du président Kennedy a paru forte à certains et leur a semblé constituer un modèle à suivre, car elle s'est montrée réservée et efficace dans l'accomplissement de ses devoirs. Les peuples du Nord de l'Europe sont en effet plus réservés que ceux du Sud. Pleurer et crier lors d'un enterrement peut être mal vu chez les Européens du Nord, alors qu'une attitude digne, silencieuse et réservée semblera constituer un manque de respect aux yeux des Européens du Sud.

Rites et religion

Les rites ne sont pas nécessairement liés à la religion. En effet, à côté des rites religieux, il en existe d'autres qui sont entièrement laïcisés. Même s'ils prennent origine dans la religion, certains rites funèbres ont fini par perdre presque toute signification religieuse. Comme nous l'avons dit plus haut, l'utilité des rites réside dans le fait qu'ils guident et soutiennent la personne en deuil. L'influence et la pratique de la religion diminuant, l'Eglise cessera, selon toute probabilité, de jouer son rôle de guide et de soutien. La mort s'est peu à peu laïcisée ; le deuil subit le contrecoup du déclin des rites entourant la mort et des pratiques religieuses qui l'accompagnaient autrefois.

Circonstances entourant la mort

Les réactions à la mort sont colorées par les circonstances entourant l'événement lui-même. Si la mort est soudaine et imprévue, le début du deuil sera marqué par une réaction intense. Au contraire, si elle survient à la suite d'une maladie douloureuse, prolongée et coûteuse, la mort peut apparaître principalement comme un soulagement. Quant à la perte d'un être jeune, elle peut sembler tout à fait indécente, car il est « inconvenant » de mourir jeune. La société offre aussi moins d'appui aux personnes ayant perdu un parent ou un ami jeune puisque la chose est moins fréquente.

Les croyances religieuses constituent souvent un appui précieux aux personnes affligées, leur fournissant un moyen de rationaliser leurs sentiments et d'orienter leur conduite. Le déclin de la religion entraîne évidemment la disparition de ce soutien moral et par suite un accroissement de l'incertitude quant à la façon de vivre le deuil. L'insécurité de la personne affligée peut cependant être atténuée lorsqu'un appui personnel ou social vient prendre la place des pratiques religieuses. La présence des proches parents et amis peut en effet compenser la perte du sentiment religieux. Lowenthal et Haven (1968) ont constaté que l'appui offert par les « confidents », par exemple, améliorait de façon significative le moral des personnes âgées aux prises avec les crises propres à la vieillesse, comme le veuvage et la retraite.

Facteurs subséquents

Appui social ou isolement. — La présence de « confidents » permet d'améliorer le moral des personnes en deuil, de même que le sentiment d'être appuyé et de participer à la vie sociale augmente également la capacité d'assumer la perte subie. Les personnes âgées, qui prennent moins d'intérêt à leur travail et à leurs loisirs que les jeunes, souffrent probablement davantage. Elles semblent également avoir moins d'amis, puisque plusieurs d'entre eux sont décédés ou se sont éloignés. Elles ont également des infirmités qui rendent difficile leur participation aux activités sociales. Les veufs et les veuves peuvent également avoir l'impression d'être la « cinquième roue du chariot » lorsque leurs amis ont encore leur conjoint. Enfin, les personnes âgées ne disposent que de rares modèles de rôles positifs.

Stress secondaire. — La maladie, la pauvreté, ainsi que les dangers que présente la vie dans un quartier où le taux de criminalité est élevé peuvent ajouter au fardeau des personnes âgées qui se trouvent dans le deuil. Le nombre de celles qui souffrent de difficultés de cet ordre est en effet statistiquement plus élevé que celui des plus jeunes, de sorte qu'à la perte de la personne aimée vient s'ajouter le malheur de vivre dans une situation déplaisante et inacceptable.

Débouchés et perspectives. — Les jeunes peuvent s'intéresser à leur travail ou à l'éducation de leurs enfants, tandis que la personne âgée peut être totalement incapable de trouver un emploi en raison de la discrimination qui s'exerce contre les travailleurs âgés et les femmes qui tentent de retourner au travail une fois qu'elles ont élevé leurs enfants. Alors que les plus jeunes sont généralement absorbés par les exigences de leur double rôle de père et de mère, les gens âgés risquent de souffrir de l'ennui. Ces derniers ont avantage à se trouver des intérêts nouveaux, comme la participation à la vie politique ; ils ont aussi le temps d'entreprendre des études, et de nombreuses écoles leur offrent des programmes spéciaux. On ne saurait trop encourager le développement des occasions d'épanouissement personnel offertes non seulement aux personnes âgées, mais à la société en général.

Expression de la douleur

La douleur s'exprime par les pleurs et la dépression, mais les personnes affligées peuvent aussi présenter des symptômes semblables à ceux de la maladie. Clayton, Halikes et Maurice (1971) ont constaté que les larmes et la dépression sont les symptômes les plus fréquents chez les veuves. La figure VIII-2 indique que certains symptômes liés à la douleur sont somatiques plutôt que simplement émotifs. Selon l'hypothèse de Holmes et Rahe (1967), les personnes en deuil présentent à la fois des symptômes physiques et émotifs. En fait, la mort prématurée n'est pas rare chez les personnes en deuil. La figure VIII-3 permet de constater que le taux de mortalité augmente de façon dramatique entre six mois et un an après la mort du conjoint et ne commence à décliner qu'au bout de quatre ans.

Le résumé des études effectuées par Parkes (1972) corrobore les résultats obtenus par Clayton concernant les caractéristiques tant physiques qu'émotives de la douleur. Ces études, effectuées auprès de cultures différentes et sur des échantillons de type différent, présentent des résultats analogues.

Une des études les plus intéressantes concernant la concomitance physique et émotive du deuil a été effectuée par Parkes et Brown (1972). Dans cette étude, ils ont montré que le nombre des symptômes physiques aigus augmente sensiblement chez les veufs, mais non chez les veuves, tandis que celui des symptômes chroniques demeure inchangé. Seuls certains symptômes, tels la dépression, la nervosité, et les symptômes étroitement liés à la dépression, comme l'insomnie et la perte de l'appétit, augmentent en nombre. Une analyse plus poussée a montré que le seul diagnostic associé au deuil était « la dépression réactive ».

L'aide aux personnes en deuil

Dans les pages qui précèdent, nous avons énuméré les problèmes de la personne affligée et parlé de son sentiment d'impuissance et de désorientation. Mais ceux qui désirent lui venir en aide peuvent se sentir tout aussi impuissants et désorientés, se demandant : « Faut-il l'inviter ou la laisser seule ? Et combien de temps doit

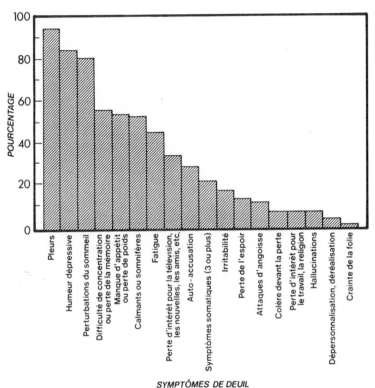

FIG. IX-2. — Pourcentage de personnes présentant des symptômes du deuil parmi celles qui furent sélectionnées au hasard chez une population de veufs et de veuves récents (N = 109) (Selon Clayton, Halikes et Maurice, 1971)

durer son isolement ? » Ces questions surgissent dès que l'on cherche à aider une mère ou une autre personne aimée qui se trouve dans le deuil. La réponse à ces questions n'est pas facile à trouver, mais un aperçu des recherches effectuées dans ce domaine fournit quelques éléments d'information et met en lumière les questions qui appellent encore des recherches.

Les réseaux d'appui dont dispose un groupement social se divisent en deux catégories et comprennent les réseaux familiers et les réseaux officiels. Les premiers sont formés des parents et des amis ainsi que des membres de groupes récréatifs, religieux ou autres. Les seconds sont constitués, d'une part, par des personnes ayant

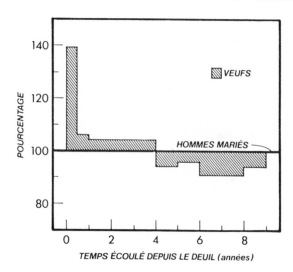

Fig. ix-3. — Taux de mortalité des veufs âgés de plus de 54 ans
exprimé en pourcentage du taux de mortalité des hommes mariés du même âge
(Selon Parkes, 1972)

reçu une formation d'appui sans toutefois en faire leur profession,
et d'autre part, par des professionnels tels les psychologues, ministres du culte et travailleurs sociaux.

Intervention familiale. — Au cours de la période qui suit immédiatement l'enterrement, la personne qui vient de perdre son mari
ou sa femme a généralement besoin de solitude, mais au bout d'un
certain temps elle souhaitera de nouveau prendre part aux activités de nature sociale. La veuve a parfois besoin d'y être « genti-
ment » forcée par ses parents et amis car elle peut hésiter à participer aux activités qui lui semblent prématurées ou inappropriées.
Au bout d'un certain temps, il convient de l'y encourager. La veuve
âgée est probablement incapable de conduire une automobile ; aussi
doit-elle pouvoir compter sur ses proches, ses amis et ses connaissances pour lui rendre le service de la transporter au besoin.

Les distances, résultat de la mobilité de notre société, rendent
difficile le fonctionnement des réseaux d'appui familiers. Les membres d'une même famille vivent souvent dans différentes parties du
pays. Une veuve doit souvent choisir entre aller vivre auprès d'un
de ses enfants ou rester près de ses amis, ce qui l'oblige à prendre

des décisions dont elle ne se sent pas capable dans les premiers temps de son veuvage. La plupart du temps, l'appui se présente sous une forme familière. Quelles sont les grandes règles à suivre ? La première consiste à s'assurer que la relation aura une certaine permanence afin qu'elle ne constitue pas une nouvelle occasion de perte pour la personne déjà endeuillée. Il peut être nécessaire de prendre l'initiative en vue d'assurer le maintien de la relation et d'insister un peu. Il convient aussi d'aider la personne à s'intégrer dans un réseau de relations sociales, c'est-à-dire de la recevoir et d'encourager ses amis à en faire autant. Il est certes important de parler mais il est encore plus important d'écouter. Il est bon de prendre contact avec les autres membres de la famille ainsi qu'avec les amis et d'encourager ces derniers à faire leur part. On ne doit pas s'effrayer si les attentions et les égards semblent donner lieu à des manifestations de douleur car la personne affligée éprouve du soulagement à partager son chagrin. Enfin, si des signes de détresse apparaissent, il ne faut pas craindre de solliciter l'aide et l'appui d'un membre du clergé ou d'un professionnel de la santé mentale, mais sans toutefois intervenir avec trop d'insistance. Mieux vaut, en effet, encourager la personne affectée à demander elle-même l'aide dont elle a besoin.

Intervention officielle. — Il est de plus en plus courant de voir les veufs et les veuves s'unir pour former des groupes d'entraide non professionnels. Le « Widow-to-Widow-Program » institué par Phyllis Silverman à la suite d'une recherche subventionnée en est un exemple. Elle cherchait en effet à savoir quelles sont les sources de secours les plus acceptables aux veufs et aux veuves. Or les jeunes et les personnes perçues comme incapables de comprendre risquent d'être rejetées ; les travailleurs sociaux, psychologues et psychiatres peuvent aisément tomber dans cette catégorie. Les personnes âgées s'imaginent en effet que les soins prodigués par les professionnels de la santé mentale ne s'adressent qu'aux « malades » ou aux êtres « faibles ». Silverman, Mackenzie, Pettipas et Wilson (1974) ont constaté que leur programme constituait un moyen efficace d'aide aux personnes en deuil.

Selon les rapports de ceux qui ont participé au « Widow-to-Widow-Program », une des choses les plus importantes qu'une veuve puisse faire pour venir en aide à une autre veuve, c'est de l'écouter. L'écoute efficace présente certaines caractéristiques. Voici les conseils que donnent les membres du groupe :

— Ne tenez pas de propos joyeux ou trop encourageants.
— Parlez de ce que vous avez trouvé utile dans votre cas et laissez réfléchir la personne nouvellement endeuillée.
— Souvenez-vous que vous n'êtes pas différente des autres veuves que vous tentez d'aider, et que par conséquent vous êtes bien placée pour les comprendre et partager avec elles les fruits de votre propre expérience.
— Avant de parler de votre expérience personnelle, essayez de vous rappeler le sentiment d'impuissance que vous éprouviez à l'époque de votre deuil et les moyens que vous avez pris pour le surmonter.
— Souvenez-vous que chacun a sa façon de souffrir et de manifester sa douleur.
— Commencez par n'aborder que les personnes auxquelles vous croyez vraiment pouvoir venir en aide.
— Réglez la durée des visites en fonction de ce qui s'y passe.
— Evitez les visites les jours où vous ne vous sentez pas assez forte. Le contact prolongé avec une femme qui vient de perdre son mari peut exiger une dépense émotive excessive. Accordez-vous quelques jours de répit au besoin.
— Ne cherchez pas à abandonner votre qualité d'amateur ; ne cherchez pas à devenir professionnelle.
— L'aide qu'une veuve peut apporter à une autre est efficace à condition de rester simple : une personne s'entretient avec une autre, rien de plus.

Silverman et ses collaborateurs (1974) ont décrit d'autres groupes ayant pour vocation de venir en aide aux veuves, notamment le groupe THEOS (They Help Each Other Spiritually) d'orientation religieuse et protestante, le « Post-Cana Conference of the Catholic Archdiocese of Washigton, DC » et « Parents Without Partners », qui s'occupe aussi des veufs et des veuves, quoique ce groupe soit plutôt destiné à aider les parents divorcés.

Les organisations nationales telle que le THEOS ont l'avantage de compter suffisamment de membres pour préparer du matériel écrit et offrir un service d'appui bien développé. Mais les groupes les plus efficaces sont probablement les groupes locaux, formés par une Eglise ou une organisation communautaire en vue d'offrir diverses formes d'aide aux personnes intéressées. Ils jouissent généralement de l'appui des centres de santé mentale et des praticiens privés qui sont prêts à collaborer à la formation des bénévoles. Souvent, ce sont ces groupes qui sont le mieux placés pour déceler les signes avant-coureurs de désordres importants et conseiller le recours aux services d'un professionnel de la santé mentale. La formation des bénévoles devra donc comporter une initiation à l'identification des symptômes qui signalent un désordre plus ou moins chronique afin d'acheminer le cas échéant la personne malade vers un professionnel compétent.

Les professionnels auxquels on aura vraisemblablement recours sont les prêtres et les médecins. La plupart du temps, la formation que ceux-ci ont reçue leur permet d'aider les personnes dans le deuil. Cependant, certains d'entre eux peuvent se sentir diminués dans l'accomplissement de cette fonction ; ils n'ont parfois ni le temps ni l'intérêt voulus pour s'occuper des cas graves. Comme, par ailleurs, il arrive que les personnes âgées refusent les soins des professionnels de la santé mentale, par suite de leur conditionnement social, il importe, si l'on veut aider les veufs et les veuves, que les médecins et les ministres du culte apprennent à reconnaître les symptômes du deuil, ainsi qu'à conseiller les personnes qui s'adressent à eux dans leur détresse morale.

Etant donné que la population vieillit, que le nombre des veuves ira en augmentant, et que la longueur du veuvage se prolonge, les gouvernements devraient accorder une forte priorité à la recherche et à la formation dans ce domaine.

Les plans de recherche
et la gérontologie

Le présent chapitre porte sur la façon d'étudier le développement humain. Il est difficile d'obtenir des descriptions valables des événements qui marquent les années centrales ainsi que les dernières années de la vie, car les informations recueillies doivent être précises et nombreuses. Il existe différentes méthodes pour y parvenir, ce sont les plans de recherche. Ceux-ci forment l'essentiel de ce chapitre, qui traite également des difficultés que présentent l'interprétation et la généralisation des résultats de la recherche. En bref, nous posons la question de savoir ce que signifient exactement les découvertes et jusqu'à quel point elles peuvent être généralisées ?

La recherche bien faite comprend cinq éléments principaux : 1 / une question non dénuée de sens, qui appelle une réponse ; 2 / une méthode de collecte des données pertinentes ; 3 / un échantillonnage approprié ; 4 / des instruments d'analyse applicables aux données ; 5 / l'interprétation raisonnable des résultats de la recherche. La méthode, l'échantillonnage et les instruments d'analyse constituent ce que l'on appelle le plan ou devis de recherche. Mais toute recherche soulève cependant d'autres questions, dont certaines intéressent plus particulièrement les études sur le vieillissement. Dans ce chapitre, nous examinerons les obstacles propres à la recherche sur le développement ainsi que l'ampleur que ceux-ci peuvent prendre lorsqu'on tente d'étudier des populations adultes ou âgées.

Tout résultat de recherche est comparable à un instantané. Celui-ci peut être au point, fidèle, caractéristique, ou non. Deux instantanés pris l'un après l'autre risquent de faire apparaître comme semblables des choses qui sont cependant en évolution, même rapide. Par contre, certaines choses vont trop vite pour la caméra de sorte qu'il est impossible d'en obtenir deux images identiques, par exemple un athlète qui exécute un saut en hauteur. Au contraire, certains objets, comme les montagnes, changent si lentement qu'il est impossible d'en obtenir deux photos différentes au cours de la vie du photographe.

Il en est ainsi de la recherche sur le vieillissement. Nos résultats ne s'appliquent qu'à l'intérieur de certaines limites. Certaines données évoluent si rapidement, tout comme le sauteur, que l'on ne peut en faire connaître les résultats assez tôt pour qu'ils soient utiles. Les sondages d'opinion utilisés par les politiciens ont connu ces difficultés avant l'avènement des communications modernes. En fait, le recensement n'est-il pas périmé dès sa publication, puisque les gens naissent et meurent au moment même où les enquêteurs posent leurs questions ?

Certaines généralisations semblent valables pendant un espace de temps très long puisque nous supposons que les variables sousjacentes ne sont guère sujettes à changement. Ce serait le cas du vieillissement physique beaucoup plus que du vieillissement social, car il est évident que nous ressemblons davantage à nos grandsparents au point de vue physique qu'au point de vue social.

Puisque tout évolue sans cesse, les mesures, c'est-à-dire les résultats de recherche, doivent évoluer pour peu qu'elles comportent une certaine précision. Les résultats de recherche sur le développement qui remontent à dix ans ont donc peu de valeur aujourd'hui, sauf à servir de jalons au sein d'une série de données permettant de comparer les changements dûs au temps. Les « faits » eux-mêmes sont soumis à l'évolution.

Dans les recherches sur le développement, rares sont les faits qui ne prêtent pas à controverse et n'exigent pas une perpétuelle remise en question. On raconte que le regretté chercheur et théoricien du développement, Heinz Werner, avertit un jour ses élèves que tout ce qu'il leur enseignait serait bientôt démodé. Un étudiant se mit à protester, lui demandant pourquoi il devait perdre son temps à étudier des choses qui seraient bientôt périmées. Werner répliqua qu'il souhaitait justement que ses travaux soient dépassés parce que cela indiquerait qu'on s'intéressait à ce qu'il disait et qu'on continuerait à chercher pour en savoir toujours davantage.

La recherche sur le développememt et le vieillissement des

adultes évolue plus rapidement que dans bien d'autres domaines, à tel point que ce qu'on « savait » il y a quinze ans n'est déjà plus « vrai » aujourd'hui. Cet état de choses s'explique par le raffinement croissant des méthodes de recherche. Dans ce chapitre nous voulons souligner quelques-uns des points forts et des points faibles des diverses techniques en usage afin de donner à l'étudiant les moyens d'apprécier chaque étude particulière à sa juste valeur et de juger si les réponses apportées aux questions posées sont raisonnables. Nous voulons également le rendre sensible à l'élégance des plans ou devis de recherche d'une part, et d'autre part le mettre en garde contre une multitude de difficultés toujours présentes. Mais nous ne prétendons pas que ces quelques pages feront de lui un chercheur ni qu'elles constituent une étude méthodologique exhaustive. Notre objectif se borne en effet à stimuler l'intérêt pour la recherche et l'étude.

Rapports de la recherche à la théorie

Les découvertes des chercheurs sont déterminées dans une large mesure par ce qu'ils cherchent et ce qu'ils sont prêts à observer. Toute recherche est intrinsèquement orientée par les perspectives théoriques du chercheur. Les chercheurs sont des gens qui connaissent bien telle façon d'aborder une question et qui ont souvent au départ une *hypothèse* ou une idée générale de ce qu'ils vont découvrir. Il arrive parfois que les chercheurs « observent » et rapportent des résultats qui coïncident avec leurs hypothèses de départ, si bien qu'ils négligent les données qui ne semblent pas cadrer avec leurs perspectives théoriques.

En raison de la complexité inhérente à la recherche, le fait de ne pas découvrir ce qu'on prévoyait peut être imputable à l'interférence de facteurs étrangers (ou d'erreurs) plutôt qu'à la description de l'objet d'étude. Les chercheurs prennent généralement soin de dépister les causes d'interférence avant de rejeter leurs hypothèses originales. Certains psychologues d'orientation behavioriste, qui se sont montrés particulièrement sévères dans leurs critiques concernant la vérification des hypothèses, avancent que les chercheurs qui formulent des hypothèses développent souvent une « myopie des hypothèses » (Bachrach, 1965, p. 21-22), ce qui leur fait perdre de vue certaines données importantes lorsque ces dernières ne coïncident pas avec leurs préoccupations immédiates.

Certaines études embrassent un vaste domaine, comme « la description des phénomènes entourant la ménopause », alors que d'autres se limitent à des questions spécifiques comme « les effets de la consommation de faibles doses d'alcool sur la durée du sommeil profond (stade IV) chez les personnes âgées de plus de 80 ans ».

La diversité des optiques théoriques peut influer sur l'interprétation d'un même phénomène. Ainsi, un chercheur d'orientation psychanalytique observera, par exemple, les effets de la retraite en fonction des mécanismes d'adaptation du Moi, tandis qu'un behavioriste verra dans la retraite la perte des renforcements positifs qui ont leur source dans le travail ; à son tour, la psychologie sociale s'attachera à l'étude des changements importants survenus dans les modes de communication entre le sujet et ses relations ; enfin l'anthropologie culturelle considérera la retraite comme l'expression d'une norme culturelle qui fait apparaître certains états comme inévitables. Quant à la personne mise à la retraite (que l'on ne saurait oublier) elle pourra se réjouir d'être enfin libre d'employer son temps à sa guise ou bien se désespérer à la pensée de la diminution de revenu qui l'attend.

Certains chercheurs croient fermement que leurs données et leurs interprétations sont les seules « valables ». Cette force de conviction peut être saine en ce sens qu'elle suscite invariablement une opposition active et sert de tremplin à des études toujours plus raffinées.

Kuhn (1962) a décrit ce phénomène d'alternance entre l'adhésion et l'opposition. Il y distingue trois étapes successives du développement des connaissances scientifiques. Au cours de la première étape, on assiste à la naissance des écoles de pensée. L'histoire de la psychologie nous apprend que le début de notre siècle a été marqué par l'apparition de diverses écoles en psychologie, notamment le structuralisme, le fonctionnalisme, la psychanalyse et la Gestalt, pour n'en citer que quelques-unes. Au cours de la seconde étape, une école particulière atteint une position dominante. Au cours de la troisième, enfin, des « faits » trop nombreux pour être ignorés font remettre en question le point de vue dominant, si bien qu'une méthode nouvelle ou un point de vue plus général vient remplacer l'ancien.

La formation et les convictions du chercheur peuvent en outre leur faire découvrir une méthode particulière comme l'application de l'observation sur le terrain aux êtres humains ou de la

recherche biologique en laboratoire sur les animaux. Certains chercheurs croient que la collecte de données d'un certain type constitue la *seule* méthode valable. Les biologistes diront par exemple que
leurs recherches décrivent mieux que toute autre ce qui se passe
dans le cerveau vieillissant ; les chimistes pour leur part rétorque-
ront que seuls les changements chimiques offrent la clé du mystère ;
un électro-physiologiste au contraire soulignera l'importance des
changements dans l'activité électrique cérébrale, tandis qu'un
psychologue examinera les principales modifications de la pensée
et du raisonnement ; le sociologue pour sa part parlera de l'incidence des situations sociales sur le fonctionnement des organismes,
alors qu'un diététicien fera état de l'incidence d'un sain régime alimentaire sur le fonctionnement du cerveau, et qu'un pathologiste
étudiera l'évolution de la structure du cerveau avec l'âge. Certes
le cerveau subit des modifications de tous ordres au fur et à mesure
du vieillissement, et chaque discipline a ses mérites, mais aucune
ne saurait à elle seule rendre compte du phénomène. Tous les changements observés surviennent simultanément et chaque type d'investigation fournit des informations utiles. Une explication biologique, par exemple, ne livre que peu d'indices sur l'évolution des
processus psychologiques. Les neurologues sont souvent étonnés par
le très haut niveau de fonctionnement d'un malade qui présente par
ailleurs des lésions cérébrales attestées et les psychologues sont
pareillement surpris en lisant le rapport du neurologue qui fait état
de dégâts beaucoup plus ou beaucoup moins étendus que ceux auxquels l'observation du malade les avait préparés. En fait, on ne
peut vraiment pas dire qu'une description biologique soit « meilleure », c'est-à-dire plus instructive, qu'une description anthropo-
logique, sociologique, psychologique ou chimique. Chaque discipline livre des observations provenant d'une perspective différente,
mais la compréhension globale n'est possible que si l'on tient
compte des nombreux points de vue différents.

Individus et moyennes

En raison des remarquables différences individuelles qui caractérisent la nature et la variété des expériences de chacun, le caractère global d'une tendance générale, obtenu en faisant la moyenne
de tous les sujets, peut ne pas s'appliquer à certains individus compris dans le groupe. C'est pourtant presque toujours sous forme de

moyenne qu'on présente les données, pour la bonne raison qu'une moyenne fournit une description convenable des faits considérés dans leur ensemble. Par exemple, nous savons qu'il fait habituellement plus chaud à Miami qu'à Montréal ; or le contraire peut arriver, mais cela ne veut pas dire que la moyenne soit fausse et inutile.

Les expériences des riches contrastent grandement avec celles des pauvres. Peut-être les gens mariés accèdent-ils à la maturité et à la vieillesse autrement que les célibataires. Le mariage ne produit pas le même effet sur tous les couples. La famille et les amis, l'existence ou l'absence d'un réseau d'appui, le moment où se produisent les événements marquants de la vie sont autant de facteurs susceptibles d'influer sur le vieillissement psychologique, aidant ou nuisant au développement au cours de la maturité et de la vieillesse par leur incidence sur le comportement, les attitudes, les croyances et la personnalité.

Il est possible que ceux qui perdent des parents ou des amis dès leur bas âge aient des sentiments et des comportements différents de ceux qui vivent entourés de leurs proches jusqu'à un âge avancé. La présence ou l'absence des signes du vieillissement physique (rides, calvitie), et les infirmités (surdité, cécité, paralysie), peuvent influer sur l'image de soi, et faire que l'on *se sente* vieux ou jeune, tout aussi bien que sur les réactions de l'entourage.

Les moyennes établies à partir de vastes échantillonnages ne sauraient rendre compte du cycle évolutif de l'individu. La plupart des études sont « nomothétiques », c'est-à-dire qu'elles décrivent ce qui arrive aux gens en général, et il n'est pas réaliste de penser qu'un individu donné se conformera précisément au tableau évolutif prévu par les moyennes de groupe, car celles-ci aplanissent les irrégularités qui caractérisent le développement individuel.

Considérons, par exemple, les résultats d'examen d'un groupe d'étudiants présentés au tableau A-1.

Tous ont obtenu la note finale C, basée sur la moyenne des résultats de chacun. Cependant les *variations* diffèrent dans chaque cas : Luc n'a obtenu que des C ; Chantal et Ginette se sont améliorées considérablement, tandis que les notes de Jacques ont considérablement baissé. La moyenne de la classe masque cependant ces variations individuelles. Remarquons aussi que les notes de chaque examen ont tendance à s'élever à mesure que le semestre avance. Pourtant, dans cette classe, 50 % seulement des

TABLEAU A-1. — *Exemple de moyennes*

Nom de l'étudiant	Notes aux examens					Moyenne : note finale du cours
	#1	#2	#3	#4	#5	
Luc	C(2)	C(2)	C(2)	C(2)	C(2)	C(2)
Chantal	F(0)	D(1)	C(2)	B(3)	A(4)	C(2)
Jacques	A(4)	A(4)	C(2)	F(0)	F(0)	C(2)
Ginette	F(0)	F(0)	C(2)	A(4)	A(4)	C(2)
Moyennes	1,5	1,75	2,0	2,25	2,5	2,0

étudiants (2 sur 4) ont vu leurs notes augmenter, mais aucun n'a suivi exactement la courbe de pointage des moyennes. Il serait donc injuste de n'utiliser que les moyennes de classe pour décrire les résultats obtenus par cette classe. Cet exemple illustre bien l'importance de considérer aussi bien toutes les variations individuelles que les moyennes de groupe.

Les plans ou devis de recherche

Lorsqu'on cherche à comprendre un phénomène quelconque, on commence par recueillir des informations — les données — en suivant une méthode reconnue. L'ensemble des procédures utilisées s'appelle un plan ou devis de recherche. Ceux-ci varient considérablement, depuis la simple réunion de données relativement peu compliquées jusqu'aux projets les plus élaborés prévoyant la collecte de données par intervalles répartis sur un espace de temps fort long. On trouvera dans les pages qui suivent la description de plans de recherche fréquemment utilisés dans les études sur la vieillesse.

Etudes transversales. — Concernant le développement de l'adulte et le vieillissement, les questions les plus souvent étudiées sont différentielles, c'est-à-dire qu'elles portent sur la différence entre les divers stades de la vie ou bien sur l'évolution qui accompagne le développement du sujet avec l'âge. La plupart des études relatives aux différences d'âge utilisent la méthode des coupes transversales, par laquelle le chercheur recueille tout simplement ses données auprès d'un échantillonnage de sujets d'âge différent. Ces données peuvent ensuite être présentées sous forme de tableau ou

de graphique permettant d'apprécier les similitudes et les divergences dues à l'âge, en fonction de la variable étudiée. Selon les données d'une étude utilisant la méthode transversale, les gens âgés
sont plus petits, en moyenne, que les jeunes, sauf avant l'âge de
vingt ans, période pendant laquelle la taille et l'âge sont dans un
rapport directement proportionnel. Cette étude transversale permet-
elle de conclure que dans la seconde moitié de leur vie, lorsque les
gens vieillissent, ils raccourcissent ?

Avant de répondre à cette question, considérons l'étude d'une
autre variable qui soulève des problèmes d'interprétation analogues.
Le gérontologue Robert Kastenbaum a pu observer des différences intéressantes entre les personnes âgées du quartier où il travail-
lait et les jeunes. En effet, la plupart des jeunes ne parlaient que
l'anglais, tandis que les personnes âgées parlaient invariablement
l'italien. Plus les sujets étaient jeunes et plus il était probable que
l'anglais soit leur langue dominante. Etant donné ces résultats,
peut-on conclure que les gens ont tendance en vieillissant à parler
l'italien plutôt que l'anglais ? La réponse est évidemment négative,
et ces deux exemples montrent qu'il faut se garder de conclure
qu'une différence observée entre des groupes d'âge différent est liée
uniquement à l'âge, mais qu'elle peut dépendre d'une troisième
variable qui n'a pas encore été étudiée.

Le problème illustré par cet exemple soulève une question fondamentale dans l'évaluation des études transversales. En effet, dans
ce genre d'étude, où les mesures sur des sujets d'âge différent sont
établies à un moment donné dans le temps, on ne peut jamais
savoir de façon certaine si les traits mesurés reflètent une évolution
due à l'âge ou à la différence d'âge, laquelle est fonction de la date
de naissance, autrement dit, de la génération à laquelle appartiennent les sujets. Dans une étude transversale, les gens de 90 ans sont
nés et ont été élevés 50 ans avant les gens de 40. En termes techniques, on peut dire que *dans un plan ou devis de recherche transversal l'âge se confond avec la cohorte, c'est-à-dire avec l'effet de
la date de naissance*, ce qui signifie que pour observer des gens dont
l'âge varie, le chercheur doit observer des gens *nés à des époques
différentes* et qui, par conséquent, ont grandi et vieilli au sein de
générations différentes constituant des cohortes différentes. Les
deux sources de variation sont confondues et on ne peut affirmer
que c'est l'une ou l'autre, voire les deux, qui sont à l'origine de la
différence observée. Afin de savoir si la différence observée est

imputable au fait d'avoir atteint un certain âge ou bien à celui d'appartenir à une certaine cohorte, il est nécessaire d'effectuer des
recherches plus détaillées, en utilisant d'autres méthodes, ou bien
d'avoir des motifs très plausibles de considérer l'âge et non la
cohorte comme susceptible d'influer sur la variable.

Le lecteur aura probablement déduit de l'exemple des langues
parlées par les sujets de Kastenbaum que les personnes âgées
étaient des immigrants alors que les jeunes étaient nés au pays, ce
qui expliquerait la différence des langues. Deux autres explications
sont cependant possibles. Il se peut en effet que les sujets âgés
vivent dans un quartier où les membres de la même cohorte (les
personnes du même âge) ne savent pas très bien l'anglais, de sorte
que les sujets étudiés continuent de parler italien même s'ils connaissent eux-mêmes l'anglais. On imagine facilement qu'une telle
situation puisse se produire dans un foyer pour retraités italiens.
Une autre explication possible serait que les sujets âgés souffrent
de démence sénile et qu'ils ont « régressé » jusqu'à leur langue
maternelle, ayant « oublié » l'anglais, langue acquise plus tardivement. En fait, on pourrait invoquer nombre d'autres raisons pour
expliquer le fait observé dans l'exemple en question de même que
n'importe quelle différence observée dans une étude transversale.

Il est cependant raisonnable, étant donné ce que nous savons
concernant l'immigration en Amérique du Nord, de conclure que
le fait de savoir l'italien est fonction de la différence entre les générations ou cohortes, qui sont nées et ont grandi dans des milieux
différents, plutôt que d'un phénomène inhérent au vieillissement.
Dans l'exemple des tailles, par contre, la question semble moins
nette et l'on peut se demander si la taille diminue avec l'âge par
suite de changements physiologiques dus au vieillissement ou si les
données reflètent une différence entre les cohortes. On peut en effet
penser que les personnes âgées nées il y a 70 ou 80 ans avaient un
régime alimentaire différent de celui de la génération actuelle et que
ce fait a pu avoir quelque influence sur leur taille. Il se peut en
outre que l'évolution génétique fasse en sorte que les gens nés plus
récemment atteignent une taille plus élevée que celle des générations précédentes. Peut-être même la structure osseuse se modifie-
t-elle en vieillissant de sorte que la taille diminue avec l'âge. En fait,
dans le cas présent, les recherches subséquentes autorisent à croire
que les différences de taille observées chez les jeunes et les vieux
s'expliquent par ces trois facteurs à la fois.

Etudes longitudinales. — Une seconde méthode, dite longitudinale, consiste à recueillir les données par intervalles mais auprès des mêmes sujets. Les recherches de ce genre présentent certaines difficultés du fait qu'il est nécessaire de conserver les mêmes sujets pendant toute la durée de l'étude et de réunir plusieurs séries de données. En outre, le chercheur doit généralement attendre plusieurs années, c'est-à-dire la fin de l'étude, avant d'en connaître les résultats. Il faut en effet 40 années d'investigations pour observer les changements qui surviennent entre l'âge de 40 et de 80 ans. Cependant, l'utilisation de la méthode longitudinale se justifie par l'apport d'informations supplémentaires qui fournissent d'importants éléments de réponse aux questions soulevées par le vieillissement.

L'étude longitudinale des changements de taille par rapport au vieillissement suppose que l'on mesurera la taille des mêmes sujets pendant un certain nombre d'années. Dans ce cas, les cohortes ne risquent pas de se confondre, car tous les sujets ont le même âge au début de l'enquête et appartiennent de ce fait à la même cohorte. La cohorte constitue donc une « constante », c'est-à-dire un facteur qui demeure invariable tout au long de l'étude.

Si l'on fait deux études sur la taille en relation avec le vieillissement, l'une transversale, l'autre longitudinale, on étudiera le même phénomène mais les sources d'erreurs éventuelles seront différentes. Dans l'étude longitudinale, on examinera seulement l'évolution, sans faire intervenir la différence entre les cohortes, tandis que dans l'étude transversale, on trouvera des différences basées en partie sur le développement et en partie sur l'appartenance à la cohorte. Notons qu'une légère différence dans une recherche longitudinale peut être plus importante qu'une très grande différence dans une recherche transversale.

Est-ce à dire que la recherche longitudinale constitue la méthode idéale pour étudier tous les aspects du vieillissement ? Avant de répondre à cette question, considérons un autre exemple, soit les données d'une hypothétique étude longitudinale sur le scepticisme des particuliers envers l'intégrité des organismes gouvernementaux aux Etats-Unis. Supposons que les questions posées portent sur des points controversés, comme celles-ci : « Le président des Etats-Unis cache-t-il des informations au public ? Le FBI use-t-il de moyens illicites pour obtenir des renseignements sur certains individus ? Les fonctionnaires sont-ils capables d'enfreindre les lois en vue de faire progresser leur carrière ? » Supposons maintenant, pour les besoins de la cause, que l'on observe des changements dans le degré de scepticisme entre l'âge de 50 et de 70 ans, et que le scepticisme augmente avec l'âge. Que faut-il en conclure ?

Notre étude hypothétique débute en 1955 au moment où tous les sujets ont 50 ans et se termine 20 ans plus tard, en 1975, au moment où ils ont 70 ans. Si, pendant ce temps, les sujets ont certes vieilli et mûri, par ailleurs le monde a aussi évolué, et un événement, le scandale du Watergate aux Etats-Unis, a été de nature à accroître le scepticisme non seulement chez les personnes âgées mais parmi toute la population. Cet exemple met en lumière les difficultés inhérentes à toute étude longitudinale. En effet, si, dans l'étude longitudinale, la date de naissance ne peut être une source d'erreur car les participants sont nés la même année — la date de naissance est constante et n'affecte en aucune façon les différences observées —, l'âge par contre *coïncide* avec l'année des relevés. Chaque fois qu'un sujet est soumis à un nouvel examen, il a certes vieilli, mais l'histoire a également évolué, et il est impossible de distinguer les changements imputables à l'âge et ceux qui sont liés aux événements mondiaux survenus au cours de l'étude.

Etudes rétrogressives. — Bien qu'elle soit rarement utilisée, la troisième méthode consiste à étudier des sujets ayant le même âge mais à des époques différentes, d'où le nom d'études rétrogressives données aux recherches qui portent sur des échantillons échelonnés dans le temps (en anglais, *time lag design*). L'âge demeure alors constant, tandis que le moment des relevés de même que les cohortes étudiées varient.

Prenons comme exemple l'étude de l'état de santé des personnes âgées de 65 ans en 1930 et en 1980, donc avant et après l'avènement de la sécurité sociale. Nous ne cherchons pas à connaître l'effet du temps, mais plutôt celui des événements (la législation en question) survenus pendant un certain espace de temps. On pourrait de la même manière comparer les attitudes des finissants de la classe de 1920 et celles des finissants de cette année.

Les études de ce genre présentent un inconvénient. Comme on ne peut retourner dans le passé, on doit se fier aux observations des prédécesseurs, qui échappent au contrôle de l'expérimentateur. Les comparaisons que l'on peut effectuer se trouvent donc limitées par la nature et la qualité des données dont on dispose.

Comparaison des trois plans de recherche. — Pour résumer, les plans de recherches transversales, longitudinales et rétrogressives s'opposent de la façon suivante :

> *Dans la recherche transversale, l'âge se confond avec la cohorte et l'année des relevés demeure constante.*
>
> *Dans la recherche longitudinale, l'âge se confond avec l'année des relevés et la cohorte demeure constante.*
>
> *Dans la recherche rétrogressive, l'année des relevés se confond avec la cohorte et l'âge demeure constant.*

Quel est donc le meilleur plan de recherche ? La réponse à cette question dépend de la nature de l'objet d'étude. Si l'on a des raisons de croire que la différence entre les cohortes influe de façon significative sur les résultats, mais que l'année de la collecte des données ne constitue pas un facteur important, c'est l'étude longitudinale qui est la plus appropriée. Si, au contraire, l'année des relevés semble cependant devoir influer sur les résultats, alors l'étude transversale peut, dans certains cas, s'avérer la meilleure. Enfin, si l'on veut comparer des sujets ayant vécu à des époques différentes, une étude rétrogressive pourrait convenir. Cependant, si l'on veut découvrir l'effet des facteurs de l'âge, du temps et de la cohorte, le recours à des méthodes plus complexes s'impose.

En effet, ni les études transversales ni les études longitudinales ne suffisent à rendre compte de l'action particulière de l'âge, de la cohorte et du temps. Plusieurs plans de recherche élaborés récemment permettent d'analyser séparément l'effet de chacune de ces variables ; ce sont les « plans séquentiels », qui réunissent dans la même étude, certains éléments propres aux recherches transversales, longitudinales et rétrogressives. Ces nouveaux plans de recherche ne sont appliqués que depuis vingt ans, mais ils ont déjà modifiés beaucoup de « faits ».

Les plans séquentiels. — *Les plans de recherches séquentiels combinent les méthodes transversale, longitudinale et rétrogressive, de manière à permettre l'analyse, au cours d'une même étude, de l'effet proportionnel des trois facteurs de l'âge, de la cohorte et du moment de la collecte des données.* La figure A-1 va nous servir à illustrer trois plans séquentiels. Ce tableau représente, par intervalles de dix ans, les relevés établis en 1980, 1990, 2000 et 2010 auprès des cohortes de 1900 à l'an 2000. Afin de faciliter la discussion, les cellules ont été numérotées à l'aide de lettres. Chaque rangée (horizontale) représente une dimension longitudinale, et chaque colonne (verticale) une coupe transversale, tandis que les diagonales, par exemple la ligne formée par les cellules AA, BB, CC et DD, correspondent à un plan rétrogressif.

EXEMPLE D'ÉTUDE SÉQUENTIELLE
Âge des mêmes sujets lors des relevés faits en :

		1980	1990	2000	2010
	1900	80 AA →	90 AB →	100 AC →	110 AD
	1910	70 BA →	80 BB →	90 BC →	100 BD
	1920	60 CA →	70 CB →	80 CC →	90 CD
	1930	50 DA →	60 DB →	70 DC →	80 DD
COHORTE Sujets nés en :	1940	40 EA →	50 EB →	60 EC →	70 ED
	1950	30 FA →	40 FB →	50 FC →	60 FD
	1960	20 GA →	30 GB →	40 GC →	50 GD
	1970	10 HA →	20 HB →	30 HC →	40 HD
	1980		10 IB →	20 IC →	30 ID
	1990			10 JC →	20 JD
	2000				10 KD

→ *Étude longitudinale des mêmes sujets*

FIG. A-1. — Exemple d'étude séquentielle

Etude séquentielle des cohortes. — Les cellules BA, BB, CB et CC représentent une séquence de cohortes minimale ; toute série de deux rangées représente une séquence de cohortes plus étendue. Cette étude minimale porte sur les cohortes de 1910 et de 1920 (les sujets sont nés en 1910 et 1920) étudiées en 1980, 1990 et 2000. Les effets de l'époque du relevé se confondent avec ceux de l'âge de la cohorte puisque les mêmes âges et les mêmes cohortes sont contrôlés à des moments différents. Ce plan de recherche convient donc aux études dans lesquelles l'effet de la date du relevé est négligeable. L'analyse complexe des données provenant de ce modèle et d'autres modèles séquentiels peut aider à comprendre l'effet proportionnel de chacune des sources de variation possibles.

Etudes séquentielles chronologiques. — Les cellules AA, BA, BB et CB représentent une séquence chronologique minimale. Toute série de deux colonnes représente une séquence chronologique plus étendue. Il est évident qu'on ne peut observer les cohortes du même âge à des moments différents tout en maintenant l'âge constant ; les effets de cohorte se confondent donc avec l'âge et le temps. Ce modèle est utile lorsque l'on présume que la différence entre les cohortes sera négligeable.

Etudes séquentielles transversales. — Tout carré formé de quatre cellules, par exemple AA, BA, AB et BB, correspond à une étude transversale minimale. Tout carré ou rectangle formé d'un nombre de cellules plus élevé, par exemple AA-DA, AB-DB, AC-DC et AD-DD, correspond à une séquence plus étendue. Puisque l'effet de l'âge se confond avec les effets du temps et de la cohorte, ce modèle est plus utile dans une situation où les effets de l'âge sont négligeables, tandis que les différences de cohorte et de date des relevés sont importantes.

Il est évident que les études séquentielles coûtent cher ; elles exigent en effet beaucoup de temps, des échantillonnages nombreux ainsi que des relevés réitérés. L'exécution des plans les plus simples que nous venons de citer exige trente années de travail, au cours desquelles des difficultés de toutes sortes peuvent surgir : perte de sujets, modifications des questionnaires et des instruments, introduction de nouveaux assistants de recherche, voire même la mort du chercheur.

Le choix des sujets

Les personnes et les animaux qui servent à la recherche s'appellent des « sujets ». Idéalement, les sujets de recherche devraient former un échantillonnage représentatif de la population dont ils proviennent. Si l'étude porte sur le vieillissement au Canada, l'échantillonnage doit représenter les diverses catégories de Canadiens : hommes et femmes, francophones et anglophones, travailleurs et retraités, etc. Peu de chercheurs disposent cependant des ressources nécessaires pour réunir un échantillonnage aussi représentatif du pays tout entier. La plupart des chercheurs étudient les sujets dont ils disposent et qu'ils recrutent par la voie des groupes sociaux, des universités ou des annonces placées dans les journaux. Ces contraintes imposées à l'échantillonnage limitent la portée de toute recherche.

L'interprétation des résultats d'une étude portant sur un échantillonnage limité oblige à supposer que les résultats obtenus seraient les mêmes si l'on utilisait d'autres échantillonnages, formés d'autres sujets. Cependant, cette supposition n'est pas toujours justifiée. En effet, la procédure même d'échantillonnage fausse considérablement les résultats, ne serait-ce que parce que les sujets qui acceptent de participer à une étude diffèrent de ceux qui refusent de le faire. Par exemple, les malades et les solitaires peuvent se trouver écartés et leurs traits caractéristiques négligés du fait que ces personnes sont incapables de prendre part aux recherches. Avant d'accorder foi aux résultats de toute recherche, il est important de se renseigner sur la façon dont les sujets de l'expérience ont été obtenus, et de vérifier si la méthode de sélection risque de fausser les résultats concernant la variable à l'étude.

L'un des reproches le plus souvent adressé aux chercheurs concerne la nature de l'échantillon. Ce qui est vrai des riches retraités de la Côte d'Azur peut fort bien ne pas l'être des personnes du même âge qui habitent les faubourgs de Paris. Nous avons déjà signalé que l'étendue et la portée pratique de tout plan de recherche sont limitées par les possibilités d'échantillonnage qui influent sur les résultats. Il convient donc d'apporter le plus grand soin au choix de l'échantillonnage, afin de pouvoir supposer que les résultats seront représentatifs, sous peine de devoir limiter l'interprétation aux échantillons semblables à ceux qui ont servi à l'étude.

Les méthodes longitudinales et séquentielles sont souvent affectées par l'abandon des sujets qui quittent le groupe à l'étude. Si l'on pouvait présumer qu'il n'existe pas de motifs d'abandon systématique, on pourrait se contenter de sélectionner un échantillonnage suffisamment nombreux pour compenser les pertes. Cependant, si les causes d'abandon sont communes, elles influent probablement sur les résultats. Par exemple, si les sujets qui se retirent sont les moins motivés, ce fait augmentera certains résultats et les orientera dans une direction positive. Par ailleurs, les sujets les plus enclins à cesser de participer sont ceux dont la santé est moins bonne et qui risquent d'être malades plus souvent. Encore une fois, dans certaines études, cela peut hausser le taux de résultats positifs.

Existe-t-il d'autres taux d'abandon systématiques qui puissent influer défavorablement sur les données ? Cette question évoque immédiatement la plus grande mobilité des sujets provenant des classes socio-économiques favorisées. Ces personnes aisées sont susceptibles de se déplacer et par conséquent de ne plus être libres de se présenter lors des contrôles subséquents. Dans la plupart des études, il s'ensuivrait probablement un fléchissement des résultats. Il n'est pas permis de supposer que les facteurs de sélection positifs et négatifs s'annuleront si l'échantillonnage est suffisamment nombreux, mais il est nécessaire de procéder à une analyse très poussée du taux d'abandon afin de découvrir les sources d'erreur possibles.

Les personnes très âgées comme celles des cellules AC, AD et BD du tableau A-2 présentent une autre difficulté, qui s'ajoute à celles qui viennent d'être mentionnées. Si l'on souhaite conserver un nombre de sujets élevé afin d'obtenir des résultats fiables, combien de personnes faut-il prévoir au départ, compte tenu du taux de mortalité dans ce groupe d'âge ? En réalité, il est quasi impossible de faire une étude longitudinale ou séquentielle qui se terminerait par un échantillonnage convenable de personnes âgées de 90 à 100 ans parce que le taux de mortalité de ce groupe est trop élevé : le groupe de départ serait obligatoirement trop vaste. Selon le *Statistical Bulletin* (avril 1975, p. 7), 20 908 personnes sur 100 000 atteignent l'âge de 85 ans, soit un peu moins de 21 %. Pour finir l'expérience avec 100 sujets de 85 ans, il serait donc nécessaire de la commencer avec un échantillonnage de 478 sujets.

Schaie, Labouvie et Barret (1972) ont étudié la différence entre les sujets qui se sont ou ne se sont pas présentés lors d'un test auquel ils avaient été convoqués. Leurs recherches montrent qu'il en résulte un effet positif, c'est-à-dire que les sujets qui se sont présentés ont obtenu des cotes plus élevées lors du premier test. Cet effet positif se retrouve presque partout à travers leurs données.

Déviations imputables à l'expérimentateur

Les « expérimentateurs » sont ceux qui recueillent les données nécessaires à la recherche. Ils peuvent constituer une source d'erreur importante dans l'étude puisqu'ils peuvent influer directement ou indirectement sur les résultats de la recherche, sans même se douter des déviations qu'ils provoquent (Rosenthal, 1966). Il se peut, par exemple, que les sujets s'efforcent de plaire au chercheur en répondant ce qu'*ils croient* que ce dernier désire entendre, ou qu'ils hésitent à avouer certains comportements à un étranger, ou encore qu'ils se confient plus volontiers si le chercheur est un ami.

Les chercheurs peuvent influencer les sujets de plusieurs façons subtiles, soit qu'ils anticipent certains résultats ou certaines réactions de la part des sujets. En effet, le moindre hochement de tête, les variations du timbre de la voix, un simple sourire suffisent à influencer les sujets à l'insu de l'expérimentateur. Les expérimentateurs peuvent en outre se tromper en rapportant les résultats de leurs observations, soit qu'ils commettent des erreurs, soit que leurs propres préjugés colorent leurs perceptions ou leurs interprétations. Leurs préoccupations et leurs présuppositions risquent de détourner leur attention et de leur faire négliger des données importantes.

En vue de réduire au minimum les déviations dues à l'expérimentateur, on utilise une procédure dite « double aveugle » (en anglais *double-blind*), ce qui signifie que ni le chercheur ni le sujet sont au courant des résultats anticipés, et qu'ils ignorent s'ils font partie du groupe expérimental ou du groupe témoin. Dans les expériences où l'on emploie cette technique de validation, la déviation induite par le chercheur se trouve quelque peu réduite, mais certains risques subsistent malgré tout, car le chercheur ou le sujet peuvent faire intervenir leurs idées préconçues en dépit de toutes les précautions que l'on aura pu prendre.

Un second moyen employé en vue de compenser les erreurs introduites par l'expérimentateur consiste à vérifier la fiabilité des rapports du chercheur en les comparant à d'autres, obtenus dans des conditions identiques ou semblables. On peut, par exemple, utiliser plusieurs expérimentateurs afin d'augmenter la fiabilité des résultats, et calculer le degré d'accord entre les divers chercheurs, ce qui s'appelle calculer « la fidélité entre les juges ». On augmente encore le degré de fiabilité en répétant l'expérience tout en utilisant des sujets et des chercheurs différents. Une expérience faite par plusieurs expérimentateurs est en elle-même une série de répétitions simultanées.

Dans les études longitudinales et séquentielles, les changements de personnel au cours de l'étude peuvent constituer une source d'erreur importante. La plupart des recherches sont effectuées par des assistants spécialement engagés à cet effet, qui sont le plus souvent des étudiants de troisième cycle, dont la participation est de courte durée puisque, aussitôt leurs études terminées, ils quittent leur poste subalterne pour entreprendre leurs propres recherches. Le personnel de soutien chargé des besognes quotidiennes n'est guère plus stable.

Même si l'expérimentateur pouvait rencontrer lui-même tous les sujets pendant toute la durée de l'étude, des changements intervien-draient inévitablement, qui seraient de nature à influer sur les réponses des sujets. Il est en effet fort différent de se faire interro-ger par un jeune diplômé de 25 ans et par un professeur titulaire de 55 ans, même s'il s'agit de la même personne. On ne saurait non plus négliger l'éventualité de la mort du chercheur au cours d'une expérience qui dure plus de 30 ans.

La revue faite par Mishara et McKim (1993) souligne l'impor-tance de l'expérimentateur et de ses caractéristiques pour s'assu-rer l'obtention de données valables. L'âge, le sexe, la position sociale et la race des intervieweurs influencent grandement les réponses des sujets. Les personnes âgées qui sont interviewées par d'autres aînés peuvent donner des réponses différentes de celles qu'elles donneraient si elles étaient interviewées par des personnes plus jeunes. Même des détails comme les vêtements portés par les expérimentateurs peuvent modifier les résultats. Par exemple, Cos-per (1972) rapporte dans une enquête sur le taux de consommation de boissons alcoolisées que les mêmes expérimentateurs ont obtenu, lorsqu'ils étaient vêtus de complets sombres, un taux de 64 % de buveurs, et quand ils portaient des vêtements moins formels, un taux de 93 % de buveurs.

Les données et leur validité

Les résultats d'une recherche sont les données recueillies et interprétées souvent à l'aide de techniques statistiques. Le genre de données dépend de l'objet d'étude, de la convenance de certains types de données par rapport à la recherche, aussi bien que de con-sidérations matérielles de temps et d'argent. Les techniques psycho-métriques utilisées pour la collecte des données varient, depuis le simple relevé de fréquence jusqu'aux tests et aux procédures d'éva-luation complexes. Prenons, par exemple, le cas d'un chercheur qui désire étudier le degré de fatigue des sujets. Les données recueil-lies pourraient consister en réponses à un questionnaire concernant le degré de fatigue ressentie, la quantité de sommeil nécessaire au sujet ou la nature de l'activité jugée fatigante, en mesures physiologiques de la fatigue musculaire, mesures électriques de l'activité cérébrale, ou toute autre espèce de mesure. En soi, la fatigue est un construit hypothétique, indépendant de la méthode employée pour la mesurer. Bien que la fatigue soit ressentie comme un état subjectif, l'observateur ne peut mesurer la fatigue elle-même puisqu'elle est un concept abstrait. Il doit accorder foi aux observations du sujet concernant sa propre fatigue ou bien recourir aux examens physiologiques et psychologiques qui livreront des indications plus ou moins précises sur le degré de fatigue éprouvée par le sujet.

On se trouve parfois confronté au vieux dilemme de l'expérience subjective. Prenons le sommeil par exemple. Comment savoir si une personne dort ? On peut le lui demander, et, si elle ne répond pas, considérer son silence comme la preuve qu'elle est endormie. Les observations fondées sur le sens commun ne sont pas satisfaisantes, car le fait de parler ou de se taire, de respirer profondément et d'avoir les yeux fermés et le reste, ne prouve pas que l'on soit endormi.

Le recours aux instruments électroniques compliqués semble assurer un plus haut degré de certitude. L'EEG sert couramment à mesurer le sommeil grâce aux variations des ondes caractéristiques des quatre stades du sommeil (du sommeil léger : stade 1, au sommeil profond, stade 4). La validité de ces méthodes doit cependant être démontrée : indiquent-elles réellement le niveau de sommeil ? A ce point du raisonnement, on se pose de nouveau la question de savoir en quoi consiste le sommeil. Et, dans l'impossibilité d'y répondre, comment démontrer la validité de l'EEG comme instrument de mesure du sommeil ?

Dans les recherches basées sur les sondages ou les entrevues, le type d'instrument ou de questionnaire utilisé peut influencer les résultats obtenus. Dans leur revue des méthodologies de la recherche dans les sondages auprès des personnes âgées concernant l'utilisation de drogues, de médicaments et d'alcool, Mishara et McKim (1993) ont observé que le type de questions utilisé peut influencer les réponses obtenues. Pour les personnes âgées, il serait généralement préférable d'utiliser des questions plus courtes. Les questions ouvertes (par ex. : « Décrivez votre relation avec vos enfants ») comportent des avantages et des désavantages par rapport aux questions fermées (par ex : « Est-ce que vous considérez votre relation avec vos enfants comme très bonne, bonne, moyenne, ou pas bonne » ?). Chez les aînés, il faut tenir compte du niveau d'éducation, de la capacité à lire les questionnaires. Il est généralement souhaitable de confirmer les réponses avec d'autres indicateurs. Par exemple, quand il s'agit d'évaluer le taux d'utilisation de médicaments, il est préférable de compter le nombre de comprimés qui restent dans les bouteilles depuis l'obtention de l'ordonnance en plus de poser des questions à la personne âgée, du genre : « Est-ce que vous prenez ce médicament régulièrement ? » Trop souvent, les chercheurs utilisent avec les populations âgées des questionnaires mis au point auprès de jeunes adultes, sans se demander si les résultats de ces deux groupes d'âge sont comparables.

Les techniques métriques sont principalement destinées à déterminer dans quelle mesure les données recueillies indiquent précisément ce que le chercheur désire mesurer. On appelle *validité* la capacité que possède la recherche de procurer des informations valables en fonction de ce que l'on étudie. Tel plan de recherche ou telle technique métrique peut en effet être valable pour un objet mais non pour un autre. Une étude transversale, par exemple, fournira des réponses intéressant les différences dues à l'âge à un moment donné, mais pourra être inutile lorsqu'il s'agit de préciser les différences qui se manifestent au cours de la vie.

La première question qui se pose dans l'étude de la validité concerne le plan de recherche. La validité du plan de recherche dépend en effet de son ajustement à l'objet d'étude. Dans l'étude du développement humain, les facteurs de confusion inhérents aux études transversales, longitudinales et séquentielles mentionnés au début du chapitre prennent une importance capitale pour l'évaluation des plans de recherche.

La validité des procédures métriques revêt plusieurs formes. La première s'appelle *validité apparente (face validity)* ; c'est celle qui correspond au jugement de sens commun. Dans l'étude de la fatigue, par exemple, il semble approprié de demander aux sujets s'ils sont fatigués : la question possède une validité apparente puisqu'on sait que les gens sont capables de décrire leur fatigue. Mais compter le nombre de fois qu'une personne tape du pied ne possède guère de validité apparente puisque ce geste ne semble pas, de prime abord, constituer un indice de fatigue. La validité apparente peut sembler dépourvue d'importance ; pourtant c'est le contraire qui est vrai, car, si les techniques utilisées ne semblent pas pertinentes, convenables et sérieuses aux assistants de recherche qui les appliquent ou aux sujets qui se laissent observer, les résultats risquent d'en souffrir.

Les aspects plus scientifiques de la validité concernent les rapports des divers éléments du plan de recherche à l'objet de l'étude. La *validité de contenu* est fondamentale et désigne la mesure dans laquelle le plan de recherche correspond à la totalité du domaine de l'étude. Dans notre exemple hypothétique sur la fatigue, la validité de contenu concerne la partie du domaine de la fatigue couverte par l'étude. Celle-ci couvre-t-elle à la fois le côté subjectif mesuré par les déclarations personnelles des sujets et le côté objectif mesuré par les instruments électro-physiologiques ? La validité de contenu n'est pas entièrement déterminée par l'étendue de l'étude mais bien par la correspondance entre le but visé par la recherche et les techniques utilisées.

Les études qui tentent d'englober dans un seul vaste plan de recherche de nombreux aspects d'une question sont entravées par leur ampleur même et risquent de ne pas présenter une validité de contenu satisfaisante. D'autre part, si les études très spécifiques concentrées sur un seul aspect du problème peuvent aisément atteindre une haute validité de contenu, elles n'ont souvent qu'un potentiel systématique réduit. Le concept de *convenance*, qui s'applique au degré de spécificité ou de généralité de l'étude, est pertinent dans toute discussion de la validité de contenu. Par portée convenable d'une étude, on entend le degré de généralisation auquel se prêtent les résultats obtenus, et par *foyer convenable* d'une étude, on désigne l'adéquation de l'étude à son foyer d'intérêt spécifique. Il est malaisé de chercher à allier dans une même étude une grande portée à un foyer très précis.

Après les techniques métriques, c'est l'échantillonnage des sujets qui détermine la portée et le foyer convenables de même que la validité de contenu. Si, par exemple, dans l'étude sur la fatigue, l'échantillon ne comprend que des enfants, la portée sera diminuée par rapport à l'âge, même si le contenu est valide. Cela veut dire que l'on pourra savoir beaucoup de choses sur les enfants mais très peu sur les autres groupes d'âge. Si l'on souhaite étudier la fatigue à travers toute la gamme des âges, il faudra nécessairement augmenter la portée, mais alors on aura probablement de la difficulté à maintenir le phénomène dans un foyer convenable. Le problème de ne pas pouvoir utiliser les mêmes méthodes pour tous les groupes d'âge surgirait également, sans oublier qu'un enfant fatigué ne se comporte pas comme un adulte fatigué. Il serait, par exemple, impossible d'utiliser un questionnaire avec des sujets d'âge préscolaire et d'étudier les rapports subjectifs des groupes d'âge préverbal. Les concepts de validité de contenu, de portée et de foyer convenables sont intimement reliés et constituent d'importants éléments dans la planification et l'évaluation de la recherche.

Les autres formes de validité sont *la validité simultanée* (concurrent validity) qui désigne les rapports entre les données d'une étude et les autres données recueillies sur le même sujet ; *la validité de prédiction* (predictive validity) qui désigne la propriété qu'ont les données de prédire les événements futurs ; *la validité conceptuelle* (construct validity) qui se rapporte à la concordance des données avec les prévisions établies à l'aide d'une théorie ou d'autres faits connus.

L'exemple de la fatigue va nous servir encore une fois à illustrer ces trois formes de validité. Toute mesure de la fatigue doit avoir un rapport avec le niveau de fatigue actuel du sujet. Les bâillements peuvent indiquer ou ne pas indiquer le même niveau de fatigue chez tous les individus, puisqu'ils peuvent dépendre d'une foule de variables situationnelles différentes indépendamment du niveau de fatigue. Si la mesure de la fatigue qu'on adopte est réellement apparentée à de nombreuses mesures différentes, elle possède une validité concurrente.

Si l'on veut savoir combien de temps les gens mettent à s'endormir, et si pour prédire le moment de l'endormissement on utilise une mesure concurrente de l'état de fatigue actuelle, on cherche à confirmer la validité de prédiction de la mesure. Notons qu'il n'est pas absolument essentiel que la validité de cette mesure soit simultanément concurrente et capable de prédire, bien que ce soit généralement ce qui se passe.

Enfin, si l'on prédit que le temps de réaction est plus long chez les sujets fatigués que chez les autres, on invoque alors la validité conceptuelle, puisque la prédiction de la lenteur dérive d'une autre série de données ou d'une autre théorie sur le comportement.

Les données sont toujours dans une certaine mesure sujettes à l'inexactitude. Certaines causes d'inexactitudes sont systématiques et peuvent être repérées par des études appropriées ; d'autres, par contre, sont aléatoires ou proviennent d'« erreurs ». Les sujets peuvent, par exemple, se tromper en répondant aux questions, d'autres peuvent mentir un peu afin de « faire plaisir » au chercheur, certains sont trop anxieux au moment du test et comprennent mal les questions, d'autres enfin sont incapables de se concentrer par suite d'un excès de boisson. Même les mesures physiologiques telles que les pulsations du pouls, la pression artérielle et les analyses hématologiques peuvent varier à l'occasion en raison de l'état d'esprit du sujet (l'inquiétude concernant les résultats peut, par exemple, faire monter la pression artérielle). Le but de la recherche est de recueillir des données valables qui renferment le moins d'erreurs possibles.

Plus les données s'éloignent de la variable étudiée, plus la prudence s'impose et plus la validité des mesures demande à être étudiée soigneusement. Si l'on voulait, par exemple, mesurer la fréquence d'apparition des pronoms dans la conversation, le simple fait d'écouter et de compter les pronoms au fur et à mesure qu'ils apparaissent pourrait sembler présenter un degré de validité convenable (encore que l'utilisation d'un magnétophone et d'une calculatrice puisse offrir des garanties supplémentaires, surtout si l'expérimentateur est quelque peu dur d'oreille). Cependant, si l'on veut mesurer la dépression, il n'y a aucun moyen direct de procéder car on se trouve en présence d'impressions subjectives. Nous devons présumer que certains instruments de mesure, telles les échelles ou questionnaires normalisés sur la dépression, constituent des indicateurs de dépression valables. Les techniques métriques appliquées aux variables complexes comme la dépression peuvent intéresser des indices subtils, telle l'impression de manquer de sommeil le matin, dont la validité apparente est sans doute assez faible. C'est donc avec grand soin et seulement après une étude pilote, dans laquelle on effectue des tests de validité pour savoir si les procédés employés mesurent réellement ce qu'ils sont censés mesurer, que l'on adopte des mesures destinées à l'évaluation des variables complexes. Souvent le chercheur peut s'assurer de la validité d'une mesure en vérifiant sa validité simultanée, ce qui suppose des examens réitérés à l'aide d'autres techniques en vue de s'assurer qu'on aboutit toujours aux mêmes résultats. D'une façon générale, les résultats qui « se reproduisent » sont plus fiables que ceux qui ne se produisent qu'une seule fois.

Une difficulté particulière s'attache aux méthodes longitudinales et séquentielles, celle des changements qui modifient les tests ou les instruments. Par exemple, si l'on tente de répéter une expérience faite en 1970, il se peut que l'on dispose d'une nouvelle version du test original. On se trouve alors devant un dilemme : utiliser la version améliorée et perdre certains points de comparaison, ou bien utiliser l'ancien test, qui est peut-être périmé. Chaque chercheur résout ce problème selon ses besoins, mais l'utilisation de l'instrument original permet une meilleure comparaison malgré le fait que cet instrument puisse comporter des questions qui paraîtront étranges aux nouveaux sujets. La question de savoir s'il convient d'employer un instrument électronique nouveau présente moins de difficulté, puisque, en général, l'avantage qu'on peut en tirer n'est pas directement lié à la conduite du sujet.

Les progrès technologiques

Deux formes d'innovations technologiques contribuent au progrès de la science. La première est l'amélioration des instruments, tels les circuits électroniques intégrés, et l'autre consiste dans le progrès des techniques telles que les plans de recherche séquentiels. Nous aborderons ici la question des progrès dans l'instrumentation.

Il y a vingt ans, de nombreuses recherches, qui sont aujourd'hui faciles à réaliser, auraient été impossibles. En effet, l'équipement électronique miniaturisé, par sa taille réduite et son maniement facile, a rendu nombre d'études possibles. Si l'on voulait, par exemple, étudier les effets du « jogging » sur le rythme cardiaque, on pourrait munir le coureur d'un petit émetteur d'une portée de 250 mètres ou plus, pesant à peine quelques grammes. Or, il y a vingt ans, pour obtenir des résultats comparables, il aurait fallu faire porter au coureur un poids de 20 kilos sans compter les mètres de fils électriques ! Les ordinateurs nous permettent d'analyser en quelques secondes des données complexes qui auraient exigé des années de travail il y a à peine quelque temps. Il a fallu à L. L. Thurstone, qui était pourtant secondé par un personnel important, des années pour effectuer les analyses factorielles nécessaires à l'élaboration de son test appelé « Primary Mental Abilities ». Aujourd'hui un ordinateur analyse les mêmes données en quelques secondes.

Les progrès technologiques contribuent donc grandement au progrès des sciences en fournissant aux chercheurs des moyens d'analyse précis, rapides et pratiques.

L'interprétation des résultats

Les résultats sont généralement décrits et analysés à l'aide des techniques statistiques. Les données dites statistiquement significatives peuvent être considérées, avec une marge de doute acceptable, comme correspondant à la réalité et non comme le résultat du hasard.

Les résultats sont interprétés et discutés par le chercheur. Certains résultats sont nets, confirmant ou infirmant les hypothèses de la recherche. Mais certains résultats sont parfois ambigus, et se prêtent à des interprétations diverses. Lorsqu'on veut apprécier la valeur d'une étude, il est important d'examiner la façon dont les conclusions du chercheur coïncident avec les résultats obtenus.

Le mot de la fin

Peut-être avons-nous tant insisté sur les obstacles qui peuvent nuire à la recherche qu'il pourrait sembler qu'aucune étude ne puisse jamais être digne de confiance. Pourtant il n'en est pas ainsi, heureusement. Le nombre des recherches sur l'âge adulte et la vieillesse a considérablement augmenté au cours des dernières décennies, pendant que leur qualité s'est continuellement améliorée, de sorte que nous savons aujourd'hui beaucoup plus de choses concernant les personnes âgées. Souhaitons seulement que nos connaissances nous permettent de mieux les aider grâce à des programmes plus efficaces et plus appropriés.

Bibliographie

Abush R. et Burkhead E. J., Job stress in mid-life working women : Relationships among personality type, job characteristics, and job tension, *Journal of Counseling Psychology*, 1984, *31*, 36-44.

Achenbaum W. A., *Old age in a new land*, Baltimore, Johns Hopkins University Press, 1978.

Adelman C., Biological Aging : Theories and Current Research, communication présentée à l'assemblée annuelle de la *Canadian Association on Gerontology*, Hamilton, 1985.

Adler A., *The practice and theory of individual psychology*, New York, Harcourt, Brace and World, 1927.

Ajuriaguerra J. de, Kluser J. et TisQuelques, Aspects de leur désintégration conjointe dans les syndromes démentiels du grand âge, *Psychiatria Neurolgia*, 1965, *150*, 306-319.

Aldag R. et Breif P., Age and reactions to task characteristics, *Industrial Gerontology*, 1975, *2*, 223-230.

Aldag R. et Breif P., Age, work values and employee reactions, *Industrial Gerontology*, 1977, *4*, 192-197.

Allport G. W., *Personality : A psychological interpretation*, New York, Henry Holt and Company, 1937.

Allport G. W., *Pattern and growth in personality*, New York, Holt, Rinehart and Winston, 1961.

American Psychiatric Association, DSM-III-R *Manuel diagnostique et statistique des troubles mentaux*, Paris, Masson éditeurs, 1989.

Antonucci T. C., Personal characteristics, social support and social behavior, *in* R. H. Binstock et E. Shanas (eds.), *Handbook of aging and the social sciences* (2nd ed. 94-128), New York, Van Nostrand-Reinhold, 1985.

Arenberg D., Anticipation interval and age differences in verbal learning, *Journal of Abnormal Psychology*, 1965, *70*, 419-425.

Arenberg D., Cognition and aging : Verbal learning, memory, problem solving, and aging, *in* C. Eisdorfer et M. P. Lawton (eds.), *The psychology of adult development and aging*, Washington, DC, American Psychological Association, 1973.

Asiel M., Réflexions sur la santé et le vieillissement, *Cahier du* GERM, 1988, *207*, 14-19.

Atchley R. C., Retirement and leisure participation : Continuity or crisis ?, *The Gerontologist*, 1971, *11*, 20-32.

Atchley R. C., *The social forces in later life*, Belmont, CA, Wadsworth Publishing Co., Inc., 1972.

Atchley R. C., The leisure of the elderly, *The Humanist*, 1977, 14-19.

Atchley R. C., A continuity theory of normal aging, *Gerontologist*, 1989, *29*, 183-190.

Atkinson L., Gibson I. J. M. et Andrews J., An Investigation into the Ability of Elderly Patients Continuing to Take Prescribed Drugs after Discharge from Hospital and Recommendations Concerning Improving the Situation, *Gerontology*, 1978, *24*, 225-234.

Back J. W. et Moriss J. D., Perceptions of self and the study of whole lives, *in* E. Palmore (ed.), *Normal aging*, II : *Reports from the Duke Longitudinal Studies, 1970-1973*, Durham, North Carolina, Duke University Press, 1974.

Bachrach A. J., *Psychological research : An introduction* (3rd ed.), New York, Random House, 1972.

Bahrick H. P., Bahrick P. O. et Wittlinger R. P., Fifty years of memory for names and faces : A cross-sectional approach, *Journal of Experimental Psychology : General*, 1975, *104*, 54-75.

Baker A. H., Mishara B. L., Parker L. et Kostin I. W., Kinesthetic after effect and personality : A case study of issues involved in construct validation, *Journal of Personality and Social Psychology*, 1976, *34*, 1-13.

Ballweg J., Resolution of conjugal role adjustment after retirement, *Journal of Marriage and the Family*, 1967, *29*, 277-281.

Baltes P. B., Longitudinal and cross-sectional sequences in the study of age and generation effects, *Human Development*, 1968, *11*, 145-171.

Baltes P. B. et Labouvie G. V., Adult development of intellectual performance : Description, explanation and modification, *in* C. Eisdorfer et M. P. Lawton (eds.), *The psychology of adult development and aging*, Washington, DC, American Psychological Association, 1973.

Baltes P. B. et Schaie K. W., Aging and IQ : The myth of the twilight years, *Psychology Today*, 1974, 7, 35-40.

Baltes P. B. et Staudinger U. M., The Search for a Psychology of Wisdom, *Current Directions in Psychological Science*, 1993, *2* (2), 1-6.

Baltes P. B. et Smith J., Toward a psychology of wisdom and its ontogenesis, *in* R. J. Sternberg (ed.), *Wisdom. Its nature, origins and development*, Cambridge University Press, 1990.

Barrows C. H. et Beauchene R. E., Aging and Nutrition, *in* A. A. Albanese (ed.), *Newer Methods of Nutritional Biochemistry* (vol. 4), New York, Academic Press, 1970.

Bartley D., Compulsory retirement : A re-evaluation, *Personnel*, 1977, *54*, 62-67.

Bartoshuk L. M. et Weiffenbach J. M., Chemical Senses and Aging, *in* E. L. Schneider et J. W. Rowe (eds.), *Handbook of the Biology of Aging* (429-443), New York, Academic Press, 1990.

Baserga R. L., Cell division and the cell cycle, *in* C. E. Finch et L. Hayflick, (eds.), *Handbook of the biology of aging*, New York, Van Nostrand Reinhold Co., 1977.

Bates Tr., Young J. M., Wu L. M. et Rosenberg H. A., A pH-dependent Dissolution Rate of Nitrofurantion from Commercial Suspensions, Tablets and Cap-
sules, *Journal of Pharmaceutical Science*, 1974, *63*, 643.

Beck A. T., *Depression : Clinical, experimental and theoretical aspects*, New York,
Harper and Row, 1967.

Belbin M., *Training methods for older workers*, Paris, Organization for Economic
Cooperation and Development, 1965.

Belbin M., *The discovery method : An international experiment in retraining*, Paris,
Organization for Economic Cooperation and Development, 1969.

Belbin E. et Belbin M., *Problems in adult training*, London, Heinemonth Mann.,
1972.

Belbin E. et Downs S., Activity learning and the older worker, *in* S. M. Chown
(ed.), *Aging*, Baltimore, Penguin Books, 1972.

Benedek T., Climacterium : A developmental phase, *Psychoanalytic Quarterly*,
1950, *19*, 1-27.

Benedek T., Parenthood, as a developmental phase, *Journal of the American
Psychoanalytic Association*, 1959, 7, 385-417.

Benedek T., *in* E. J. Anthony et T. Benedek (eds.), *Parenthood* (Chapters 4, 5,
6, and 7), Boston, Little, Bown, 1970.

Benet L. Z., Greither A. et Meister W., Gastrointestinal Absorption of Drugs in
Patients with Cardiac Failure, *in* L. Z. Benet (ed.), *Effects of Disease States
on Pharmacokinetics*, Washington, DC, American Pharmaceutical Association,
1976.

Berezin M. A. et Cath S. H. (eds.), *Geriatric Psychiatry*, New York, International Universities Press, 1965.

Bibring G. L., Some considerations of the psychological processes of pregnancy,
Psychoanalytic Study of the Child, 1959, *14*, 113-121.

Bilodeau N. B., *Auto-administration des médicaments : élaboration d'un enseignement offert par l'infirmière aux personnes âgées*, Montréal, mémoire de maîtrise
inédit, Université de Montréal, 1984.

Birren J. E. et Schaie K. W. (eds.), *Handbook of the Psychology of Aging*, New
York, Van Nostrand Reinhold Co., 1977.

Birren J. E., Toward an experimental psychology of aging, *American Psychologist*,
1970, *25*, 125-135.

Birren J. E., Butler R. N., Greenhouse E. W., Sokoloff L. et Yarrow M. R.,
Human aging, Washington, DC, United State Government Printing Office,
1971.

Birren J. E. et Renner V. J., Research on the psychology of aging : Principles and
experimentation, *in* J. E. Birren et K. W. Schaie (eds.), *Handbook of the psychology of aging*, New York, Van Nostrand Reinhold Co., 1977.

Birren J. E. et Fisher L. M., The elements of wisdom : overview and integration,
in R. J. Sternberg (ed.), *Wisdom : Its nature, origins and development* (317-332),
Cambridge, Cambridge University Press.

Blackwell B., Drug Regimes and Treatment Compliance *in* R. B. Hayes, D. W.
Taylor et D. L. Sackett (eds.), *Compliance and Health Care*, Baltimore, The
Johns Hopkins University Press, 1979.

Blenkner M., Social work of family relationship in later life with some thoughts on
filial maturity, *in* E. Shanas et G. Streib (eds.), *Social structure and the family,
generational relations*, Englewood Cliffs, New Jersey, Prentice Hall, 1965.

Bock W. E. et Webber I. K., Suicide among the elderly : Isolating widowhood and mitigating alternatives, *Journal of Marriage and the Family*, 1972, *34*, 24-31.

Bogdonoff M. D., Estes E. H., Jr., Friedberg S. J. et Klein R. F., Fat mobilization in man, *Annals of Internal Medicine*, 1961, *55*, 328-338.

Bootzin R. R., *Self-help techniques for controlling insomnia*, New York, BMA (cassette audio), 1976.

Bootzin R. R., *Stimulus control treatment of insomnia*, Communication au congrès de l'Association américaine de psychologie, Honolulu, septembre 1972.

Bootzin R. R. et Engle-Friedman M., Sleep Disturbances, *in* L. L. Carstensen et B. A. Edelstein (eds.), *Handbook of Clinical Gerontology* (238-251), New York, Pergamon Press, 1987.

Bootzin R. R., Effects of self-controled procedures for insomnia, *in* R. B. Stewart (ed.), *Behavioral self-management : Strategies, techniques and outcomes*, New York, Brunner/Mazel, 1977.

Bossé R., Aldwin C. M., Levenson M. R. et Workman-Daniels K., How stressful is retirement ? Findings from the normative aging study, *Journal of Gerontology : Psychological Sciences*, 1991, *46*, 9-14.

Botwinick J., Cautiousness in advanced age, *Journal of Gerontology*, 1966, *21*, 347-353.

Brantner J., *Death and the self*, Minneapolis, Minnesota, University of Minnesota Center of Death Education and Research, 1970 (audio tape).

Bressler R., Adverse Drug Reaction, *in* K. A. Conrad et R. Bressler (eds.), *Drug Therapy for the Elderly*, St-Louis, The C. V. Mosby Co., 1982.

Brickfield C., Mandatory retirement can be hazardous to your health, *Dynamic Years*, 1978, *13*, 1.

Brody E. M. et Spark G. M., Institutionalization of the aged : A family crisis, *Family Process*, 1967, *5*, 76-80.

Brody E. M. et Vijayashankar N., Anatomical changes in the nervous system, *in* C. E. Finch et L. Hayflick (eds.), *Handbook of the biology of aging*, New York, Van Nostrand Reinhold Co., 1977.

Bromley D. B., *The psychology of human ageing*, Baltimore, Penguin Books, 1974.

Brotman H. B., Income and poverty in the older population in 1975, *The Gerontologist*, 1977, *17*, 23-26.

Burgess E. W., Cavan R. S. et Havinghurst R. J., *Your activities and attitudes*, Chicago, Science Research Associates, 1948.

Burnside I. M. (ed.), *Sexuality and aging*, Los Angeles, University of California Press, 1975.

Busse E. W., Jeffers F. C. et Obrist W. D., Factors in age awareness, *Proceedings of the 4th Congress of the International Association of Gerontology*, Moreno, 1957, 349-357.

Busse E. W. et Pfeiffer E., Functional psychiatric disorders in old age, *in* E. W. Busse et E. Pfeiffer (eds.), *Behavior and adaptation in later life*, Boston, Little, Brown, Co., 1977.

Butler R. N. et Lewis M. I., *Aging and mental health*, Saint-Louis, The C. V. Mosby Company, 1977.

Butler R. N. et Lewis M. I., *Love and sex after sixty*, New York, Harper and Row, 1977.

Butler R. et Lewis M., Treatment of specific conditions, *in* R. Butler (ed.), *Aging and mental health : Positive psychosocial approaches*, St-Louis, MO, Mosby, 1973.

Cain L., Political factors in the emerging legal status of the elderly, *The Annals*, 1974, *415*, 70-79.

Canestorai R. E., Jr., Paced and self-paced learning in young and elderly adults, *Journal of Gerontology*, *1963*, *18*, 165-168.

Caplan G., *Principles of preventive psychiatry*, New York, Basic Books, 1964.

Caranasos G. J., Stewart G. B. et Cluff L. E., Drug-induced Illness Leading to Hospitalization, *Journal of the American Medical Association*, 1974, *228*, 713-737.

Cattell R. B., Theory of fluid and crystallized intelligence : A critical experiment, *Journal of Educational Psychology*, 1963, 54, 1-22.

Chandler M. J. et Holliday S. G., Wisdom : explorations in adult competence, *in* R. J. Sternberg (ed.), *Wisdom : Its nature, origins and development*, New York, Cambridge Press University, 1986.

Chapin F. W. et Brail R. K., Human activity system in the metropolitan United States, *Environment and Behavior*, 1969, *1*, 107-130.

Charcot J., *Clinical lectures on the diseases of old age* (1867) (Leigh Hunt trans.), New York, William Wood, 1881.

Chi M. T. H., Glaser R. et Rees E. (1982), Expertise in problem solving, *in* R. J. Sternberg, Implicit Theories of Intelligence, *Journal of Personality and Social Psychology*, 1985, *49* (3), 607-627.

Chien C., Townsend E. et Townsend A., Substance Use and Abuse Among the Community Elderly : The Medical Aspect, *Addictive Diseases : An International Journal*, 1978, *3*, 347-372.

Ciompi L., Catamnestic Long-term Study on the Course of Life and Aging of Schizophrenics, *Schizophrenia Bulletin*, 1980, *6* (4), 606-618.

Clark M. et Anderson B. C., *Culture and aging*, Springfield, Ill., Charles E. Thomas, 1967.

Clayton P. J., Halikes J. A. et Maurice W., The bereavement of the widowed, *Diseases of the Nervous System*, 1971, *32*, 597-604.

Clayton V. P. et Birren J. E., The development of wisdom across the life span : A rexamination of an ancient topic, *Life-Span Development and Behavior*, 1980, *3*, 103-135.

Cohen S. et Ditman K., Gerovital H_3 in the Treatment of the Depressed Aging Patient, *Psychosomatics*, 1973, *15*, 15-19.

Colditz G. A., Branch G. L., Lipnick R. J., Willett W. C., Rosner B., Posner B. et Hennekens C. H., Moderate Alcohol and Decreased Cardiovascular Mortality in the Elderly Cohort, *American Heart Journal*, 1985, *109* (4), 886-889.

Collins J., *Recognition memory and response bias in hospitalized, schizophrenic, old and young adults* (Doctoral dissertation, Brigham Young University, 1978).

Comfort A., Basic research in gerontology, *Gerontologia*, 1970, *16*, 48-64.

Comfort A., *The prospects of longevity* (Paper presented at the meeting of the Gerontological Society, San Juan, Puerto Rico, December 1972).

Comfort A., Effects of Ethoxyquin in the Longevity of C3H Mice, *Nature*, 1973, *229*, 254-255.

Conti M. L., The loneliness of old age, *Nursing Outlook*, 1970, *18*, 28-30.

Cooper J. K., Love D. W. et Raffoul P. R., Intentional Prescription Nonadherence (Noncompliance) by the Elderly, *Journal of the American Geriatrics Society*, 1984, *30* (5), 329-333.

Corin E., The relationship between formal and informal social support networks in rural and urban contexts, *in* V. W. Marshall (ed.), *Aging in Canada : Social perspectives* (2nd ed., 367-369), Markham, ON, Fitzhenry & Whiteside, 1987.

Corso J. F., Sensory-perceptual processes and aging, *Annual Review of Gerontology and Geriatrics*, 1987, 7, 29-55.

Cosper R., Interviewer effect in a survey of drinking patterns, *Sociological Quarterly*, 1972, *13*, 228-236.

Costa P. T. Jr. et McCrae R. R., Trait psychology comes of age, *in* T. B. Sonderegger (ed.), *Nebraska Symposium on Motivation : Psychology and Aging* (169-204), Lincoln, NE, University of Nebraska Press, 1992.

Costa P. T. Jr., Zonderman A. B. et McCrae R. R., Longitudinal course of social support among men in the Baltimore longitudinal study of aging, *in* I. Sarason et B. R. Sarason (eds.), *Social support : Theory, research and applications* (137-154), The Hague, Nijhoff, 1985.

Costa P. T. Jr. et McCrae R. R., Personality continuity and the changes of adult life, *in* M. Storandt et G. R. VandenBos (eds.), *The adult years : continuity and change* (45-77), Washington, DC, American Psychological Association, 1989.

Costa P. T. Jr. et McCrae R. R., Personality in Adulthood : A six-year longitudinal study of self-reports and spouse ratings on the NEO Personality Inventory, *Journal of Personality and Social Psychology*, 1988, *54*, 853-863.

Covey H., A Reconceptualization of Continuity Theory : Some Preliminary Thoughts, *Gerontologist*, 1981, *21*, 628-833.

Cowgill D., The aging of population and societies, *The Annals*, 1974, *415*, 1-18.

Craik F. I. M., Modality effects in short-term storage, *Journal of Verbal Learning and Verbal Behavior*, 1969, *8*, 658-664.

Craik F. I. M., Age differences in human memory, *in* J. E. Birren et K. W. Schaie (eds.), *Handbook of the psychology of aging*, New York, Van Nostrand Reinhold Co., 1977.

Crawford M. A Rite of Passage, *Sociological Review*, 1973, *21*, 447-461.

Crews D. E., Multiple Causes of Death, Chronic Disease and Aging, *Collegium Anthropologicum*, 1990, *14* (2), 197-204.

Cribier F., Migration et cycle de vie, in *Actes du Colloque : tome 1. Les Ages de la Vie, VIIᵉ Colloque national de Démographie, Strasbourg 5, 6 et 7 mai 1982* (149-158), Paris, Presses universitaires de France.

Cribier F., Le temps de la retraite, *Temps Libre*, 1981, *4*, 73-83.

Cribier F., Itinéraires professionnels et usure au travail : une génération de salariés parisiens, *Le Mouvement Social*, 1983b, *124*, 11-44.

Cribier F., Changes in Life Course and Retirement in Recent Years : The Example of Two Cohorts of Parisians, *in* P. Johnson, C. Conrad et D. Thomson (eds.), *Workers Versus Pensioners : Intergenerational Justice in an Ageing World* (181-201), Manchester, Manchester University Press, 1989.

Cribier F., A European Assessment of Aged Migration, *Research on Aging*, 1980, *2* (2), 255-270.

Cribier F., Les migrations de la retraite, *La Revue de Médecine*, 1982a, *19*, 1041-1045.

Cribier F., Les migrations de la retraite : Logement, mode de vie et bilan de la migration, *La Revue de Médecine*, 1983c, *24-25*, 1135-1140.

Cribier F., La retraite au bord de la mer et les relations avec les enfants, *Gérontologie et Société*, 1982b, *21*, 43-69.

Cribier F., Les migrations de la retraite : Raisons du départ, et raisons du choix du lieu d'installation, *La Revue de Médecine*, 1983a, *21*, 979-984.

Cronbach L. J. (1984), Essentials of psychological testing, *in* R. J. Sternberg Implicit Theories of Intelligence, Creativity and Wisdom, *Journal of Personality and Social Psychology*, 1985, *49* (3), 607-627.

Cummings E., Reforming private pensions, *The annals*, 1974, *41/*, 80-94.

Cummings E. et Henry W. E., *Growing old : The process of disengagement*, New York, Basic Books, 1961.

Cupit G., The Use of Non-prescription Analgesics in an Older Population, *Journal of the American Geriatrics Society*, 1982, *30*, S76-S80.

Cutler S. J., An approach to the measurement of prestige loss among the aged, *Aging and Human Development*, 1972, *8*, 285-292.

Davidson W., Drugs for Eternal Youth : Scientific Attempts to Combat Aging, *Journal of Drug Issues*, 1979, *9* (1), 91-104.

Dean W. et Morgenthaler J., *Smart Drugs and Nutrients : How to Improve your Memory and Increase your Intelligence Using the Latest Discoveries in Neuroscience*, Santa Cruz, CA, B & J Publications, 1990.

Dement W. C., *Some must watch while some must sleep*, San Francisco, W. H. Freeman and Co., 1974.

Dennis W., Creative productivity between the ages of 20 and 80 years, *Journal of Gerontology*, 1966, *21*, 1-8.

Deutsch H., *The psychology of women* (vol. 1), New York, Grune and Stratton, 1944.

Deutsch H., *The psychology of women* (vol. 2), New York, Grune and Stratton, 1945.

De Vries H. A., Physiological effects of an exercise training regiment upon men aged 52-88, *Journal of Gerontology*, 1970, *70*, 325-336.

Diggory J. C. et Rothman D. Z., Values destroyed by death, *Journal of Abnormal and Social Psychology*, 1961, *63*, 205-210.

Dittmann-Kohli F. et Baltes P. B., Toward a neofunctionalist conception of adult intellectual development : Wisdom as a prototypical case of intellectual growth, *in* C. Alexander et E. Langer (eds.), *Beyond formal operations : Alternative endpoints to human development*, New York, University Press, 1989.

Dobbs A. R. et Rule B. G., Prospective memory and self-reports of memory abilities in older adults, *Canadian Journal of Psychology*, 1987, *41* (2), 209-222.

Drestren H., Essai clinique de la centrophénoxine en gériatrie, *La Presse médicale*, 1961, *69*, 1999-2001.

Drori D. et Folman Y., The effect of mating on the longetivity of male rats, *Experimental Gerontology*, 1971, *14*, 363-366.

Dunker T. et Tippit R., *Live Longer Through Sex*, Hermosa Beach California, Concord House, 1973.

Durkheim E., *Suicide*, Glencoe, Ill., Free Press, 1951. (Originally published, 1897.)

Eadwins C. J. et Mellinger J. C., Mid-life women : Relationship of old age and role to personality, *Journal of Personality and Social Psychology*, 1984, 47, 390-395.

Eisdofer C., Verbal learning and response time in the aged, *The Journal of Genetic Psychology*, 1965, *107*, 15-22.

Eisdorfer C., New dimensions and a tentative theory, *Gerontologist*, 1967, 7, 14-48.

Eisdorfer C., Arousal and performance : Experiments in verbal learning and a tentative theory, *in* G. A. Talland (ed.), *Human aging and behavior*, New York, Academic Press, 1968.

Eisdorfer C., Background and theory of aging, *in The future of aging*, Atlanta, Georgia, Southern Newspaper Publishing Association, 1971.

Eisdorfer C., Axelrod S. et Wilkie F., Stimulus exposure time as a factor in serial learning in an aged sample, *Journal of Abnormal and Social Psychology*, 1963, 67, 594-600.

Eisdorfer C. et Lawton M. P., *The psychology of adult development and aging*, Washington, DC, American Psychological Association, 1973.

Eisdorfer C., Nowlin J. et Wilkie F., Improvement of learning in the aged by modification of autonomic nervous system activity, *Science*, 1970, *170*, 1327-1329.

Eisdorfer C. et Stotsky B. A., Intervention, treatment and rehabilitation of psychiatric disorders, *in* J. E. Birren et K. W. Schaie (eds.), *Handbook of the psychology of aging*, New York, Van Nostrand Reinhold Co., 1977.

Eisenstadt S. N., *From generation to generation : Age groups and social structure*, Glencoe, Ill., Free Press, 1956.

Elias M. B. et Elias P. K., Motivation and activity, *in* J. E. Birren et K. W. Schaie (eds.), *Handbook of the psychology of aging*, New York, Van Nostrand Reinhold Co., 1977.

Elias M. F., Elias P. K. et Elias J. W., *Basic processes in adult developmental psychology*, Saint Louis, The CV Mosby Company, 1977.

Ellison D. L., Work, retirement, and the sick role, *The Gerontologist*, 1968, *8*, 189-192.

Elsayed M., Isamaiel A. H. et Young R. J., Intellectual Differences of Adult Men Related to Age and Physical Fitness Before and After an Exercise Program, *Journal of Gerontology*, 1980, *35*, 383-387.

Einstein G. O., Holland L. J., McDaniel M. A. et Guynn M. J., Age-related deficits in prospective memory : The influence of task complexity, *Psychology and Aging*, 1992, 7 (3), 471-478.

Enquête Santé Québec (tomes 1 et 2), *Et la santé, ça va ?*, Québec, Publications du Québec, 1987.

Erickson E. H., *Childhood and society* (2nd ed.), New York, W. W. Norton, 1963.

Erikson E. H., Erikson J. M. et Kivnick H., *Vital Involvment in Old Age*, New York, W. W. Norton & Company, 1986.

Felstein I., *Sex in later life*, Baltimore, Penguin Books, Inc., 1973.

Ferster C. B., Behavioral approaches to depression, *in* R. J. Friedman et M. M. Katz (eds.), *The psychology of depression : Contemporary theory and research*, New York, Holt, Rinehart, and Winston, 1974.

Ferenczi S., *Further contributions to the theory and technique of psychoanalysis*, New York, Basic Books Inc., 1952.

Feur L., *The conflict of generations*, New York, Basic Books, 1969.

Ficarra B. J., The aged, the dying, the dead : Medical-legal considerations, *Psychosomatics*, 1978, *19*, 41-45.

Finch C. E., Neuroendocrine and autonomic aspects of aging, *in* C. E. Finch et L. Hayflick (eds.), *Handbook of the biology of aging*, New York, Van Nostrand Reinhold Company, 1977.

Finch C. E. et Hayflick L., *Handbook of the biology of aging*, New York, Van Nostrand Reinhold Co., 1977.

Fisher D. H., *Growing old in America*, New York, Oxford University Press, 1978.

Flavell J. H., Metacognitive aspects of problem solving, *in* L. Resnick (ed.), *The nature of intelligence*, Hillsdale, New Jersey, Lawrence Erlbaum Associates, Inc., 1979.

Flavell J. H., Cognitive monitoring, *in* W. P. Dickson (ed.), *Children's oral communication skills*, New York, Academic Press, 1981.

Foner A. et Kertzer D., Transitions over the life course : Lessons from age-set societies, *American Journal of Sociology*, 1978, *83*, 1081-1104.

Foster D., Klinger-Vertabedain et Wispe L., Male longetivity and Age Differences Between Spouses, *Journal of Gerontology*, 1984, *39* (1), 117-120.

Fowler N. O., *Cardiac diagnosis and treatment* (2nd ed.), Haggerstown, Mo., Harper and Row, 1976.

Fozard J. L., Wolf E., Bell B., McFarland R. A. et Podolsky S., Visual perception and communication, *in* J. E. Birren and K. W. Schaie (eds.), *Handbook of the psychology of aging*, New York, Van Nostrand Reinhold Co., 1977.

Fozard J. L., Vision and Hearing in Aging, *in* J. E. Birren et K. W. Schaie (eds.), *Handbook of the Psychology of Aging Third Edition* (150-170), New York, Academic Press, 1990.

Frank H., Retirement : An ego alien view, *International Journal of Family Counseling*, 1977, *5*, 44-47.

Freud S., Mourning and melancholia, *in* J. Strachey (ed.), *Collected works of Sigmund Freud : The standard edition* (vol. 14), London, Hogarth Press, 1915.

Friedel R. O., Pharmacokinetics of psychotherapeutic agents in aged patients, *in* C. Eisdorfer et R. O. Friedel, *Cognitive and emotional disturbances in the elderly : Clinical issues*, Chicago, Year Book Medical Publishers, Inc., 1977.

Fuchs V. R., *How we live*, Cambridge, MA, Harvard University Press, 1983.

Gagnon J. H. et Simon W., *Sexual conduct : The social source of human sexuality*, Chicago, Aldine, 1973.

Gambert S. R., Newton M. et Duthie E. H., Medical Issues in Alcoholism in the Elderly, *in* J. T. Hartford et T. Samorajski, *Alcoholism in the Elderly : Social and Biomedical Issues*, New York, Raven Press, 1984.

Gerbino P. et Gans J., Antacids and Laxatives for Symptomatic Relief in the Elderly, *Journal of the American Geriatrics Society*, 1982, *30*, S81-S87.

German S., Klein L. E., McPhee S. J. et Smith C. R., Knowledge of and Compliance with Drug Regimes in the Elderly, *Journal of the American Geriatrics Society*, 1984, *30* (9), 568-571.

Gibbons B., The Intimate Sense of Smell, *National Geographic Magazine*, 1986, *172*, 514-525.

Gilbert A. N. et Wysocki C. J., The smell survey results, *National Geographic Magazine*, 1987, *170*, 324-361.

Glaser D. G. et Strauss A. L., *Awareness of dying*, Chicago, Aldine Publishing Co., 1965.

Glaser B. G. et Strauss A., *Time for dying*, Chicago, Aldine Publishing Co., 1968.

Golde P. et Kogan N., A sentence completion procedure for assessing attitudes toward old people, *Journal of Gerontology*, 1959, *14*, 355-363.

Gordon S. K. et Clark W. C., Application of signal detection theory ot prose recall and recognition in elderly and young adults, *Journal of Gerontology*, 1974, *29*, 64-72.

Gordon C., Gaitz C. M. et Scott J., Self-evaluation of competence and worth in adulthood, *in* S. Arietti (ed.), *American Handbook of Psychiatry*, 1975, *6*, New York, Basic Books, 212-229.

Gottlieb B. H., A Contextual Perspective on Stress in Family Care of the Elderly, *Canadian Psychology/Psychologie Canadienne*, 1989, *30* (3), 596-607.

Goudy W. J., Powers E. A. et Keith P., Work and retirement : A test of attitudinal relationships, *Journal of Gerontology*, 1975, *30*, 193-198.

Granick S. et Patterson R. D. (eds.), *Human aging*, II : *An eleven year follow-up biomedical and behavioral study*, Rockville, Maryland, National Institute of Mental Health, 1971.

Green D. M. et Swets J. A., *Signal detection theory and psychophysics*, New York, Wiley, 1966.

Greenblatt D. J., Reduced Serum Albumen Concentration in the Elderly : A Report from the Boston Collaborative Drug Surveillance Program, *Journal of the American Geriatrics Society*, 1979, *27*, 20.

Greenblatt D. J., Sellers E. B. et Shader R.I., Drug Disposition in Old Age, *New England Journal of Medicine*, 1982, *306* (18), 1081-1088.

Greene W., Psychological factors in retibuloendothelial disease, *Psychosomatic Medicine*, 1954, *16*, 220-230.

Greiner R., Bross I. et Gold H., A Method of Evaluation of Laxative Habits in Human Subjects, *Journal of Chronic Diseases*, 1974, *6*, 244-252.

Griffith G. C., Sexuality and the cardiac patient, *Heart Lung*, 1973, *2*, 70-73.

Gruner O. C., *A Treatise on the Canon of Medicine of Avicenna*, Londres, Luzac, 1930.

Guillemard A. M., La production sociale de la maladie dans la vieillesse, *Gérontologie*, 1979, 21-25.

Guillemard A. M., Les conduites des retraités, *Problèmes politiques et sociaux*, 1976, *286*, 28-33.

Gubrium J. F., *The myth of the golden years : A socio-environmental theory of aging*, Springfield, Ill., Thomas, 1973.

Guttman D. L., An exploration of ego configurations in middle and later life, *in* B. L. Neugarten and Associates (eds.), *Personality in middle and later life*, New York, Atherton Press, 1964.

Guttman D. L., The country of old men : Cross-cultural studies in the psychology of later life, *Occasional Papers in Gerontology* (n° 5), Ann Arbor, Institute of Gerontology, University of Michigan - Wayne State University, 1969.

Guttman D. L., Dependency, illness and survival among Navajo Men, *in* E. Palmore et F. C. Jeffers (eds.), *Prediction of life span*, Lexington, Massachusetts, Heath Lexington, 1971.

Guttman D. L., Alternatives to disengagement : The old men of Highland Dreeze, *in* R. A. LeVine (ed.), *Culture and personality : Contemporary readings*, Chicago, Aldine, 1974.

Guttman D. L., Parenthood : Key to the comparative psychology of the life cycle ?, *in* N. Datan et L. H. Ginsberg (eds.), *Life-span development psychology : Normative life crises*, New York, Academic Press, 1975.

Guttman D., Patterns of Legal Drug Use by Older Americans, *Addictive Diseases*, 1978, *6*, 337-356.

Harkins S., Chapman C. R. et Eisdorfer C., Memory loss and response bias in senescence, *Journal of Gerontology*, 1979, *34*, 66-72.

Harkins S. W., Collins J., Riedel R. G. et Eisdorfer C., *A signal detection approach to recognition memory differences in old and young and schizophrenics*, 1979.

Harman D., Free Radical Theory of Aging : Effects of Free Radical Inhibitors on the Mortality Rate of the Male LAF₁ Mice, *Journal of Gerontology*, 1968, *23*, 476-482.

Harman D., The free radical theory of aging, *in* H. R. Warner, R. N. Butler, R. L. Sprott et E. L. Schneider (eds.), *Modern Biological Theories of Aging* (81-87), New York, Raven, 1987.

Harris J. E. et Morris P. E., *Everyday memory, actions and absent-mindedness*, Londres, Academic Press, 1984.

Havinghurst F. J., Successful aging, *The Gerontologist*, 1961, *1*, 1-13.

Hayashi Y. et Endo S., All-night sleep polygraphic recordings of healthy aged persons : REM and slow-wave sleep, *Sleep*, 1982, *5*, 277-283.

Hayflick L., Current theories of biological aging, *in* G. J. Thorbecke (ed.), *Biology of aging and development*, New York, Plenum Publishing Corp., 1975a.

Hayflick L., Cell biology of aging, *Bio-Science*, 1975b, *25*, 629-637.

Hayflick L., The cell biology of human aging, *The New England Journal of Medicine*, 1976, *295*, 1302-1308.

Hayflick L., The cellular basis for biological aging, *in* C. E. Finch and L. Hayflick (eds.), *Handbook of the biology of aging*, New York, Van Nostrand Reinhold Co., 1977.

Haynes R. B., A Critical Review of the « Determinants » of Patient Compliance with Therapeutic Regimes, *in* D. L. Sackett et R. B. Haynes (eds.), *Compliance with Therapeutic Regimes*, Baltimore, The Johns Hopkins University Press, 1976.

Hellerstein H. E. et Friedman E. H., Sexual activity and the post-coronary patient, *Archives of Internal Medicine*, 1970, *125*, 987.

Henrard J. C., Les Indicateurs de Santé (leur application aux problèmes de santé des personnes agées), *Gérontologie*, 1979, *29*, 3-11.

Hill R., Decision making nad the family cycle, *in* E. Shanas et G. F. Streib (eds.), *Social science and the family*, Englewood Cliffs, New Jersey, Prentice Hall, 1965.

Hill R. et Rodgers R. H., The developmental approach, *in* H. T. Christensen (ed.), *Handbook of marriage and the family*, Chicago, Rand McNally and Co., 1964.

Hock F. J., Drug Influences on Learning and Memory in Aged Animals and Humans, *Neuropsychobiology*, 1987, *17*, 145-160.

Hoening J. et Hamilton M. W., Elderly psychiatric patients and the burden on the household, *Psychiatria and Neurologia*, 1966, *152*, 281-293.

Holmes D., Teresi J., Holmes M., Bergman S., King Y. et Bentur N., *Informal vs formal supports for impaired elderly : Determinants of choice on Israeli kubbutzim*, Unpublished manuscript, 1989.

Holmes T. H. et Rahe R. H., The social readjustment rating scale, *Journal of Psychosomatic Research*, 1967, *11*, 214-218.

Hooper F. H., Fitzgerald J. et Popalia D., Piagetian theory and the aging process : Extensions and speculations, *Aging and human development*, 1971, *2*, 3-20.

Horn J. L., Organization of data on life span development of human abilities, *in* L. R. Goulet et P. B. Baltes (eds.), *Life span developmental psychology*, New York, Academic Press, 1970.

Horn J. L. et Cattell R. B., Refinement and test of the theory of fluid and crystallized intelligence, *Journal of Educational Psychology*, 1966, *57*, 252-270.

Horn J. L. et Cattell R. B., Age differences in fluid and crystallized intelligence, *Acta Psycologica*, 1967, *26*, 107-129.

Horn J. L. et Donaldson G., On the myth of intellectual decline in adulthood, *American Psychologist*, 1976, *31*, 701-719.

Houle S., *La mesure des attitudes des personnes âgées envers la prise de médicaments prescrits*, Montréal, mémoire de maîtrise inédit en psychologie, Université du Québec à Montréal, 1980.

Hoyer W., Labouvie G. et Baltes P., Modification of response speed deficits and intellectual performance in the elderly, *Human Development*, 1973, *16*, 233-242.

Hulka B. S., Patient-clinician Interactions and Compliance, *in* R. B. Haynes, D. W. Taylor et D. L. Sachet (eds.), *Compliance and Health Care*, Baltimore, The Johns Hopkins University Press, 1979.

Hultsch D. F. et Dixon R. A., Learning and Memory in Aging, *in* J. E. Birren et K. W. Schaie (eds.), *Handbook of the Psychology of Aging Third Edition* (259-274), New York, Academic Press, 1990.

Hurd P. D. et Blevins J., Aging and the Color of Pills, *New England Journal of Medicine*, 1984, *310* (3), 202.

Huyck M. H., *Growing older*, Englewood Cliffs, New Jersey, Prentice Hall, 1974.

Jakubzak L. F., Age and animal behavior, *in* C. Eisdorfer et M. P. Lawton (eds.), *The psychology of adult development and aging*, Waskington, DC, *The American Psychological Association*, 1973.

James W., *The principles of psychology*, New York, Holt, 1890.

Java R. I. et Gardiner J. M., Priming and aging : Further evidence of preserved memory function, *American Journal of Psychology*, 1991, *104* (1), 89-100.

Jeffers F. J., Eisdorfer C. et Busse E. W., Measurement of age identification : A methodological note, *Journal of Gerontology*, 1962, *17*, 437-439.

Jung C. G., *Modern man in search of a soul*, New York, Harcourt, Brace and World, 1933.

Kahn R. L., Zarit S., Hilbert N. M. et Niederehe G., Memory complaint and impairment in the aged, *Archives of General Psychiatry*, 1975, *32*, 1569-1573.

Kalish R. A. et Reynolds D. K., *Death and ethnicity : A Psycho-cultural study*, Los Angeles, University of Southern California Press, 1976.

Kamo Y., A note on elderly living arrangements in Japan and the United States, *Research on Aging*, 1988, *10* (2), 297-305.

Kantor J., Milton L. et Ernest M., Comparative psychologic effects of estrogen administration on institutional and non-institutional elderly women, *Journal of American Geriatrics Society*, 1978, *26*, 9-16.

Kardiner A. et Ovesay L., *The mark of oppression*, New York, The World Publishing Co., 1951.

Kastenbaum R. et Aisenberg R., *The psychology of death*, New York, Springer Publishing Co., 1972.

Kastenbaum R. et Mishara B. L., Premature death and self-injurious behavior in old age, *Geriatrics*, 1971, *26*, 70-91.

Kastenbaum R. et Slater P., Effects of Wine on the Interpersonal Behavior of Geriatric Patients : An Exploratory Study, *in* R. Kastenbaum (ed.), *New Thoughts on Old Age*, New York, Springer, 1972.

Kastenbaum R., Beer, Wine and Mutual Gratification in the Gerontopolis, *in* D. P. Kent, S. Sherwood et R. Kastenbaum (eds.), *Research, Action and Planning for the Elderly*, New York, Behavioral Publications, 1972.

Keil F. (1984), Mechanisms in cognitive development and the structure of knowledge, *in* R. J. Sternberg, Implicit Theories of Intelligence, Creativity and Wisdom, *Journal of Personality and Social Psychology*, 1985, *49* (3), 607-627.

Kelly J., The aging male homosexual : Myth and reality, *The Gerontologist*, 1977, *17*, 328-332.

Kelly J. R., Steinkamp M. W. et Kelly J. R., Later-life satisfaction : Does leisure contribute ? *Leisure Sciences*, 1987, *9*, 189-200.

Kelly J. R., *Freedom to be : a new sociology of leisure*, New York, Macmillan, 1987.

Kendig H. L., *Aging, intergenerational support and social change in Australia*, Presented to the 1988 Sandoz Lectures in Gerontology, Basel. To appear, *in* A. Abisch, M. Berenger et V. Ceresoli (eds.), *Crossroads in Aging*, 1989.

Kiernan P. J. et Isaacs J. B., Use of Drugs by the Elderly, *Journal of the Royal Society of Medicine*, 1981, *74*, 196-200.

Kimmel D. C., *Adulthood and aging : An interdisciplinary, developmental view*, New York, John Wiley and Sons, 1974.

Kimmel D. C., Adult development and aging : A gay perspective, *Journal of Social Issues*, 1978, *34*, 113-130.

Kinsey A. C., Pomeroy W. B. et Martin C. E., *Sexual behavior in the human male*, Philadelphia, W. B. Saunders and Co., 1948.

Kinsey A. C., Pomeroy W. B., Martin C. E. et Gebhard P. H., *Sexual behavior in the human female*, Philadelphia, W. B. Saunders and Co., 1953.

Kissen D., Personality characteristics in males conducive to lung cancer, *British Journal of Medical Psychology*, 1963, *36*, 27.

Kissen D., The present status of psychosomatic cancer research, *Geriatrics*, 1969, *24*, 129-137.

Klatsky A. L., Friedman G. D. et Siegelaub A. B., Alcohol Consumption Before Myocardial Infarction : Results from the Kaiser-Permanente Epidemiological Study on Myocardial Infarction, *Annals of Internal Medicine*, 1974, *81*, 294-301.

Kline D. W. et Schieber F., Vision and aging, *in* J. E. Birren et K. W. Schaie (eds.), *Handbook of the psychology of aging* (2nd edition, 296-331), New York, Van Nostram-Reinhold, 1985.

Kofoed L. L., Abuse and Misuse of Over-the-Counter Drugs by Elderly, _in_ R. M. Atkinson (ed.), _Alcohol and Drug Abuse in Old Age_, Washington DC, American Psychiatric Press, 1984.

Kohn R. R., Effects of Anti-oxydants on Life Span of C57BL Mice, _Journal of Gerontology_, 1971, _26_, 378-380.

Koller R., Kenney J. W., Butler J. C. et Wasner N. H., Counseling the coronary patient on sexual activity, _Post-Graduate Medicine_, 1972, _51_, 134.

Kosnik W., Winslow L., Kline D., Rasinski K. et Sekuler R., Visual changes in daily life throughout adulthood, _Journal of Gerontology_, 1988, _43_, P63-P70.

Koza P., Euthanasia : Some legal considerations, _in_ L. A. Bugen (ed.), _Death and dying : Theory/research/practice_, Dubuque, Iowa, William C. Brown Co., Publishers, 1979.

Kubler-Ross E., _On death and dying_, New York, Macmillan, 1969.

Kuhn T. S., _The structure of scientific revolution_ (2nd ed.), Chicago, University of Chicago Press, 1970.

Kurtzman J. et Gordon P., _No More Dying_, Los Angeles, J. P. Tarcher, 1976.

Lamers W. M., Jr., _Death, grief, mourning the funeral, and the child_, Speech to the 84th annual convention of the National Funeral Directors Association, Chicago, Ill., November 1, 1965.

Lamy P. P., Comparative Pharmacokinetic Changes and Drug Therapy in the Older Population, _Journal of the American Geriatrics Society_, 1982, _30_, S11-S19.

Lamy P., The Aging : Drug Use and Misuse, _in_ E. Gottheil, K. A. Druley, T. E. Skoloda et H. M. Waxman (eds.), _The Combined Problems of Alcoholism, Drug Addiction and Aging_ (130-149), Springfield, Illinois, Charles C. Thomas, 1985.

Lamy P., Patterns of Prescribing and Drug Use, _in_ R. N. Butler et A. G. Beam (eds.), _The Aging Process : Therapeutic Implication_, New York, Raven Press, 1985.

Lamy P. P., Over the Counter Medication : The Drug Interactions We Overlook, _Journal of the American Geriatrics Society_, 1982, _30_, S69-S74.

Lamy P.P., The Aging : Drug Use and Misuse, _in_ E. Gotheill, K. A. Druley, T. E. Skoloda et H. M. Waxman, _Drug Addiction and Aging_, Springfield, Ill., Charles C. Thomas, 1985.

Laner M. R., Growing older male : Heterosexual and Homosexual, _The Gerontologist_, 1978, _18_, 496-501.

Laties V. et Weiss B., Behavioral Mechanisms of Drug Action, _in_ P. Black (ed.), _Drugs and the Brain_, Baltimore, Johns Hopkins University Press, 1962.

Latorre R. A. et Kear K., Attitudes toward sex in the aged, _Archives of Sexual Behavior_, 1977, _6_, 203-212.

Laufer A. C. et Fowler W. M., Jr., Work potential of the aging, _Personnel Administration_, 1971, _34_, 20-25.

Law R. et Chalmers C., Medicines and Elderly People, _British Medical Journal_, 1976, _1_, 565-568.

Lawton M. P., Moss M. et Fulcomer M., Objective and subjective uses of time by older people, _International Journal of Aging and Human Development_, 1986-1987, _24_, 171-188.

Lawton M. P., Assessment, integration, and environments for the elderly, _Gerontologist_, 1970, _10_, 38-46.

Lazarus R. S. et Folkman S., *Stress, appraisal, and coping*, New York, Springer, 1984.

Le suicide au Canada, deuxième mise à jour, Ottawa, Ministère de la Santé et du Bien-Etre, Canada, 1993.

Leaf A., *Life and Death and Medicine*, San Francisco, W. H. Freeman, 1973.

Ledwidge B., Run for Your Mind, *Canadian Journal of Behavioral Sciences*, 1980, *12*, 126-140.

Lefebvre-Pinard M. et Pinard A., Understanding and auto control of cognitive functions : Implications for the relationship between cognition and behavior, *International Journal of Behavioral Development*, sous presse, 1982.

Lehman H., *Age and achievement*, Princeton, New Jersey, Princeton University Press, 1953.

Leibovitz B. E. et Siegel B. J., Aspects of Free Radical Reactions : Aging, *Journal of Gerontology*, 1980, *35* (1), 45-55.

Le Riche H. W., An epidemiologist looks at retirement, *Canadian Family Physician*, 1978, *24*, 137-139.

LeShan L. et Gassman M., Some observations on psychotherapy with patients suffering from neoplastic disease, *American Journal of Psychotherapy*, 1958, *12*, 723-734.

LeShan L. et Worthington R. W., Some psychologic correlates of neoplastic disease : A preliminary report, *Journal of Clinical and Experimental Psychopathology*, 1955, *16*, 281-288.

LeShan L. et Worthington R. E., Loss of cathexis as a common psychodynamic characteristic of cancer patients — an attempt at statistical validation of a clinical hypothesis, *Psychological Reports*, 1956, *2*, 183-193.

Lester D., Experimental and correlational studies of the fear of death, *Psychological Bulletin*, 1967, *61*, 27-36.

Levin S. et Kahana R. J., *Psychodynamic studies on aging : Creativity, reminiscing, and dying*, New York, International Universities Press, 1967.

Levinson D. J., Darrow C. N., Klein E. B., Levinson M. H. et McKee B., *The seasons of a man's life*, New York, Ballantine Books, 1978.

Lewin K., Environmental forces in child behavior and development, *in* C. C. Murchison (ed.), *Handbook of child psychology*, Worchester, Massachusetts, Clark University Press, 1931.

Liang J., Self-Reported Physical Health Among Aged Adults, *Journal of Gerontology*, 1986, *41* (2), 258-260.

Lieberman M. A., Psychological correlates of impending death : Some preliminary observations, *Journal of Gerontology*, 1965, *20*, 181-190.

Lifton R. J., *Death in life : Survivors of Hiroshima*, New York, Random House, 1968.

Light L. L. et Singh A., Implicit and explicit memory in young and older adults, *Journal of Experimental Psychology : Learning, Memory and Cognition*, 1987, *13*, 531-541.

Little A. G. et Withington E., *Di retardatione accidentium senectutis*, Oxford, Clarendon Press, 1928.

Lopata H. Z., Loneliness : Forms and components, *Social Problems*, 1969, *17*, 248-261.

Lopata H. Z., *Widowhood in an American city*, Cambridge, Schenkman Publishing Co., 1973.

Lorand A., *Old Age Deferred*, Philadelphie, F. A. Davis, 1911.

Lowenthal M. F. et Haven L., Interaction and adaptation : Intimacy as a critical variable, *American Sociological Review*, 1968, *33*, 20-30.

Maas H. S. et Kuypers J. A., *From thirty to seventy*, San Francisco, Jossey-Bass Publishers, 1974.

Maciel A. G., Sowarka D., Smith J., Staudinger U. M. et Baltes P. B., *Dimensions of a Wise Person : Interrelating implicit and explicit theories of wisdom*, Unpublished manuscript, Berlin, Max Planck Institute for Human Development and Education, 1993.

MacMahon B. et Pugh J., Suicide in the widowhood, *American Journal of Epidemiology*, 1965, *81*, 23-31.

Maddox C. et Eisdorfer C., Some correlates of activity and morale among the elderly, *Social Forces*, 1962, *40*, 254-260.

Mandolini A., The Social Context of Aging and Drug Use : Theoretical and Methodological Insights, *Journal of Psychoactive Drugs*, 1981, *13* (2), 135-142.

Marmot M. G., Rose G., Shipley M. J. et Thomas B. J., Alcohol and Mortality : U-Shaped Curve, *Lancet*, 1981, *1*, 580.

Marris P., *Widows and their families*, London, Routeledge Kegan Paul, 1958.

Marris P., *Loss and change*, New York, Pantheon Books, 1974.

Maslow A. H., *Motivation and personality*, New York, Harper, 1954.

Masoro E. J., The Role of Animal Models in Meeting the Gerontologic Challenge in the 21st Century, *The Gerontologist*, 1992, *32* (5), 627-633.

Masters W. H. et Johnson V. E., *Human sexual responses*, Boston, Little, Brown and Company, 1966.

Masters W. H. et Johnson V. E., *Human sexual inadequacy*, Boston, Little, Brown and Company, 1970.

Masters W. H, Johnson V. E. et Kolodny R. C., *Human Sexuality*, New York, Harper Collins, 1992.

Mayerson M., Drug Disposition, *in* K. A. Conrad et R. Bressler (eds.), *Drug Therapy for the Elderly*, St-Louis, C. V. Mosby Co., 1982.

McCary J. L., *Human sexuality*, New York, D. Van Nostrand Company, 1967.

McCary J. L., *Human sexuality*, New York, D. Van Nostrand Company, 1973.

McCary J. L., *Human sexuality*, New York, D. Van Nostrand Company, 1978.

McCay C. M., Pope F. et Lunsford W., Experimental Prolongation of Life Span, *Bulletin of the New York Academy of Medicine*, 1956, *32*, 91-101.

McFarland C., Ross M. et Giltrow M., Biased Recollections in Older Adults : The Role of Implicit Theories of Aging, *Journal of Personality and Social Psychology*, 1992, *62* (5), 837-850.

McGlone F. B. et Glick E., Health Habits in Relation to Aging, *Journal of the American Geriatrics Society*, 1978, *26* (11), 481-488.

McKim W. A., Stones M. J. et Kozma A., *Factors Predicting Medicine Use in an Elderly Population*, communication présentée au congrès de l'Association canadienne de gérontologie, Québec, 1986.

McKim W. A., *Drugs and Behavior : An Introduction to Behavioral Pharmacology*, Englewood-Cliffs, New Jersey, Prentice-Hall, 1986.

McPherson B. et Kozlick C., Canadian Leisure Patterns by Age : Disengagement, Continuity or Ageism, *in* V. W. Marshall (ed.), *Aging in Canada*, Don Mills, Ontario, Fitzhenry and Whiteside, 1980.

Mead G. H., Mind, self, and society from the standpoint of a social behaviorist, *in* C. W. Morris (ed.), *The works of George Herbert Mead* (Vol. 1), Chicago, University of Chicago Press, 1933.

Mead G. H., *Mind, self and society*, Chicago, University of Chicago Press, 1934.

Meichenbaum B., *Teaching thinking : A cognitive-learning perspective*. Paper presented at the NIE-LRDC Conference on thinking and learning skills, Pittsburgh, Pennsylvania, 1980.

Melmon K. L., Preventable Drug Reactions. Causes and Cures, *New England Journal of Medicine*, 1971, *284* (24), 1361-1368.

Miller D. B., Sexual practices and administrative policies in long term care institution, *Journal of Long Term Care Administration*, 1975, *3*, 30-40.

Miller R. A., Aging and the Immune Response, *in* E. L. Schneider et J. W. Rowe (eds.), *Handbook of the Biology of Aging* (157-180), New York, Academic Press, 1990.

Mishara B. L., Geriatric patients who improve in token economy and general milieu treatment programs, *Journal of Consulting and Clinical Psychology*, 1978, *46*, 1340-1348.

Mishara B. L., Environment and face-hand test performance in the institutionalized elderly, *Journal of Gerontology*, 1979, *34*, 692-696.

Mishara B. L., College students' experiences with suicide and reactions to suicidal verbalizations : a model for prevention, *Journal of Community Psychology*, 1982, *10*, 142-150.

Mishara B. L., « Du vin à qui est rempli d'amertume » : problèmes d'alcool chez les personnes âgées, *Santé mentale au Canada*, 1982, *30* (3), 36-38.

Mishara B. L. et Baker A. H., Individual differences in stimulus intensity modulation in the elderly, *International Journal of Aging and Human Development*, 1981, *13*, 285-295.

Mishara B. L. et Baker A. H., Individual differences in old age : The stimulus intensity modulation approach, *in* R. Kastenbaum (ed.), *Old age on the new scene*, New York, Springer, 1977.

Mishara B. L. et Kastenbaum R., Self-injurious behavior and environmental change in the institutionalized elderly, *Aging and Human Development*, 1973, *4*, 133.

Mishara B. L. et Kastenbaum R., *Alcohol and old age*, New York, Grune and Stratton, 1980.

Mishara B. L., Kastenbaum R., Patterson R. et Baker R., Alcohol effects in old age : An experimental investigation, *Social Science and Medicine*, 1975, *9*, 535-547.

Mishara B. L. et Patterson R., *Consumer's handbook for mental health*, New York, Signet, New American Library, 1979.

Mishara B. L., Robertson B. L. et Kastenbaum R., Self-injurious behavior in the elderly, *The Gerontologist*, 1973, *13*, 311-314.

Mishara B. L. et Kastenbaum R., Wine in the Treatment of Long-term Geriatric Patients in Mental Institutions, *Journal of the American Geriatrics Society*, 1974, *22*, 88-94.

Mishara B. L., Le suicide et les personnes âgées (Suicide and the elderly), in *Writings in Gerontology : Mental Health*, Ottawa, Conseil consultatif sur le troisième âge, 81-96, 1991.

Mishara B. L., Understanding the complex dynamics of irreversible processes in human development, *in* Baker, W., Mos, L. P. Rappart, H. V. et Stam H. J., *Recent trends in Theoretical Psychology* (209-224), Amsterdam, North Holland, 1988.

Mishara B. L. et McKim W. A., *Drogues et vieillissements*, Boucherville, Canada, Gaétan Morin Editeur, 1989.

Mishara B. L. et McKim W. A., Methodological Issues in Surveying Older Persons Concerning Drug Use, *The International Journal of the Addictions*, 1993, *28* (4), 305-326.

Moran M. G. et Thompson II T. L., Increased Psychotropic Side Effects in Geriatric Patients, *Hospital Formulary*, 1982, *17*, 1513-1521.

Morris J. M., A retesting and modification of the Philadelphia Geriatric Center Morale Scale, *Journal of Gerontology*, 1974, *29*, 1-23.

Mosher B. A., *The Health Effects of Caffeine*, New York, American Council of Science of Health, 1982.

Munnichs J. M. A., *Old age and finitude*, Basel, Switzerland and New York, Karker, 1966.

National Association for Human Development, *Basic exercises for people over sixty*, Washington, DC, NAHD, 1976a.

National Association for Human Development, *Moderate exercices for people over sixty*, Washington, DC, NAHD, 1976b.

National Association for Human Development, *Exercise-activity for people over sixty*, Washington, DC, NAHD, 1977.

National Center for Health Statistics, *Age at menopause* (HEW Pub. No (HSM) 73-1268), USGPO, 1966.

National Center for Health Statistics, *Characteristics of persons with corrective lens* (HEW Pub. No. (HRA) 75-1520, Series 10, No. 93) USGPO, 1974.

National Center for Health Statistics, *Endentulous persons* (HEW Pub. No. (HRA) 74-1516, Series 10, No. 89), USGPO, 1974.

National Center for Health Statistics, *Age patterns in medical care, illness, and disability : United States, 1968-1969* (HEW Pub. No. (HSM) 72-1026, Series 10, Number 22), USGPO, 1973.

National Center for Health Statistics, *Divorces : Analysis of changes, vital and health statistics*, Rockville, MD, 1973, (HEW Pub. No. (HSM) 73-1900, Series 21, Number 22), USGPO, 1973.

National Center for Health Statistics, *Basic data on depressive symptomatology : United Stades, 1974-1975* (HEW Pub. No. (PHS) 80-1666), Hyattsville, MD, April, 1980.

National Center for Health Statistics, *Acute conditions : Incidence and associated disability, United States, July 1974-June 1975* (HEW Pub. No. (HRA) 77-1541, Series 10, No. 114), USGPO, 1977.

Neely E. et Patrick M. L., Problems of Aged Persons Taking Medications at Home, *Nursing Research*, 1968, *17*, 52-55.

Neugarten B. L., *Middle age and aging*, Chicago, The University of Chicago Press, 1968.

Neugarten B. L., Personality and aging, *in* J. E. Birren and K. W. Schaie (eds.), *Handbook of the psychology of aging*, New York, Van Nostrand Reinhold Co., 1977.

Neugarten B. L. et associés, *Personality in middle and later life*, New York, Atherton Press, 1964, *58*, 140-173.

Neugarten B. L. et Datan N., Sociological perspectives on the life cycle, *in* P. B. Baltes and K. W. Schaie (eds.), *Life-span development psychology : Personality and socialization*, New York, Academic Press, 1973.

Neugarten B. L., Havinghurst R. J. et Tobin S. S., Personality and patterns of aging, *in* B. L. Neugarten (ed.), *Middle age and aging*, Chicago, University of Chicago Press, 1968.

Nicolis G. et Prigogine I., *Self organization in non-equilibrium systems, from dissipative structures to order through fluctuations*, New York, Wiley-Interscience, 1977.

Norman W. T., Toward an adequate taxonomy of personality attributes : Replicated factor structure in peer nomination personality ratings, *Journal of Abnormal and Social Psychology*, 1963, *66*, 574-583.

Norwood T. H., Smith J. R. et Stein G. H., Aging at the Cellular Level : The Human Fibroblastlike Cell Model, *in* E. L. Schneider et J. W. Rowe (eds.), *Handbook of the Biology of Aging*, Third Edition (131-154), New York, Academic Press, Inc., 1990.

Novak E. R., *Textbook on gynecology* (9th ed.), Baltimore, Williams and Wilkins, 1975.

Nouvel Observateur (*Le*), L'espoir maintenant... Suite de l'entretien de Jean-Paul Sartre avec Benny Lévy, *Le Nouvel Observateur*, 1980, n° 800, 60.

Palmore E., *The honorable elders*, Durham, NC, Duke University Press, 1975.

Palmore E., (ed.), *Normal aging*, II : *Reports from the Duke Longitudinal Studies, 1970-1973*, Durham, North Carolina, Duke University Press, 1974.

Palmore E. B., Fillenbaum G. G. et George L. K., Consequence of Retirement, *Journal of Gerontology*, 1984, *39*, 109-116.

Parkes C. M., The first year of bereavement : A longitudinal study of reaction of London widows to the death of their husbands, *Psychiatry*, 1971, *33*, 444.

Parkes C. M., *Bereavement : Studies of grief in adult life*, New York, International Universities Press, Inc., 1972.

Parkes C. M. et Brown R., Health after bereavement : A controlled study of young Boston widows and widowers, *Psychosomatic Medicine*, 1972, *34*.

Parker J. et Gerjuoy H., Life-Span Extension : The State of the Art, *in* R. M. Veach (ed.), *Life Span : Values and Life Extending Technology*, San Francisco, Harper & Row, 1979.

Parkin D. M., Henney C. R., Quirk J. et Crooks J., Deviation from Prescribed Drug Treatment After Discharge from Hospital, *British Medical Journal*, 1976, *2*, 686-688.

Parry H., Balter M. et Cisin I., Primary Levels of Underreporting Drug Treatment After Discharge from Hospital, *British Medical Journal*, 1971, *34*, 589-592.

Pearlin L. I. et Turner H. A., The family as a context of the stress process, *in* S. Kasl et C. L. Cooper (eds.), *Stress and health issues in research methodology* (143-165), Chichester, Wiley, 1987.

Petrie A., *Individuality in pain and suffering*, Chicago, University of Chicago Press, 1967.

Petrie A., Collins W. et Soloman P., Pain sensitivity, sensory deprivation, and susceptibility to satiation, *Science*, 1958, *128*, 1431-1433.

Pfeiffer E., Verwoerdt A. et Wang H., Sexual behavior in aged men and women, *Archives of General Psychiatry*, 1968, *19*, 753-758.

Pfeiffer E., Verwoerdt A. et Wang H. S., Sexual behavior in aged men and women, *Archives of Genetic Psychiatry*, 1968, *19*, 753-758.

Poitrenaud J., Vallery-Masson J., Valleron A. J., Demeestere M. et Lion M. R., Factors related to attitude towards retirement among French preretired managers and top executives, *Journal of Gerontology*, 1979, *34*, 723-727.

Prehoda R. W., *Extended Youth : The Promise of Gerontology*, New York, Putnam's, 1968.

Prinz P. N., Sleep patterns in the healthy aged : Relationship with intellectual function, *Journal of Gerontology*, 1977, *32*, 179-186.

Prinz P. N. et Raskind M., Aging and sleep disorders, *in* R. L. Williams et I. Karacan (eds.), *Sleep disorders : Diagnosis and treatment*, New York, Wiley, 1978.

Rabbit P., Changes in problem solving ability in old age, *in* J. E. Birren et K. W. Schaie (eds.), *Handbook of the psychology of aging*, New York, Van Nostrand Reinhold Co., 1977.

Rabbitt P. et Abson V., « Lost and found » : Some logical and methodological limitations of self-report questionnaires as tools to study cognitive ageing, *British Journal of Psychology*, 1990, *81*, 1-16.

Rahe R. H., McKeen J. et Arthur R., A longitudinal study of life-change and illness patterns, *Journal of Psychosomatic Research*, 1967, *10*, 355-366.

Rappaport R., Normal crises, family structure and mental health, *Family Process*, 2, 1963.

Raskind M., Alvarez C., Pietrzyk M., Westerlund K. et Henlin S., Helping the elderly psychiatric patient in crisis, *Geriatrics*, 1976, *31*, 51-56.

Reichard S., Levinson F. et Petersen P. G., *Aging and personality*, New York, John Wiley, 1962.

Richardson V. et Kilty K. M., Adjustment to Retirement : Continuity vs Discontinuity, *International Journal of Aging and Human Development*, 1991, *33* (2), 151-169.

Riddle D. et Morin S., Removing the stigma : Data from individuals, *American Psychological Association Monitor*, 1977, *8*, 16-28.

Riedel R. G. et Wefald J., Revitalizing rural America, *in* C. P. Lutz (ed.), *Farming the Lord's Land*, St. Paul, MN, Augsburg Press, 1980.

Riegel K. J. et Riegel R. M., Development, drop and death, *Developmental Psychology*, 1971, *11*, 79-87.

Riley M. W., Foner A., Mooler M. E., Hess B. et Roth B., *Aging and society : An inventory of research findings* (Vol. 1), New York, Russell Sage Foundation, 1968.

Roberto K. A., Exchange and equity in friendships, *in* R. G. Adams et R. Bliezsner (eds.), *Older adult friendship : Structure and process* (147-165), Newbury Park, CA, Sage, 1989.

Robins L., West P. et Murphy G., The high rate suicide in older white men : A study testing ten hypotheses, *Social Psychiatry*, 1977, *12*, 1-20.

Rodin J. et Langer E. J., Long-term effects of a control-relevant intervention with the institutionalized aged, *Journal of Personality and Social Psychology*, 1977, *35*, 897-902.

Rose A., The subculture of aging : A framework for research in social gerontology, *in* A. Rose et W. Peterson (eds.), *Older people and their social world*, Philadelphia, Davis, 1965.

Rosenmayr L. et Kocheis E., *Unwelt and familie alter menschen*, Berlin, Luchterland-Verlag, 1965.

Rosenthal R., *Experimenter effects in behavioral research*, New York, Appleton-Century-Crofts, 1966.

Rothstein M., *Biochemical Approaches to Aging*, New York, Academic Press, 1982.

Rotter J. B., Generalized expectancies for internal versus external control of reinforcement, *Psychological Monographs*, 1966, *80* (1 whole No. 609).

Rubenstein J. M., Outdoor recreation in two European countries, *International Journal of Aging and Human Development*, 1987, *25*, 129-146.

Rubin I., *Sexual life in the later years*, New York, Sex Information and Education Council of the US (Siecus), 1970.

Ryan E. D. et Foster R., Athletic participation and perceptual reduction and augmentation, *Journal of Personality and Social Psychology*, 1967, *6*, 472-276.

Sales S., Need for stimulation as a factor in social behavior, *Journal of Personality and Social Psychology*, 1971, *19*, 124-134.

Sales S., Need for stimulation as a factor in preferences for different stimuli, *Journal of Personality Assessment*, 1972, *36*, 55-61.

Salthouse T. A., Cognitive Competence and Expertise in Aging, *in* J. E. Birren et K. W. Schaie (eds.), *Handbook of the Psychology of Aging Third Edition* (311-319), New York, Academic Press, 1990.

Schaie K. W., Translations in gerontology. From lab to life : Intellectual functioning, *American Psychologist*, 1974, *29*, 802-807.

Schaie K. W., Labouvie G. V. et Barret T. J., Selective attrition effects in a fourteen year study of adult intelligence, *Journal of Gerontology*, 1973, *28*, 328-334.

Schaie K. W., Individual differences in rate of cognitive change in adulthood, *in* V. L. Bengston et K. W. Schaie (eds.), *The Course of Later Life : Research and Reflections* (68-83), New York, Springer, 1989a.

Schaie K. W., The optimization of cognitivie functioning in old age : Predictions based on cohort-sequential and longitudinal data, *in* P. B. Baltes et M. M. Baltes (eds.), *Successful aging : Perspectives from the behavioral sciences*, Londres, Cambridge University Press, 1989b.

Scherr A. L., *Filial responsibility in the modern American family*, Washington, DC, Social Security Administration, Division of Programm Research, 1960.

Schmale A. H. et Iker H., The psychological setting of uterine cervical cancer, *The Annals*, 1966, *125*, 807.

Shneidman E. S., *Deaths of man*, New York, Quadrangle, 1973.

Schoefield D., Theoretical nuances and practical old questions : The psychology of aging, _Canadian Psychologist_, 1972, _13_, 252-266.

Schonfield D., Conflicting conclusions, gerontological theories and applications, _Canadian Psychologie/Psychologie canadienne_, 1989, _30_ (3), 507-515.

Schover L. R., Sexual Problems, _in_ L. Teri et P. M. Lewinsohn (eds.), _Geropsychological Assessment and Treatment : Selected Topics_, New York, Springer.

Schur M. C., _Freud living and dying in the form of a morphine injection_, New York, International University Press, 1972.

Schwartz A. N., Staff development and morale building in nursing homes, _The Gerontologist_, 1974, _14_, 50-53.

Seelback W. C. et Saver W. J., Filial responsibility, expectations and morale among aged parents, _The Gerontologist_, 1977, _17_, 492-499.

Segerberg O. Jr., _The Immortality Factor_, New York, E. P. Dutton & Co., 1974.

Seligman M. E. P., Depression and learned helplessness, _in_ R. J. Friedman et M. M. Katz (eds.), _The psychology of depression : Contemporary theory and research_, Washington, Winston, 1974.

Seligman M. F. P., _Helplessness : On depression, development and death_, New York, Freedman, 1975.

Seligman M. R. P., Klein D. C. et Miller W. R., Depression, _in_ H. Leitenberg (ed.), _Handbook of behavior therapy_, New York, Appleton-Century-Crofts, 1976.

Selye H., _Stress without distress_, New York, Dutton, 1974.

Sendbuehler M. J. et Goldstein S., Attempted suicide among the aged, _Journal of American Geriatrics Society_, 1977, _25_, 245-248.

Service Documentation ANEP-IRNIS, _Les Universités du 3e âge_, Document non publié, Paris, Service Documentation ANEP-IRNIS, 1980.

Sheehy G., _Passages : Predictable life crises of adult life_, New York, E. P. Dutton, 1976.

Shepard H. L., Work and retirement, _in_ R. A. Binstock et E. Shanas (eds.), _Handbook of Aging in the Social Sciences_, New York, Van Nostrand-Reinhold, 1976, 286-309.

Shepard R. J., _Physical Activity and Aging_, Londres, Croom-Helm, 1978.

Shuman T., The Aging of the World's Population, _AMBIO, A Journal of the Human Environment_, 1984, _13_ (3), 175-181.

Silverman J. A., A paradigm for the study of altered states of consciousness, _British Journal of Psychiatry_, 1968, _114_, 1201-1218.

Silverman P., Mackenzie D., Pettipas M. et Wilson E. (eds.), _Helping each other in widowhood_, New York, Health Sciences Publishing Corp., 1974.

Simonson W. et Sturgeon C. K., An Efficient Manual System to Increase Pharmacists' Ability to Detect and Prevent Medication Interactions, _Contemporary Pharmaceutical Practice_, 1979, _2_, 175-180.

Smith M., Portrayal of the Elderly in Prescription Drug Advertising, _The Gerontologist_, 1976, _16_, 329-334.

Smith E. L. et Gilligan C., Physical Activity Prescription for the Older Adult, _The Physician and Sports Medicine_, 1983, _11_, 91-101.

Smith J. et Baltes P. B., Wisdom Related Knowledge : Age/Cohort Differences in Response to Life-Planning Problems, _Developmental Psychology_, 1990, _26_, 494-505.

Spirduso W. W., Reaction and movement time as a function of age and physical activity level, *Journal of Gerontology*, 1975, *30*, 435-440.

Spirduso W. W. et Clifford P., Replication of age and physical activity effects on reaction and movement time, *Journal of Gerontology*, 1978, *33*, 26-30.

Spirduso W. W., Physical Fitness, Aging and Psychomotor Speed : A Review, *Journal of Gerontology*, 1980, *36* (6), 850-865.

Spoor A., Presbycusis values in relationship to noise reduced hearing loss, *International Audiology*, 1967, *6*, 48-57.

Stacey C. A., Kozma A. et Stones M. J., Simple Cognitive and Behavioral Changes Resulting from Improved Physical Fitness in Persons over 50 Years of Age, *Canadian Journal of Aging*, 1985, 4 (2), 67-74.

Statistical Bulletin, New York, Metropolitan Life Insurance Company, February, 1976.

Statistical Bulletin, New York, Metropolitan Life Insurance Company, October, 1977.

Staudinger U. M., Smith J. et Baltes P. B., Wisdom-related knowledge in a life review task : age differences and the role of professional specialization, *Psychology and Aging*, 1992, 7 (2), 271-281.

Steffy B. D. et Jones J. W., The impact of family and career-planning variables on the organizational, career, and community commitment of professional women, *Journal of Vocational Behavior*, 1988, *32*, 196-212.

Stephens R. C., Hanley C. A. et Underwood S., Psychoactive Drug Use and Potential Misuse Among Persons Aged 55 Years and Older, *Journal of Psychoactive Drugs*, 1981, *13* (2), 185-193.

Stones M. J. et Kozma A., Physical Performance *in* N. Charness (ed.), *Aging and Human Performance*, New York, John Wiley and Sons, 1985.

Storck P., Looft W. R. et Hooper F. H., Interrelationships among Piagetian tasks and traditional measures of cognitive abilities in mature and aged adults, *Journal of Gerontology*, 1972, *27*, 461-465.

Streib G., Social stratification and aging, *in* R. H. Binstock et E. Shanas (eds.), *Handbook of Aging and the social sciences* (160-188), New York, Van Nostrand-Reinhold, 1976.

Strieb E. P., Are the aged a minority group ? *in* A. W. Gouldner et J. M. Miller (eds.), *Applied sociology : Opportunities and problem*, New York, Free Press, 1965.

Stuchlikova E., Juricova-Horacova M. et Deyl Z., New Aspects of the Dietary Effects of Life Prolongation in Rodents. What is the Role of Obesity in Aging ?, *Experimental Gerontology*, 1975, *10*, 141-144.

Sullivan H. S., *The interpersonal theory of psychiatry*, New York, W. W. Norton, 1953.

Sunderland A., Watts J., Baddeleyn A. D. et Harris J. E., Subjective memory assessment and test performance in elderly adults, *Journal of Gerontology*, 1986, *41*, 376-384.

Sussman M. B., The family life of older people, *in* R. H. Binstock et E. Shanas (eds.), *Handbook of aging and the social sciences*, New York, Van Nostrand Reinhold Company, 1976.

Swanson D., Minnie Remembers, *in* D. Swanson, *Mind Song*, Nashville, Tennessee, The Upper Room, 1978.

Sweeney D. R., Pain reactivity and kinesthetic after effect, *Perceptual and Motor Skills*, 1966, *22*, 763-769.

Tannenbaum A., The Effects of Varying Caloric Intake Upon Tumor Incidents and Tumor Growth, *Annals of the New York Academy of Science*, 1947, *49*, 5-18.
Taranto M. A., Facets of Wisdom : A Theoretical Synthesis, *International Journal of Aging and Human Development*, 1989, *29* (1), 1-21.
Terman L. M. et Oden M. H., *The gifted child grows up*, Stanford, Stanford University Press, 1947.
Thomae H., Theory of aging and cognitive theory of personality, *Human Development*, 1970, *13*, 1-16.
Thomae H., *Patterns of aging : Findings from the Bonn Longitudinal Study of Aging*, New York, S. Karger, 1976.
Thomae H., Relying on others for social support as a coping device of the elderly, *in* G. G. Wenger (Chair), *Ageing and social support*, Symposium conducted at ICAES, Zagreb, July, 1988.
Thomas L. E., Dialogues with Three Religious Renunciates and Reflections on Wisdom and Maturity, *International Journal of Aging and Human Development*, 1991, *32* (3), 211-227.
Thurstone L. L., *Vectors of the mind*, Chicago, University of Chicago Press, 1935.
Thurstone L. L., Primary mental abilities, *Psychometric Monographs*, 1938, *I*, Whole.
Thurstone L. L. et Thurstone T. G., *Primary mental abilities scales : Primary, elementary, and intermediate*, Chicago, Science Research Associates, 1950.
Townsend P., Isolation and loneliness in the aged, *in* R. S. Weiss (ed.), *Loneliness : The experience of emotional and social isolation*, Cambridge, MIT, Press, 1973, 175-188.
Trimmer J., *Rejuvenation : The History of an Idea*, New York, A. S. Barnes and Company, 1967.
Troll L. E., The family of later life : A decade review, *Journal of Marriage and the Family*, 1971, *33*, 263-290.
Tupes E. C. et Christal R. E., Recurrent personality factors based on trait ratings, *USAF ASD Technical report* [61-97].

Ueno M., The so-called coital death, *Japanese Journal of Legal Medicine*, 1963, *17*, 535.
United Nations, *Report of the World assembly on Aging* (A/CONF. 113/31), New York, United Nations, 1982.

Van Genner A., *The rites of passage*, London, Routledge and Kegan Paul, 1960.
Van Sonderen E. et Ormel H., Network delineation : A comparison of the « affective », « exchange » and « role relation » approach, *in* K. Knipscheer et T. C. Antonucci (eds.), *Social network research : Methodological questions and substantive issues*, Amsterdam, Swets & Zeitlinger, 1990.
Van Fraechem J. et Van Fraechem R., Studies of the Effects of a Short Training Period on Aged Subjects, *Journal of Sports Medicine and Physical Fitness*, 1977, *17*, 373-380.

Vanzant F. R., Alvarez W. C., Eusterman G. B., Dunn H. L. et Bertson J., The Normal Range of Gastric Acidity for Youth to Old Age : An Analysis of 3,746 Records, *Archives of Internal Medicine*, 1932, 47, 345.

Veysset B., *Dépendance et vieillissement*, Paris, Editions L'Harmattan, 1989.

Vischer A. L., *Old Age : Its Compensations and Reward*, New York, The Macmillan Company, 1947.

Waldron I., Increased Prescribing of Valium, Librium and Other Drugs : An Example of the Influence of Economic and Social Factors on the Practice of Medicine, *International Journal of Health Services*, 1977, 7, 62-73.

Walford L., *Maximum Life Span*, New York, W. W. Norton & Co, 1983.

Wallace S., Whiting B. et Runcie J., Factors Affecting Drug Binding in Plasma of Elderly Patients, *British Journal of Clinical Pharmacology*, 1976, 3, 327-330.

Wandless I. et Davie J. W., Can Drug Compliance in the Elderly be Improved ? *British Medical Journal*, 1977, 1, 359-361.

Wasson R., *Soma, Divine Mushroom of Immortality*, New York, Harcourt Brace Jovanovitch, 1968.

Warrington E. K. et Sander H. I., The fate of old memories, *Quarterly Journal of Experimental Psychology*, 1971, 23, 432-442.

Wasow M. et Loeb M. B., Sexuality in nursing homes, *Journal of American Geriatric Society*, 1979, 27, 73-79.

Webb W. B., Sleep in older persons : Sleep structures of 50- to 60-year old men and women, *Journal of Gerontology*, 1982, 37, 581-586.

Weiffenbach J. M., Taste and smell perception in aging, *Gerondontology*, 1984, 3, 137-146.

Weschsler D., *The measurement and appraisal of adult intelligence*, Baltimore, Williams and Wilkins, 1958.

Weisman A. D. et Hackett T. P., Predilection to death, *Psychosomatic Medicine*, 1961, 23, 232-255.

Welford A. T., Motor performance, *in* J. E. Birren et K. W. Schaie (eds.), *Handbook of the psychology of aging*, New York, Van Nostrand Reinhold Co., 1977, 450-496.

Wetherick N. E., The infernetial basis of concept attainment, *British Journal of Psychology*, 1966, 57, 61-69.

Wilkie F. et Eisdorfer C., Sex, verbal ability, and pacing differences in serial learning, *Journal of Gerontology*, 1977, 32.

Wilkie F. L., Eisdorfer C. et Nowlin J. B., Memory and blood pressure in the aged, *Experimental Aging Research*, 1976, 2, 3-16.

Williams R. J., *Nutrition against disease*, New York, Pitman, 1973.

Wood W. G., Mechanisms Underlying Age-related Differences in Response to Ethanol, *in* E. Gotheil, K. A. Druley, T. E. Skoloda et H. M. Waxman (eds.), *The Combined Problems of Alcoholism, Drug Addiction and Aging*, Springfield, Illinois, Charles C. Thomas, 1985.

Yano K., Rhoads G. G. et Kagan A., Coffee, Alcohol and Risk of Coronary Disease among Japanese Men Living in Hawaii, *New England Journal of Medicine*, 1977, 297, 405-409.

Zalusky J., Shorter work years — early retirement, *The AFL-CIO American Fede-rationist*, 1977, *84*, 4-8.

Zeller F. A. et Knight R., Preventicare's impact : Preliminary results of a survey, *Long Term Care and Health Services Administration Quarterly*, 1978, *1*, 5-19.

Zolier M. L., Free Radicals : The Real Culprits in Aging ?, *Geriatrics*, 1985, *40* (3), 126-132.

Zwerling I., Plutchik R., Holtz M., King R., Crossman J. et Siegel B. B., Effects of Procaine Preparations (Gerovital H_3) in Hospital Geriatric Patients : A Double-blind Study, *Journal of the American Geriatrics Society*, 1975, *23*, 355-359.

Index

Imprimé en France
Imprimerie des Presses Universitaires de France
73, avenue Ronsard, 41100 Vendôme
Juin 1994 — Nº 40 252